HEYNE <

Zum Buch

»Hat man dich untersucht?«, fragte Mike. Beim Klang seiner tiefen, rauen Stimme ging erneut ein Schaudern durch Caras Körper – eines, das rein gar nichts mit dem Unfall zu tun hatte.
»Ja, die Sanitäter haben mir noch am Unfallort grünes Licht gegeben. Ich schätze, ich habe bloß einen leichten Schock.«
Mike legte die Stirn in Falten. »Setzen wir uns.« Er nahm sie am Ellbogen und führte sie zu einem Stuhl an der Wand, ohne ihre Einwilligung abzuwarten.
Cara, die noch ziemlich weiche Knie hatte, ließ es geschehen. Erin nahm auf der gegenüberliegenden Seite Platz, Mike ließ sich neben Cara nieder. Er war so nah, dass ihr der würzige Duft seines Rasierwassers in die Nase stieg und eine Hitzewelle durch ihren Körper sandte. Sie verdrängte den Gedanken daran.

Zur Autorin

Carly Phillips hat sich mit ihren romantischen und leidenschaftlichen Geschichten in die Herzen ihrer Leserinnen geschrieben. Sie veröffentlichte bereits über zwanzig Romane und ist inzwischen eine der bekanntesten amerikanischen Schriftstellerinnen. Mit zahlreichen Preisnominierungen ist sie nicht mehr wegzudenken aus den Bestsellerlisten. Ihre Karriere als Anwältin gab sie auf, um sich ganz dem Schreiben zu widmen. Sie lebt mit ihrem Mann und den zwei Töchtern im Staat New York. www.carlyphillips.com

Im Heyne-Verlag liegen vor:

Die Chandler-Trilogie: *Der letzte Kuss – Der Tag der Träume – Für eine Nacht*
Die Hot-Zone-Serie: *Mach mich nicht an! – Her mit den Jungs! – Komm schon! – Geht's noch?*
Die Corwin-Trilogie: *Trau dich endlich! – Spiel mit mir! – Mach doch!*
Die Single-Serie: *Küss mich doch! – Verlieb dich!*
Die Barron-Serie: *Ich will doch nur küssen – Ich will nur dein Glück – Ich will ja nur dich!*
Einzeltitel: *Küss mich, Kleiner! – Auf ein Neues! – Noch ein Kuss*

Carly Phillips

Küss mich später

Roman

Aus dem Amerikanischen
von Ursula C. Sturm

WILHELM HEYNE VERLAG
MÜNCHEN

Die Originalausgabe PERFECT FIT erschien 2013
bei The Berkley Publishing Group, New York

Verlagsgruppe Random House FSC® N001967
Das für dieses Buch verwendete FSC®-zertifizierte Papier
Holmen Book Cream liefert Holmen Paper,
Hallstavik, Schweden.

Vollständige deutsche Erstausgabe 01/2014

Printed in Germany
Umschlaggestaltung: Nele Schütz Design, München
unter Verwendung von © STOCK4B Creative/Getty Images
Satz: Greiner & Reichel, Köln
Druck und Bindung: GGP Media GmbH, Pößneck
ISBN 978-3-453-41066-4
www.heyne.de

Kapitel 1

Perfektion wird echt überbewertet, dachte Mike Marsden, als er sich dem Haus näherte, in dem er aufgewachsen war. Er kam gerade rechtzeitig zum Abendessen, genau wie jeden Sonntag, seit er vor einem knappen Monat wieder nach Serendipity gezogen war. Das sonntägliche Abendessen bei seinen Eltern war eine Pflichtveranstaltung, an der auch seine Geschwister stets teilnahmen. Ihrer Mutter schlug niemand einen Wunsch ab. Ella Marsden freute sich riesig darüber, dass ihr Sohn nach gut sechs Jahren wieder in seine kleine Heimatstadt im Staat New York zurückgekehrt war. Mike dagegen war alles andere als erfreut, wieder hier zu sein.

Er schob die Hände in die Taschen seiner Lederjacke und betrachtete das zweistöckige Häuschen mit der weißen Holzverschalung, den blauen Fensterläden und den farblich passenden Rahmen. Es befand sich in einer ruhigen Wohngegend und war klein, aber sehr gepflegt. Sowohl innen als auch außen herrschten Ordnung, Sauberkeit und Makellosigkeit, genau wie damals, als er nach Atlantic City geflüchtet war. Vielleicht fühlte er sich deshalb so unwohl in seiner Haut – Perfektion machte ihn einfach irgendwie kribbelig. So war das seit jeher gewesen. Er hatte seinen Eltern immer alles recht machen wollen, und doch hatte er ihre Geduld nur allzu oft auf die Probe gestellt.

Seine Lehrer hatten von einer »Störung der Impulskontrolle« gesprochen, er selbst machte seine Gene dafür verantwortlich. Monotonie war ihm ein Graus – das galt sowohl für das Leben in seiner kleinen Heimatstadt als auch für Beziehungen und die Arbeit. Mikes Adoptivvater Simon Marsden war der Polizeichef von Serendipity, seine Halbschwester Erin war als stellvertretende Bezirksstaatsanwältin tätig, sein Halbbruder Sam hatte sich ein Beispiel am Vater genommen und gehörte ebenfalls der Polizei von Serendipity an.

Und Mike? Ihm gefiel das Leben, für das er sich entschieden hatte. Er hatte sich als Undercover-Cop in New York City einen Namen gemacht und war bekannt dafür, dass er ganz gern die Grenzen der Vorschriften ausreizte, statt sich strikt daran zu halten. Und er sorgte dafür, dass er seinem Job, den Frauen und selbst seinen Freunden jederzeit den Rücken kehren konnte, wenn er mal wieder das Gefühl hatte, keine Luft mehr zu bekommen. So wie damals, als er sich nach Atlantic City abgesetzt hatte, weil eine Frau seine Absichten falsch interpretiert und zu viel von ihm erwartet hatte. Tja, das würde ihm garantiert nie wieder passieren. Er würde die Fehler der Vergangenheit nicht wiederholen, denn inzwischen wusste er, dass er erblich vorbelastet war und es nirgends lange aushielt.

Und doch war er jetzt hier, in diesem Nest, um seinen Vater zu vertreten, bis dieser den Kampf gegen den Krebs gewonnen hatte. Den Ärzten zufolge war Simons Erkrankung heilbar, und Mike war wild entschlossen, ihnen zu glauben. Nach Serendipity zu kommen war das Mindeste, was er für den Mann tun konnte, der ihn großgezogen hatte und dabei keinen Unterschied zwischen ihm und seinen leiblichen Kindern gemacht hatte, und das, obwohl Mike es nicht immer verdient hatte. Mikes Aufenthalt hier war also nur von begrenzter Dauer – bis Simon wieder auf dem Damm war –, anderenfalls hätte Mike wohl nicht eingewilligt herzukommen.

Er klopfte an die Tür und trat ein, und als ihm der appetitliche Duft des Schmorbratens in die Nase stieg, den seine Mutter zubereitet hatte, knurrte ihm unwillkürlich der Magen.

»Bist du's, Michael?«, rief Ella Marsden aus der Küche. Früher war er überzeugt gewesen, sie müsse über hellseherische Kräfte verfügen, weil sie stets erraten hatte, wer gerade gekommen war. Inzwischen war ihm klar, dass sie aufgrund langjähriger Erfahrung wusste, welches ihrer drei Kinder zu früh, zu spät oder pünktlich eintrudelte.

»Ja, ich bin's«, rief er und bückte sich, um dem neuen Hund seiner Eltern den Kopf zu tätscheln. Er konnte noch immer nicht fassen, dass sie das kleine weiße Fellknäuel, das aussah wie ein Staubwedel, ausgerechnet Kojak getauft hatten.

»Komm her und lass dich drücken«, befahl Ella, als

hätten sie sich monatelang nicht gesehen, dabei hatte sie erst gestern auf einen Sprung in seinem Büro vorbeigeschaut.

Er grinste und merkte, wie die Anspannung in seinen verkrampften Schultern etwas nachließ. Beim freundlichen Klang ihrer Stimme und den tröstlichen Gerüchen in seinem Elternhaus fiel wie üblich die Verunsicherung, die ihn bei dem bloßen Gedanken an Perfektion überkam, von ihm ab. »Komm mit, Kleiner, wir gehen Mom begrüßen.« Er begab sich mit Kojak an seiner Seite in die Küche. Unterwegs passierte er die Tür zum Wohnzimmer, wo sein Vater schnarchend auf seinem Lehnstuhl lag. Mike weckte ihn nicht, wohl wissend, dass er seinen Schlaf brauchte. Der Flachbildfernseher, den Mike und seine Geschwister ihren Eltern im Vorjahr zu Weihnachten spendiert hatten, war eingeschaltet, es lief ein Footballspiel.

»Hey, Mom.« Er betrat die Küche und umarmte seine Mutter. Dann drehte er sich zu dem riesigen Topf um, der auf dem Herd stand. »Hier riecht es ja lecker.« Er hob den Deckel an, bekam von Ella jedoch sogleich mit dem Kochlöffel einen Klaps auf die Finger. »Aua!«

»Finger weg!« Sie grinste und wedelte drohend mit dem Holzlöffel.

Trotz Simons Erkrankung hatte sie es geschafft, sich ihre Fröhlichkeit zu erhalten, und falls ihre strahlende Haut von ein paar zusätzlichen Falten durchzogen war, so tat dies ihrer Attraktivität keinen Abbruch. Das lockige rotbraune Haar, das ihr Gesicht umrahmte, betonte noch zusätzlich ihr jugendliches Aussehen, selbst wenn die Farbe inzwischen regelmäßig künstlich aufgefrischt wurde.

»Hey, Leute!«, tönte es vom Flur.

»Hey, Erin«, rief Mike, dann fiel ihm sein Vater wieder ein, und er zog schuldbewusst den Kopf ein.

Erin kam mit einer Kuchenschachtel in der Hand in die Küche. »Dad pennt«, beruhigte sie ihn. »Der würde nicht mal aufwachen, wenn hier eine Blasmusikkapelle durchmarschierte.«

»Ich hab ihm vorhin eine Schmerztablette gegeben, weil er Rückenschmerzen hatte«, berichtete Ella.

Mike schluckte den Kloß hinunter, den er prompt im Hals hatte. Seinen alten Herrn warf so bald nichts um. Er würde wieder gesund werden. »Was für einen Kuchen hast du mitgebracht?«

»Dads Lieblingskuchen, Angel Cake.«

Natürlich. Erin war seit jeher ein Musterkind gewesen, das stets ohne Aufforderung das Richtige tat. Mike dagegen schaffte es mit Mühe und Not, rechtzeitig an Ort und Stelle zu sein, wenn er eingeladen war. Von einem Mitbringsel konnten seine Gastgeber nur träumen.

Seine Schwester stellte die Schachtel mit dem hellen Biskuitkuchen auf der Anrichte ab. »Hi, Mom.« Sie gab ihrer Mutter einen Schmatz auf die Wange, dann drehte sie sich grinsend zu Mike um und umarmte ihn. »Tag, großer Bruder.«

»Tag, Nervensäge.«

Sie boxte ihn mit dem Ellbogen in die Rippen. »Idiot.«

»Frechdachs.«

»Schluss damit«, rügte Ella sie, als wären sie kleine Kinder, und Erin lachte.

»Alte Gewohnheit.« Sie schüttelte den Kopf und lächelte. Erin war eine perfekte Mischung aus beiden Eltern – sie hatte die rotbraunen Haare ihrer Mutter geerbt und dazu die haselnussbraunen Augen ihres Vaters, in denen nun der Schalk aufblitzte. »Wo steckt Sam?«, wollte sie wissen.

»Er ist noch nicht da.« Ella warf einen Blick auf die Uhr am Herd und runzelte die Stirn. »Sieht ihm gar nicht ähnlich, dass er zu spät kommt. Vielleicht wurde er aufgehalten. Oder hat er heute Spätschicht?« Sie sah zu Mike, der ja nun Sams Boss war.

»Nicht, dass ich wüsste. Es sei denn, er hat mit jemandem getauscht.«

»Tja, dann setzen wir uns doch und warten auf ihn, damit euer Vater noch ein bisschen schlafen kann.« Ella deutete auf den Küchentisch, und sie nahmen Platz, auf denselben Stühlen, auf denen sie schon als Kinder gegessen hatten.

»Wie geht es Dad?«, erkundigte sich Erin. »Er hatte Schmerzen, hast du gesagt?«

Ella nickte. »Man wollte eigentlich noch mit der Bestrahlung warten, aber der Arzt meinte, eventuell fangen sie doch schon diese Woche damit an. Das hilft gegen die Schmerzen, und der Tumor bildet sich zurück. Auf die Chemo spricht er ganz gut an, und sein Kampfgeist ist bewundernswert«, berichtete sie sichtlich stolz.

»Und wie geht es dir?« Mike griff nach ihrer Hand.

Sie winkte sogleich ab. »Bestens. Ich bin schließlich nicht diejenige, die Krebs hat.«

Mike warf seiner Schwester einen vielsagenden Blick zu. Ihre Mutter benahm sich, als wäre sie eine Art Superwoman und kam ihren Aufgaben stets ohne Klage nach. *Die personifizierte Perfektion eben*, dachte Mike. Aber auch sie musste erschöpft sein. Er öffnete den Mund, um sie daran zu erinnern, dass auch sie gelegentlich eine Pause benötigte, doch Erin bedeutete ihm mit einem Kopfschütteln, es bleiben zu lassen.

Er gab sich geschlagen, aber irgendwann, das wusste er, musste sich seine Mutter zur Abwechslung auch mal unter die Arme greifen lassen.

Das Telefon klingelte, und Ella erhob sich.

»Setz sie nicht unter Druck. Sie braucht das Gefühl, gebraucht zu werden«, flüsterte Erin ihrem Bruder zu, während Ella zum Telefon ging. »Ich komme einmal die Woche vorbei und leiste Dad Gesellschaft, damit sie zum Friseur gehen kann, und Sam hat versprochen, diese Woche mal einen Nachmittag lang mit Dad Schach zu spielen. Sie bekommt genügend Pausen.«

»Warum habt ihr mich nicht eingeplant?«, fragte er und ärgerte sich über den gereizten Klang seiner Stimme. Die Tatsache, dass er selbst nicht auf die Idee gekommen war, seiner Mutter zur Hand zu gehen, gab ihm das Gefühl, egoistisch und nachlässig zu sein. Wieder einmal ein Beweis dafür, dass seine Geschwister die besseren Menschen waren als er. Ganz was Neues.

»Wir dachten, du bist vollauf damit beschäftigt, Dads Posten zu übernehmen und dich einzuarbeiten«, erwiderte Erin.

»Ich bin längst eingearbeitet, schließlich bin ich seit einem Monat hier. Jetzt kommt es nur noch darauf an, ob meine Arbeitsweise akzeptiert wird oder nicht.« Er hätte sich gern die Zeit genommen, seiner Mutter zu helfen, und wollte das auch gerade kundtun, doch in diesem Moment kam Ella zurück.

Als er sah, wie blass sie geworden war, sprang er auf.

»Ist etwas passiert?«, fragte er und legte ihr einen Arm um die Schultern.

Erin trat ebenfalls sogleich zu ihr. »Was ist los, Mom?«

»Das war Cara. Sam hatte einen Unfall.«

Mike bugsierte seine Mutter zum nächstbesten Stuhl. Das Herz schlug ihm bis zum Hals. »Was denn für einen Unfall?«

»Sie sagte, er ist mit dem Auto gegen einen Baum gefahren. Man hat ihn ins University Hospital gebracht.«

»Cara war bei ihm?« Cara ging oft mit Sam auf Streife. Die beiden hatten heute zwar nicht gemeinsam im Dienstplan gestanden, aber es überraschte ihn nicht, dass sie trotzdem zusammen unterwegs gewesen waren. Cara und Sam waren das beste Beispiel dafür, dass Männer und Frauen sehr wohl »einfach nur Freunde« sein konnten.

Cara und Mike dagegen würden niemals »einfach nur Freunde« sein, das wusste Mike, denn Cara wollte ihm nach einem explosiven One-Night-Stand vor drei

Monaten nicht mehr aus dem Kopf gehen. »Und? Geht es ihnen gut?«

»Cara scheint unverletzt zu sein, und Sam wird gerade untersucht«, berichtete Ella.

Mike schluckte schwer, als er sah, dass sie zitterte. Seine Mutter war eine starke Frau, die so schnell nichts aus der Bahn warf. Aber nach den Schicksalsschlägen der letzten Zeit war es kein Wunder, dass ihr Nervenkostüm jetzt doch etwas angegriffen war.

»Ich muss ins Krankenhaus, aber ich kann Simon nicht allein lassen. Und mitnehmen kann ich ihn noch viel weniger. Der Stress wäre zu viel für ihn, ganz zu schweigen von der Ansteckungsgefahr.«

Endlich gab es auch für Mike eine Möglichkeit, sich einzubringen. »Ich fahre hin«, sagte er mit einem Seitenblick zu seiner Schwester.

Diese nickte. »Und ich bleibe mit Mom hier bei Dad.«

»Nein«, widersprach Ella. »Du begleitest Mike, damit er nicht allein ist.«

Mike fiel sogleich eine Lösung ein. »Weißt du was? Ich bitte Tante Louisa vorbeizukommen«, sagte er. Ellas Schwester lebte ebenfalls in Serendipity und wohnte nur ein paar Straßen entfernt.

»Ich weiß nicht recht. Ich möchte ihr nicht zur Last fallen.«

Doch Erin hatte bereits den Telefonhörer in der Hand und begann zu wählen, den Protesten ihrer Mutter zum Trotz.

Ein paar Minuten später war ihre Tante bereits auf

dem Weg, während Mike und Erin ins Krankenhaus fuhren.

Cara Hartley ging nervös im Korridor vor der Notaufnahme auf und ab, während sie auf Neuigkeiten von den Ärzten wartete. Seine Familie sollte eigentlich auch bald eintreffen. In Anbetracht von Simons angeschlagenem Zustand war schwer zu sagen, wer genau kommen würde, aber sie ging davon aus, dass Mike auf jeden Fall mit von der Partie sein würde. So locker er nach außen hin wirkte, wenn es um seinen Job oder seine Familie ging, war er ein Alphamännchen, wie es im Buche stand.

Allerdings bestimmte er auch im Schlafzimmer ganz gern, wo es langging, wie sie aus Erfahrung wusste. Sie schauderte bei der Erinnerung an die unglaubliche Nacht vor ein paar Monaten, als Mike übers Wochenende in Serendipity gewesen war, um seinem Vater einen Besuch abzustatten. Mike war mit Sam in Joe's Bar aufgekreuzt und hatte mit Cara geflirtet und ihr ein paar Drinks ausgegeben. Hinterher hatte er sie zum Wagen gebracht und vorgeschlagen, noch mit ihr nach Hause zu fahren, und ehe sie wusste, wie ihr geschah, hatte sie auch schon eingewilligt. Sie waren im Bett gelandet, und es war phänomenal gewesen. Mike hatte Dinge mit ihr angestellt, die seitdem so einige ihrer heißesten Fantasien geschürt hatten.

»Dr. Nussbaum, Apparat 53 bitte. Dr. Nussbaum, 53«, tönte eine Stimme aus den Lautsprechern des Klinikgebäudes und riss Cara jäh aus ihren Gedanken.

Die sinnlichen Erinnerungen waren zwar eine angenehme Ablenkung von ihrer Sorge um Sam gewesen, doch jetzt durfte sie nicht mehr an den Mann denken, der mittlerweile ihr Boss war. Damals hatte er ihre Welt vollkommen auf den Kopf gestellt, aber seit seiner Rückkehr hatte er den Vorfall nicht mehr erwähnt. Zugegeben, sie hatte das Thema ebenfalls nicht mehr angeschnitten, aber es kränkte sie in ihrem weiblichen Stolz, dass er so gar keinen Unterschied zwischen ihr und den anderen Angehörigen der örtlichen Polizei machte. Selbst wenn sie allein waren, verhielt er sich ihr gegenüber stets kurz angebunden und businesslike.

Und wenn er jetzt kam, würde er bestimmt wissen wollen, warum Sam und sie auf der Route 80 unterwegs gewesen waren. Sie hatten am Stadtrand von Serendipity Nachforschungen zu einem ungeklärten Kriminalfall angestellt, mit dessen Klärung sie Mike zwar selbst beauftragt hatte, doch nun hatte sich unversehens herauskristallisiert, dass die Ergebnisse ihrer Recherchen Mike persönlich betrafen. Aber sie konnte ihn davon nicht in Kenntnis setzen, ohne vorher noch einmal mit Sam Rücksprache zu halten, Interimspolizeichef hin oder her. Blieb nur zu hoffen, dass Mike nicht nachbohren würde. Wenn sie mit guten Neuigkeiten über Sams Gesundheitszustand aufwarten konnte, würde er sich vielleicht gar nicht dafür interessieren, wo sie gewesen waren und warum.

Die Eingangstür schwang auf, und Cara erhaschte einen Blick auf Mike, dessen dunkles Haar länger war, als es sich für einen Cop ziemte. Seine Bikerjacke verlieh ihm ein verwegenes Aussehen. Im Dienst musste er Anzug und Krawatte tragen, wenn Besprechungen anberaumt waren, aber Cara wusste, sein lässiger Jeans- und Leder-Look war ihm hundertmal lieber als seine Bürokluft.

Er stürmte in die Lobby und steuerte geradewegs auf sie zu, dicht gefolgt von seiner Schwester.

»Wie geht es Sam?«, fragte Erin.

»Was zum Teufel ist passiert?«, schnauzte Mike Cara an.

Sie richtete sich kerzengerade auf, was bei ihrer Größe von gerade mal einem Meter sechzig nicht allzu viel nützte, zumal Mike fast einen Meter achtzig groß war. »Wir hatten einen Unfall, Boss.«

»Weißt du schon was von Sam?«, wollte Erin wissen.

Cara schüttelte den Kopf. »Nein, aber er war bei Bewusstsein, als er eingeliefert wurde.«

Mike musterte sie aufmerksam. »Laut Dienstplan wart ihr heute aber gar nicht gemeinsam im Einsatz.«

Beim Blick in seine schokoladenbraunen Augen fragte sich Cara, wie es möglich war, dass sein Blick, den sie vor drei Monaten noch so sexy gefunden hatte, heute so eiskalt und furchteinflößend wirkte. »Wie dir vielleicht schon aufgefallen ist, trage ich keine Uniform. Sam und ich waren privat unterwegs. War ja schließlich ein schöner Tag heute«, sagte sie und schämte sich dabei für ihre Lüge.

Erin stieß ihren Bruder mit dem Ellbogen an. »Hey, Cara ist nicht im Dienst, du kannst dir den steifen Ton also schenken. Außerdem gehört sie praktisch zur Familie und ist genauso besorgt um Sam wie wir.«

Erin war gleich alt wie Cara und hatte in der Schule sogar derselben Clique angehört, aber sie waren keine besonders dicken Freundinnen gewesen. Der ein Jahr ältere Sam hatte damals ebenfalls bereits zu Caras engerem Bekanntenkreis gehört, und als sie beide in den Polizeidienst eingetreten waren, hatte sich daraus eine intensive Freundschaft entwickelt. Seither war Cara mehr oder weniger ein Familienmitglied der Marsdens. Aber das war lange vor Mikes Rückkehr nach Serendipity gewesen.

Erin trat zu Cara und schloss sie in die Arme. »Ich bin froh, dass dir nichts passiert ist.«

Cara nickte benommen. »Danke. Ich hab mich ganz schön erschreckt«, sagte sie und gestand sich damit zum ersten Mal selbst ihre Angst ein. Sie trat einen Schritt zurück. Plötzlich fror sie und wünschte, sie hätte eine dickere Jacke dabei.

»Du zitterst ja«, stellte Erin fest. »Und du hast einen Bluterguss auf der Wange.«

»Vom Airbag vermutlich«, murmelte Cara.

»Hat man dich untersucht?«, fragte Mike. Beim Klang seiner tiefen, rauen Stimme ging erneut ein Schaudern durch Caras Körper – eines, das rein gar nichts mit dem Unfall zu tun hatte.

»Ja, die Sanitäter haben mir noch am Unfallort grünes Licht gegeben. Ich schätze, ich habe bloß einen leichten Schock.«

Mike legte die Stirn in Falten. »Setzen wir uns.« Er nahm sie am Ellbogen und führte sie zu einem Stuhl an der Wand, ohne ihre Einwilligung abzuwarten.

Cara, die noch ziemlich weiche Knie hatte, ließ es geschehen. Erin nahm auf der gegenüberliegenden Seite Platz, Mike ließ sich neben Cara nieder. Er war so nah, dass ihr der würzige Duft seines Rasierwassers in die Nase stieg und eine Hitzewelle durch ihren Körper sandte. Sie verdrängte den Gedanken daran.

»Was ist denn genau passiert?«, fragte Erin leise.

»Sam saß am Steuer, alles war bestens, und dann hat er sich plötzlich aus heiterem Himmel vor Schmerz gekrümmt.« Seltsamerweise tat es Cara gut, über den Vorfall zu sprechen und ihn auf diese Weise ein wenig zu verarbeiten. »Ich habe noch versucht, das Lenkrad herumzureißen, aber ich hab's nicht geschafft – und dann sind wir auch schon gegen den Baum gekracht.«

Sie atmete tief durch, um sich ein wenig zu sammeln, ehe sie fortfuhr. »Auf meiner Seite hat sich der Airbag geöffnet, bei Sam nicht. Sein Kopf ist auf das Lenkrad geknallt …« Cara verzog das Gesicht, hatte sie doch das grauenhafte Geräusch noch allzu gut im Ohr. »Bei der Kollision mit dem Baum wurde vor allem die Fahrerseite in Mitleidenschaft gezogen. Ich konnte mich selbst befreien und die Rettung rufen. Tja, und hier sind wir jetzt.«

Sie ballte die Fäuste so fest, dass sich ihre Fingernägel ins Fleisch bohrten.

»Nicht.« Mike ergriff ihre Hände und öffnete sie sanft.

Sie zuckte bei der Berührung zusammen, als hätte man ihr einen Stromstoß verpasst, den sie in ihrem gesamten Körper spüren konnte. Erstaunt hob sie den

Kopf und sah in seinen Augen, dass er genauso verblüfft war wie sie.

Mike zog hastig die Hände zurück und stand auf. »Wo bleiben denn die verdammten Ärzte? Ich will wissen, wie es Sam geht!«

Erin erhob sich ebenfalls und legte ihm eine Hand auf die Schulter. »Es kommt bestimmt gleich jemand.« Wie auf ein Stichwort sagte jemand hinter ihnen: »Hallo, Cara!«

»Alexa!« Cara sprang auf und drehte sich zu einer bildhübschen jungen Frau um, deren rotbraunes Haar zu einem Knoten zusammengebunden war. Dr. Alexa Collins war eine ihrer engsten Freundinnen und die diensthabende Ärztin.

»Wie geht es ihm?«, fragten Sams Geschwister wie aus einem Mund.

»Sein Zustand ist stabil. Sams Schmerzen während der Fahrt waren auf eine akute Appendizitis zurückzuführen.« Sie sah zu Cara. »Hat er heute nicht über Bauchweh geklagt?«

Cara überlegte und schüttelte dann den Kopf.

Alexa runzelte die Stirn. »Dann hat dieser Sturschädel es wohl einfach ignoriert oder dir bewusst verschwiegen. Eine Blinddarmentzündung macht sich nämlich durch anhaltende Schmerzen bemerkbar.« Sie kannte Sam ganz augenscheinlich genauso gut wie Cara. »Tja, jedenfalls wird der Blinddarm jetzt entfernt, und sofern es bei der Operation keine Komplikationen gibt, sollte er bald wieder wohlauf sein. Zum Glück hat er bei dem Unfall keine lebensbedrohlichen

Verletzungen davongetragen. Er hat lediglich eine Prellung vom Aufprall auf das Lenkrad.« Sie schenkte Erin, Mike und Cara ein beruhigendes Lächeln. »Ich geh dann mal wieder rein. Ich gebe Bescheid, wenn er im Aufwachraum ist und ihr zu ihm könnt.«

»Danke.« Erin atmete erleichtert auf. »Ich rufe gleich Mom und Dad an.« Sie eilte nach draußen, wo die Benutzung von Mobiltelefonen gestattet und der Empfang besser war.

»Danke, Alexa«, sagte auch Cara.

Alexa lächelte. »Ich bin selbst froh, dass ich einigermaßen gute Neuigkeiten für euch hatte. Und ich kann es kaum erwarten, Sam die Leviten zu lesen, weil er wegen der Schmerzen nichts gesagt hat. Er *muss* etwas gespürt haben.«

»Ich kann dir gern dabei behilflich sein«, brummte Mike. »Danke für alles.«

Alexa nickte. »Wie gesagt, ihr hört von mir.« Damit ließ sie Cara und Mike allein zurück.

Nun, da die Anspannung von ihr abgefallen war, fühlte sich Cara mit einem Mal erschöpft. »Ich hole mir einen Kaffee. Willst du auch einen?«, fragte sie die hünenhafte schweigsame Gestalt, die neben ihr stand.

»Nein danke.«

Sie zuckte die Achseln. »Dann eben nicht.« Der kurze Augenblick der Vertrautheit war verflogen, und sie fühlte sich unwohl in ihrer Haut, nun, da sich wieder dieselbe seltsame Verlegenheit zwischen ihnen breitmachte wie seit dem Tag seiner Rückkehr vor einem Monat.

Cara wandte sich um und ging zur Tür.

»Cara …«

Sie wirbelte herum. »Ja?«

»Danke. Dafür, dass du die Rettung gerufen und dafür gesorgt hast, dass Sam sofort ins Krankenhaus gebracht wurde.«

Es war keine Entschuldigung für seinen rüden Tonfall vorhin, aber immerhin. Wenn er sich so kühl und unnahbar gab, kam es ihr manchmal so vor, als hätte sie die spektakulärste Nacht ihres Lebens nur geträumt. Doch nein, sie hatte es wirklich erlebt – er war mit ihr im Bett gewesen, unter ihr, über ihr, tief in ihr. Ihr wurde heiß, als sie an die Innigkeit dachte, die damals zwischen ihnen geherrscht hatte. Diese Erinnerung und die Leidenschaft, die sie vorhin in seinen Augen hatte aufblitzen sehen, überzeugten sie, dass sie nicht verrückt war. Er hatte damals genauso viel empfunden wie sie, auch wenn er es sich nicht anmerken lassen wollte.

Seine Entscheidung, so zu tun, als wäre das alles nie geschehen, bewies ihr, dass er nichts von ihr wollte. Er schien ja noch nicht einmal an einer Wiederholung jener heißen Nacht interessiert zu sein. All das bestätigte nur, was Sam ihr gesagt hatte, ehe sie damals mit seinem Bruder die Bar verlassen hatte. Er hatte sie gewarnt vor Mike, für den nichts im Leben von Dauer war, hatte sie daran erinnert, wie es Mikes Exfreundin Tiffany Marks ergangen war. Ganz Serendipity wusste, dass Tiffany bereits die einzige Kirche der Stadt für einen Hochzeitstermin hatte buchen wollen, weil sie überzeugt gewesen war, dass Mike ihr einen Antrag machen würde. Stattdessen war er nach Atlantic City abgehauen und hatte ihr das Herz gebrochen.

Als sich Cara mit Mike eingelassen hatte, war ihr all das durchaus klar gewesen. Sie wusste, dass er es nie lange an einem Ort aushielt, während sie selbst im Herzen ein typisches Kleinstadtmädchen mit Kleinstadtambitionen war. Sie würde bleiben, während er, der Bulle aus der Big City, den Job als Polizeichef von Serendipity schon bald wieder abgeben und weiterziehen würde. Wenn sie sich noch einmal mit ihm einließ, würde er zweifellos auch ihr das Herz brechen, aber er machte ohnehin keine Anstalten in diese Richtung.

Und doch ... Wenn er es täte, käme sie glatt in Versuchung. Sie war wirklich unverbesserlich. Cara schüttelte den Kopf, um die Gedanken an den Mann, der ganz offensichtlich kein Interesse an ihr hatte, zu verscheuchen. Im Gegensatz zu ihrer Mutter gehörte sie nicht zu den Frauen, die den Männern nachliefen oder sich ausnutzen ließen. Die ungesunden Machtverhältnisse, die in der freudlosen Ehe ihrer Eltern herrschten, waren für Cara ein abschreckendes Beispiel, dem sie nicht nachzueifern gedachte.

Mit diesem Vorsatz im Hinterkopf machte sie sich auf den Weg zum Kaffeeautomaten.

Mike hatte massenhaft Kriminelle und Drogendealer zur Strecke gebracht, für die so viel auf dem Spiel gestanden hatte, dass sie ihn ohne zu zögern kaltgemacht hätten, um ihre geheimen Machenschaften zu kaschieren. Vor keinem von ihnen hatte er sich gefürchtet.

Wie zum Teufel konnte es dann sein, dass er in der Gegenwart einer zierlichen Frau mit azurblauen Augen Nervenflattern bekam? Sein Bruder würde wieder gesund werden, darauf musste er sich nun konzentrieren – und die Tatsache verdrängen, dass ihm ganz flau im Magen geworden war, als Cara, die Polizistin, die stets alles unter Kontrolle hatte, gestern wie ein Häufchen Elend auf einem Stuhl im Krankenhauskorridor gehockt hatte. Der Anblick hatte ihn jäh daran erinnert, dass sie auch eine zerbrechliche, weibliche Seite hatte. Als wüsste er das nicht schon längst.

Nach der gestrigen Begegnung hatte sich Mike geschworen, dass er sich – mal abgesehen von beruflichen Kontakten – tunlichst von ihr fernhalten würde. Er hatte sogar gedacht, es würde ihm leichtfallen. Ein Irrtum, wie er nun erkannte, als er seinen Bruder besuchen wollte.

Wie es aussah, hatte Cara auf dem Weg zur Arbeit ebenfalls einen Zwischenstopp in der Klinik eingelegt, denn als Mike sich dem Zimmer näherte, in dem Sam untergebracht war, konnte er schon von Weitem ihr Lachen hören.

Am liebsten hätte er gleich wieder kehrtgemacht, aber er war kein Feigling, also legte er entschlossen die Hand auf den Türgriff, öffnete und trat ein.

»Also hör mal, nur weil du dich nach Aufmerksamkeit sehnst, musst du doch nicht gleich den nächstbesten Baum umfahren«, sagte er anstelle einer Begrüßung, als er zu Sam ans Bett trat.

Sam wirkte blass, und sein hellbraunes Haar war

zerzaust und stand ihm in sämtlichen Richtungen vom Kopf ab, aber er grinste. »Für wie blöd hältst du mich denn?«

»Tja, die Taktik ist nicht schlecht – die Krankenschwestern stehen vor seiner Zimmertür Schlange«, bemerkte Cara zu Mike gewandt und erhob sich. Sie wirkte sehr professionell in ihrer blauen Uniform.

»Dann lass ich euch mal allein. Ich muss ohnehin los, die Arbeit ruft.« Sie bedeutete Mike, auf dem Stuhl neben dem Bett Platz zu nehmen, auf dem sie gesessen hatte.

»Wegen mir musst du nicht gehen«, winkte Mike ab. »Und ich bin sicher, dein Boss drückt ein Auge zu, wenn du ein paar Minuten später kommst.«

Cara schürzte die Lippen. »Da wär ich mir nicht so sicher. Er kann ein ziemlicher Kotzbrocken sein, wenn er will.«

Sam prustete los, dann kniff er die Augen zu und verzog vor Schmerz das Gesicht.

»Entschuldige.« Cara beugte sich über ihn und legte ihm eine Hand auf die Wange. »Geht's wieder?«

Sam nickte. »Vielleicht solltest du echt besser gehen. Wenn ich euch beiden noch länger zuhören muss, platzen garantiert meine frischen Nähte.« Er sah von Cara zu Mike und zurück.

Mike registrierte mit gerunzelter Stirn, dass Cara noch immer die Hand an das Gesicht seines Bruders geschmiegt hatte. »Ich bin ihr Boss«, erinnerte er Sam. »Habe ich da nicht ein Minimum an Respekt verdient?«

»Nur, wenn du im Dienst bist, großer Bruder.« Sam

sah aus, als müsste er gleich wieder losprusten, doch er riss sich am Riemen.

Cara schüttelte grinsend den Kopf und ließ die Hand sinken.

Wie es aussah, hatte sie beschlossen, Mike das Leben schwerzumachen, wenn sie nicht im Dienst war. Mit ihrem vorlauten Mundwerk hatte sie ihn schon bei seiner Stippvisite vor ein paar Monaten erheitert, und er fand ihre Seitenhiebe nach wie vor amüsant. Das konnte ihm noch zum Verhängnis werden.

»Ich geh ja schon«, grummelte Cara. »Ich komme dann nach meiner Schicht noch mal vorbei. Benimm dich gefälligst«, ermahnte sie ihn mit erhobenem Zeigefinger. »Und hör auf das, was die Schwestern sagen.«

»Bringst du mir einen Burger aus unserem Lieblingsrestaurant mit?«, fragte Sam.

Cara schnaubte belustigt. »Nur wenn die Ärzte mir grünes Licht geben.« Sie sah zu Mike, der ganz hin und weg war von den beiden Grübchen, die sich bei jedem Lächeln auf ihren Wangen zeigten.

Verdammt. Wie konnte sie professionell, süß und sexy zugleich wirken? Er hatte im Laufe der Jahre schon mit unzähligen Frauen zusammengearbeitet, aber keine von ihnen hatte eine derart anziehende Wirkung auf ihn ausgeübt. Nicht umsonst achtete er sonst immer darauf, Beruf und Privatleben streng voneinander zu trennen. Das machte es einfacher, wieder einmal alles hinter sich zu lassen.

»Wer ist mit ihr unterwegs, solange ich außer Gefecht gesetzt bin?«, wollte Sam wissen.

Eigentlich hatte Mike seine Belegschaft im Rahmen einer Besprechung in der kommenden Woche darüber informieren wollen, dass er vorhatte, die Dienstpläne zu überarbeiten und die Außendienstpolizisten künftig einzeln auf Streife zu schicken. Serendipity war zwar eine kleine Stadt, aber es gab auch nur eine begrenzte Anzahl von Polizisten. Wozu also jeweils zwei zusammenspannen, wenn sie im Alleingang ein größeres Gebiet abdecken konnten? Doch mit dieser Ankündigung würde er nun warten, bis Sam wieder einsatzbereit war.

»Ich habe sie mit Dare eingeteilt«, sagte Mike, damit Cara schon mal Bescheid wusste.

Sie musterte ihn überrascht. »Danke. Dare und ich sind ein gutes Team.«

Hatte sie ihm wirklich zugetraut, er würde sie nach allem, was sie gestern durchgemacht hatte, absichtlich zum Dienst mit einem Partner verdonnern, mit dem nicht gut Kirschen essen war?

»Spar dir die spannenden Fälle auf, bis ich wieder fit bin, ja?«, sagte Sam. Es klang seltsam ernst.

Cara sah ihn an. »Das weißt du doch.«

Es klang wie ein Versprechen. Mike blickte von seinem Bruder zu Cara, die schon an der Tür stand und sich die Nackenmuskeln massierte.

»Bist du auch wirklich sicher, dass du heute einsatzbereit bist?«, fragte er. »Keine Schmerzen, kein Verdacht auf ein Schleudertrauma oder Ähnliches?«

»Nö, alles bestens. Ich bin zäher, als ich aussehe. Und definitiv zäher als mein Partner.« Sie zwinkerte Sam zu, blickte ein letztes Mal flüchtig zu Mike, dann machte sie sich vom Acker und ließ die beiden Brüder allein.

»So, hinsetzen«, befahl Sam. Sein strenger Tonfall ließ nicht darauf schließen, dass er der Jüngere war und in einem Krankenhausbett lag.

Mike kam der Aufforderung nach, weil er seinem gesundheitlich angeschlagenen Bruder keinen Grund liefern wollte, sich aufzuregen. Er lehnte sich zurück und verschränkte die Arme vor der Brust. »Was gibt's?«

»Was läuft da zwischen dir und Cara?«, erkundigte sich Sam.

»Nichts.«

»Du hast noch nicht mit ihr geredet, oder? Über das, was zwischen euch passiert ist, meine ich.« Sams Stimme klang heiser, seine Kehle war wie ausgetrocknet.

Mike reichte ihm ein Glas Wasser, das auf einem Tablett stand. »Es hat sich noch keine Gelegenheit dazu ergeben.«

Sam trank und ließ das Glas sinken. »Du meinst wohl, sie hat es noch nicht aufs Tapet gebracht, und du wirst dich hüten, es zu tun.«

»Warum zum Geier müssen wir das ausgerechnet jetzt diskutieren, wo du im Krankenhaus liegst? Du hättest das Thema doch schon vor Wochen anschneiden können.« *Oder am besten gar nicht*, dachte Mike.

»Weil du jetzt gezwungen bist, mir zuzuhören.« Sam grinste, wohl wissend, dass er recht hatte.

»Die ganze Sache geht dich einen feuchten Kehricht an«, erwiderte Mike abwehrend, den Blick stur auf die weiß getünchte Krankenhauswand gerichtet. Aber was, wenn … »Hat Cara irgendetwas zu dir gesagt … wegen *uns*?« Das Wort kam ihm nur schwer über die Lippen.

»Nein. Sie weiß, dass sie von dir nichts zu erwarten hat«, brummte Sam.

»Gut.« Mike atmete erleichtert auf.

Das hätte ihm noch gefehlt, dass sich eine Frau, mit der er geschlafen hatte und deren Chef er nun war, irgendwelche Hoffnungen machte. Er schauderte allein bei der Vorstellung. Es kostete ihn auch so bereits genügend Überwindung, hierzubleiben und sich auf seine Tätigkeit zu konzentrieren. Und dann noch die Sorge um seinen alten Herrn …

»Gut?«, wiederholte Sam und ballte unwillkürlich die Fäuste.

Wenn es um Cara ging, war sein Beschützerinstinkt unheimlich ausgeprägt. Auch deshalb war es ein Fehler gewesen, mit ihr zu schlafen, das war Mike mittlerweile klar.

Und doch hätte er nichts dagegen gehabt, denselben Fehler noch einmal zu machen. Wobei es sich damals ganz und gar nicht wie ein Fehler angefühlt hatte.

»Hör zu, Mike. Nur weil sie das weiß, bedeutet das noch lange nicht, dass sie es okay findet, wenn du die Angelegenheit einfach totschweigst. War es denn wirklich so verdammt schlimm, Herrgott nochmal?«

»Nein, es war so verdammt gut. Können wir es dabei belassen?«, blaffte Mike seinen Bruder an.

Sam grinste und sagte: »Gestatte mir noch eine Frage, ja? Was würdest du tun, wenn jemand mit Erin so umspringen würde wie du mit Cara?«

»Ich würde ihm ordentlich den Arsch versohlen«, antwortete Mike, für den seine Schwester immer noch ein unschuldiges junges Ding war, ihren siebenundzwanzig Jahren zum Trotz.

Der vielsagende und auch enttäuschte Blick seines Bruders versetzte Mike einen Stich. Er lief feuerrot an vor Verlegenheit. *Okay,* dachte er beschämt, *ich sollte wohl doch mit Cara reden.*

»Der Punkt geht an dich«, räumte er ein. »Aber ich werde trotzdem nicht mit dir über Cara reden.«

»Gut so, ich will nämlich gar keine Details hören. Ich wollte nur sichergehen, dass du auch den richtigen Blickwinkel hast.« Sam deutete auf das Glas, und Mike schenkte ihm Wasser nach. »Außerdem gehe ich mal davon aus, dass es ohnehin nicht lange dauern wird, bis ihr zwei euren Trieben nachgebt und wieder miteinander im Bett landet.«

Damit hatte er vermutlich recht und erinnerte Mike an das, was ihm vorhin schon durch den Kopf gegangen war: Sosehr er auch versuchte, es zu ignorieren oder zu überspielen, Cara reizte ihn wie keine andere Frau, und das machte sie zu einer Gefahr, gegen die jeder Kriminalfall und jeder mögliche Verdächtige harmlos war. Er konnte die Tatsachen nicht länger unter den Teppich kehren, so viel war klar. Dass Gefühle aber auch gleich so konkret werden mussten, wenn man erst einmal darüber gesprochen hatte!

Nein, keine Gefühle, dachte Mike und schüttelte heftig den Kopf. Es waren keine Gefühle im Spiel. Das mit Cara war lediglich Sex gewesen. Leidenschaftlicher, heißer Sex. Viel heißer, als er es je bis zu jener Nacht erlebt hatte …

Höchste Zeit für einen Themenwechsel. »Wie fühlst du dich denn heute?«, fragte er seinen Bruder.

Sam verzog das Gesicht. »Als müsste mein Schädel jeden Moment explodieren. Und mein Bauch ist total aufgebläht und tut scheußlich weh.«

Mike nickte verständnisvoll. »Du brauchst Ruhe. Ich werde den Leuten auf dem Revier sagen, dass sie sich ihre Krankenbesuche noch ein, zwei Tage verkneifen sollen.«

»Danke, ich weiß es zu schätzen.« Sam gähnte. »In ein paar Tagen bin ich hier sowieso raus.«

»Soll ich, solange du noch nicht wieder arbeiten kannst, bei dir einziehen, um dich ein wenig zu versorgen?«, fragte Mike, der für die Zeit seines Aufenthaltes das winzige Apartment über Joe's Bar gemietet hatte. Er brauchte nicht viel Platz, und außerdem war es ja nur vorübergehend. Sam dagegen hatte sich bereits ein Häuschen mit Garten in Serendipity gekauft, wie es sich für einen richtigen Marsden gehörte.

»Lass mal. Cara hat mir schon das Gästezimmer in ihrer neuen Wohnung angeboten.«

Mike verdrängte die Eifersucht, die bei diesen Worten urplötzlich in ihm aufflackerte, denn sie war total albern und entbehrte jeder Grundlage – Sam und Cara waren Partner und gute Freunde, weiter nichts. Und selbst wenn da mehr zwischen ihnen gewesen wäre, hatte Mike ja nicht vor, wieder mit Cara anzubandeln. Also, wo lag das Problem?

»Das ist aber nett von ihr«, zwang er sich zu sagen.

»Ja ... Ich werd das Angebot wohl annehmen«, nuschelte Sam. Er wirkte zusehends groggy.

»Hey, hast du etwa aufs Knöpfchen gedrückt, ohne dass ich es bemerkt habe?« Mike deutete auf den Tropf mit dem Analgetikum, an dem sein Bruder hing. Der Infusionsschlauch war mit einem Knopf versehen, mit dem der Patient die Dosis selbst regulieren konnte.

Sam nickte und grinste matt. »Jep. Binnen Sekunden schmerzfrei, mein Lieber.«

Mike verdrehte die Augen. Zeit für einen Abgang. Er stemmte sich mit einer Hand vom Bett hoch und erhob sich. »Schlaf dich aus. Ich komme nach Feierabend noch mal vorbei. Ach ja, Mom lässt dich grüßen, sie wollen dir gegen Mittag einen Besuch abstatten.«

»Okay. Sie waren gestern am späteren Abend kurz hier, aber da war ich schon ziemlich weggetreten.«

»Egal, sie haben bestimmt besser geschlafen, nachdem sie sich persönlich davon überzeugt hatten, dass du noch lebst.«

Sam antwortete nicht – er war bereits eingedöst. Mike schüttelte den Kopf und ging hinaus. Jetzt brauchte er erst einmal einen Kaffee, und dann würde er sich gleich in die Arbeit stürzen. Und er nahm sich fest vor, mit Cara zu reden.

Kapitel 2

Der Vormittag gestaltete sich recht kurzweilig. An der Main Street brauste ein verbeulter Trans Am über eine Kreuzung, ohne das Stoppschild zu beachten, sodass sich Cara und Dare gezwungen sahen, den Fahrer im wahrsten Sinne des Wortes aus dem Verkehr zu ziehen. Es handelte sich um einen Teenager, der eigentlich noch gar nicht ohne erwachsenen Begleiter hinters Steuer durfte. Seine aufmüpfige Art und die Tatsache, dass er ganz offensichtlich die Schule schwänzte, trugen nicht unbedingt dazu bei, die beiden Ordnungshüter milde zu stimmen. Sie verpassten ihm einen Strafzettel und eskortierten ihn zur Schule, dann setzten sie ihre Kontrollfahrt im Stadtzentrum fort.

»Hoffentlich ist Tess ein bisschen vernünftiger, wenn sie erst fahren darf«, murmelte Dare.

»Die Tatsache, dass einer ihrer Brüder ein Cop ist, hält sie bestimmt davon ab, sich wie eine Indy-Car-Rennfahrerin aufzuführen«, beruhigte Cara ihn lachend. »Aber wie ich Tess kenne, wird sie dir trotzdem noch so manch schlaflose Nacht bescheren.«

Dares fünfzehnjährige Halbschwester Tess lebte mit Dares ältestem Bruder Ethan und dessen Frau in einer

Villa am Stadtrand, die zu den Wahrzeichen von Serendipity gehörte. Die gesamte Familie hatte stets ein wachsames Auge auf Tess, die vor ihrer Ankunft in Serendipity ein ziemlich bewegtes Leben geführt hatte. Dass Nash, der mittlere Barron-Bruder ausgerechnet Kelly Moss, die Schwester seiner Halbschwester geheiratet hatte, war ein pikantes Detail am Rande, über das sich Tratschmäuler der Stadt ebenfalls gern das Maul zerrissen.

»Ich hoffe nur, Ethan kauft ihr nicht sofort einen rassigen Sportwagen«, sagte Dare.

Cara schüttelte den Kopf. »Das glaube ich kaum, wo er doch so verantwortungsbewusst ist.« Auf seinen ungläubigen Blick hin fügte sie hinzu: »Na, inzwischen ist er doch wirklich sehr verantwortungsbewusst, nicht?«

Über Ethans Vergangenheit wusste jeder in Serendipity Bescheid. Seine Eltern waren bei einem Autounfall, verursacht durch einen betrunkenen Fahrer, ums Leben gekommen, worauf der damals achtzehnjährige Ethan der Stadt den Rücken gekehrt hatte. Dare und Nash waren allein zurückgeblieben und bei Pflegeeltern aufgewachsen. Vergangenes Jahr war Ethan dann plötzlich wieder aufgetaucht – wohlhabender, als es ihm je irgendjemand zugetraut hätte, und wild entschlossen, sich mit seinen Brüdern zu versöhnen.

»Außerdem hat er ja jetzt Faith«, erinnerte Cara ihren Kollegen. »Ich an deiner Stelle würde mir um Tess wirklich keine Sorgen machen. Sie ist in guten Händen.«

Dare grinste. »Ja, das ist sie. Und bislang hat sie ja auch keinen Ärger gemacht.«

»Kaffee?« Cara deutete auf das Cuppa Café, das einzige Lokal der Stadt, in dem man einen ordentlichen Kaffee bekam.

»Gute Idee.«

Also lenkte Cara den Wagen auf einen leeren Parkplatz vor dem Coffee Shop. Sie begaben sich gemeinsam an den Tresen, bestellten einen schwarzen Kaffee für Dare und einen Latte macchiato mit fettarmer Milch für Cara, bezahlten und wandten sich zum Gehen. Als Dare die Tür öffnete, kam ihnen die neue Bürgermeisterin von Serendipity entgegen, die mit ihren blauen Augen, den pechschwarzen Haaren und dem maßgeschneiderten Kostüm wie immer eine äußerst attraktive Erscheinung abgab. »Vielen Dank, Officer Barron.«

Dare nickte ihr freundlich zu. »Ma'am.«

Felicia Flynn war nicht nur das jüngste Stadtoberhaupt, das es je in Serendipity gegeben hatte, sondern auch die erste Frau, die diesen Posten bekleidete, und schon deshalb bewunderte Cara sie. Flynn hatte ein Programm zur Korruptionsbekämpfung initiiert und gelobt, dem Old Boys Network, also der grauen Eminenz und der Vetternwirtschaft, die diese quasi seit Menschengedenken praktizierte, den Garaus zu machen. Auch das fand durchaus Caras Zustimmung.

»Officer Hartley! Sie wollten sich doch bei mir melden.«

Cara rang sich ein Lächeln ab, das eher zu einem Zähnefletschen geriet. Die Bürgermeisterin hatte viele positive Eigenschaften, aber sie war auch eine Kämpfernatur, die es einem mit ihrer unerbittlichen Strenge und Hartnäckigkeit zuweilen schwermachte, sie sympathisch zu finden.

»Sie schulden mir noch Auskünfte über eine Ermittlung.« Flynn musterte Cara tadelnd. »Gehen Sie mir etwa aus dem Weg?«

Cara spürte Dares neugierigen Blick auf sich ruhen und schüttelte den Kopf. »Es gab unvorhergesehene Komplikationen«, erwiderte sie. »Mein Partner liegt nach einem Autounfall mit einer Gehirnerschütterung im Krankenhaus, und zu allem Überfluss musste man ihm auch noch den Blinddarm entfernen, deshalb die Verzögerung.« Sie hoffte, die Bürgermeisterin würde sich mit dieser Erklärung zufriedengeben und nicht weiter nachbohren.

Fakt war, dass Cara ihr tatsächlich aus dem Weg zu gehen versucht hatte. Bürgermeisterin Flynn hatte beschlossen, dass alle ungelösten Kriminalfälle neu aufgerollt und geklärt oder endgültig ad acta gelegt werden sollten, und im Zuge dessen hatte sie Cara und Sam den Auftrag erteilt, Nachforschungen zu einem Fall anzustellen, der über dreißig Jahre zurücklag. Es ging dabei um zehntausend Dollar in markierten Scheinen, die in der Asservatenkammer lagen und irgendwie mit dem Winkler-Motel im Outback zwischen Serendipity und Tomlin's Cove in Zusammenhang standen. Alle Jugendlichen aus der Gegend, die bereits aufgeklärt waren, hatten gewusst, dass dort die Zimmer stundenweise vermietet wurden, und unter den Älteren kursierten Gerüchte, denen zufolge die Betreiber auch die Mädchen dazu vermittelt hatten. Beweise gab es keine, aber es hieß, gewisse Leute auf einflussreichen Posten hätten Bescheid gewusst, aber sämtliche Augen zugedrückt. Was auch immer damals geschehen war, es war längst Geschichte, wie Cara und Sam inzwischen bestätigen konnten. Das Motel war verlassen.

»Wann ist denn der Unfall passiert?«, erkundigte sich die Bürgermeisterin.

»Gestern Abend«, antwortete Cara.

Felicia Flynn nickte, und in ihrem sonst so kühlen Blick lagen Mitgefühl und Verständnis. »Dann bestellen Sie Ihrem Partner doch Grüße von mir und gute Besserung.«

»Ich werde es ihm ausrichten, danke.«

»Und Sie machen sich wieder an die Arbeit.« Diese Worte waren begleitet von einem strengen Blick. »Ich erwarte bald einen Bericht von Ihnen. Schönen Tag noch.« Damit wandte sich die Bürgermeisterin ab und ging zum Tresen.

»Hexe«, murmelte Cara verhalten und eilte nach draußen, wo es winterlich kalt war, was ihr jedoch ganz gelegen kam. Felicia Flynn gehörte zu den wenigen Menschen, denen es gelang, Cara zum Schwitzen zu bringen.

»Was war das denn?«, wollte Dare wissen.

»Ach, sie hat uns aufgetragen, in einem alten Fall zu ermitteln, und sie ist ziemlich ungeduldig.«

Cara vertraute Dare zwar, aber Sam und sie waren bei ihren Nachforschungen auf einige pikante Details gestoßen, die die Marsdens betrafen, und sie fühlte sich nicht befugt, diese ans Licht zu bringen.

»Möchtest du fahren?«, fragte sie und warf Dare den Autoschlüssel zu, um vom Thema abzulenken.

Er fing ihn in der Luft auf. »Klar. Aber sag Bescheid, wenn du Hilfe brauchst, ja?«

Das war auf die Bürgermeisterin gemünzt. »Verlass dich drauf.« Cara wusste, sie konnte sich glücklich schätzen, dass sie so gute Freunde wie Dare hatte.

Sie musste sich einen Plan zurechtlegen. Die Bürgermeisterin machte Druck, und mit Sam war vorerst nicht zu rechnen. Sie brauchte einen Ersatzpartner. Nur, wen? Am besten fragte sie Sam, schon, um sicherzugehen, dass er einverstanden war.

Zum Glück verging auch der Rest des Tages wie im Flug. Gegen Ende ihrer Schicht erledigte Cara noch etwas Papierkram und schickte Dare nach Hause zu seiner Frau. Sie konnte noch immer nicht fassen, dass er verheiratet war, musste aber zugeben, dass Liza McKnight genau die Richtige für ihn war. Dare hatte immer den Clown gespielt, aber Cara war nicht entgangen, dass er des Öfteren bedrückt gewirkt hatte, wenn er sich unbeobachtet wähnte. Doch dann war Liza in sein Leben getreten. Sie hatte ihn dazu gebracht, mit seiner Vergangenheit Frieden zu schließen, und ihm eine glückliche Zukunft beschert.

Bei dem Gedanken, dass Dare nun jemanden hatte, der abends zu Hause auf ihn wartete, empfand Cara zuweilen ein klein wenig Neid, aber normalerweise kam sie rasch wieder zur Vernunft und rief sich in Erinnerung, wie schwierig es war, den richtigen Menschen zu finden. Man musste sich seiner Sache schon absolut sicher sein, sonst war man allein besser dran, davon war sie überzeugt. Ihre Eltern waren der lebende Beweis dafür.

Sie schüttelte den Kopf und wollte sich gerade wieder den vor ihr liegenden Unterlagen zuwenden, da fiel ein Schatten auf ihren Schreibtisch, und als sie den Kopf hob, stand Mike neben ihr.

»Kann ich kurz mit dir reden?«, fragte er.

»Äh … Klar.« Sie ließ den Stift sinken und blickte zu ihm hoch.

»In meinem Büro.«

Sein Tonfall verhieß nichts Gutes, doch sie erhob sich gehorsam. »Geht es um eine Ermittlung?«, fragte sie, während sie ihm in das Kämmerchen folgte, das dem Polizeichef als Amtszimmer diente.

»Nein, um eine Privatangelegenheit.«

Prompt strauchelte sie und wäre beinahe gestolpert, konnte sich zum Glück aber noch rechtzeitig fangen.

An der Tür blieb er stehen, um ihr den Vortritt zu lassen, und als Cara ihn passierte, stieg ihr sein männlicher Geruch in die Nase. Er verwendete noch dasselbe Rasierwasser wie vor drei Monaten, und der subtile maskuline Duft weckte sogleich Erinnerungen an die Nacht der Nächte.

Mike schloss die Tür hinter sich und lehnte sich mit dem Rücken daran.

Sobald Cara mit ihm allein war, hatte sie das untrügliche Gefühl, in der Position des Schwächeren zu sein – sie, die selbst in der Gegenwart von Verbrechern stets ruhig Blut bewahrte. Das sagte einiges. »Was gibt's, Boss?«

Mike war sichtlich unwohl in seiner Haut bei dieser Anrede. »Könntest du bitte aufhören, mich so zu nennen? Wenn du unsere berufliche Beziehung so hervorhebst, kann ich das, was ich dir sagen möchte, nicht sagen.«

Cara musterte ihn mit schmalen Augen. Ihr berufliches Verhältnis stand doch schon seit seiner Rückkehr zwischen ihnen! Er war es gewesen, der eine Barriere zwischen ihnen errichtet und ständig auf seinen Status als ihr Vorgesetzter hingewiesen hatte, um sie auf Distanz zu halten. Sie hatte das sehr wohl zu interpretieren gewusst, und sie war klug genug, sich nicht anmerken zu lassen, dass sie sein offensichtliches Desinteresse kränkte. Es war ihr noch nie untergekommen, dass ein Mann sie so völlig links liegen ließ und tat, als würde sie ihm nicht das Geringste bedeuten. Gut, sie hatte nicht oft einen One-Night-Stand, aber sie kannte die Spielregeln – Sex ohne komplizierte Gefühle. Doch die Nacht mit Mike, das war definitiv *mehr* gewesen, selbst wenn er das weder ihr noch sich selbst eingestehen wollte.

Cara wartete ab. Wenn er ihr etwas zu sagen hatte, dann sollte er das tun, aber sie hatte nicht vor, es ihm einfach zu machen.

Das Schweigen zog sich hin.

»Du hast mich doch geholt, um mit mir zu reden«, erinnerte sie ihn schließlich.

»Stimmt.« Er atmete tief durch. »Als ich wieder nach Serendipity gekommen bin und diesen Posten übernommen habe, da hätte ich … Na ja, ich hätte das, was vor drei Monaten passiert ist, vielleicht mal ansprechen sollen.«

Dieses Eingeständnis kam für Cara reichlich unerwartet. »Aber du hast es vorgezogen, dich in Schweigen zu hüllen.«

Er grinste schuldbewusst. »Du doch auch.«

Auch wieder wahr.

Aber noch ehe sie etwas darauf entgegnen konnte, fuhr er fort: »Ich war derjenige, der zurückgekommen ist. Ich hätte die Initiative ergreifen müssen, statt das, was zwischen uns war, einfach unter den Teppich zu kehren.« Er musterte sie mit zerknirschter Miene, und als sie das Bedauern in seinen Augen sah, hatte sie plötzlich nicht mehr den Polizeichef vor sich, der sie kaum zur Kenntnis nahm, sondern den Mann, mit dem sie im Bett gewesen war.

»Zumindest gibst du zu, *dass* da etwas zwischen uns war«, flüsterte sie.

Er ließ einen begehrlichen Blick über sie gleiten, und in diesem Moment knisterte es vernehmlich zwischen ihnen. Cara schmolz förmlich dahin, aber sie war nicht naiv – sie hatte keinerlei Ambitionen, wieder mit ihm anzubandeln, selbst wenn er sich nun gewissermaßen bei ihr entschuldigt hatte.

Und doch musste sie zugeben, dass sie nicht abgeneigt gewesen wäre. »Warum sagst du mir das gerade jetzt?«, fragte sie.

»Willst du die Wahrheit hören?«

Sie nickte. »Immer.«

Er senkte beschämt das Haupt. »Sam hat mich gefragt, was ich tun würde, wenn jemand mit Erin so umspringen würde wie ich mit dir.«

Das war nicht die Antwort, die Cara hatte hören wollen, und sie erstickte jegliche Hoffnung im Keim. Mike hatte nicht beschlossen, Wiedergutmachung zu leisten, weil er sich urplötzlich für ihre Gefühle interessierte, sondern weil sich ihr bester Freund für sie eingesetzt hatte.

Sie straffte die Schultern und wandte sich hoch erhobenen Hauptes zum Gehen. »Keine Sorge, ich wusste, worauf ich mich einlasse. Du kannst dich also entspannen«, sagte sie und war stolz auf sich, weil ihre Stimme dabei kein bisschen zitterte.

»Oh.« Er blinzelte, sichtlich überrascht von ihrer Antwort.

Was hatte er erwartet? Dass sie ihm bis in alle Ewigkeit dankbar war, weil er sich nun doch noch dazu durchgerungen hatte, ihren One-Night-Stand zur Sprache zu bringen? Oder dass sie sich ihm an den Hals werfen und ihn anflehen würde, ihnen noch eine Chance zu geben? *Niemals*, dachte Cara. *Nur über meine Leiche.*

»Tja, schön, dass wir das geklärt haben«, brummte Mike.

Cara konnte sich nur mit Mühe davon abhalten, die Hände zu Fäusten zu ballen und damit ihre wahren Gefühle zu zeigen. Gefühle, die sie tunlichst unterdrücken würde, bis sie allein war.

»Kann ich dann gehen? Ich habe zu tun.« Sie trat zur Tür, doch er rührte sich nicht vom Fleck.

Erst, als ihm bewusst wurde, dass er ihr den Weg versperrte, wich er zur Seite und öffnete ihr die Tür.

Im Vorbeigehen registrierte Cara erneut seinen verlockenden Duft und die Körperwärme, die er verströmte. Auf der Schwelle zwang sie sich, noch einmal innezuhalten. »Mike?«

»Ja?«

»Sag Sam, er braucht sich meinetwegen nicht den Kopf zu zerbrechen. Mir war klar, dass ich von dir nicht allzu viel erwarten kann.« Sie nahm all ihren Stolz zusammen und marschierte von dannen.

Sie war schon fast bei ihrem Schreibtisch angelangt, als sie hörte, wie er die Tür zuknallte. Mit zitternden Knien sank sie auf ihren Stuhl. Irgendwann würde sie bestimmt über diesen Vorfall lachen können.

Und sie würde über Mike Marsden hinwegkommen. Solange sie beruflich miteinander zu tun hatten, würde sie ihm weiterhin den gebotenen Respekt entgegenbringen, wie es sich für eine gute Polizistin gehörte. Aber privat würde sie künftig kein Blatt mehr vor den Mund nehmen, sondern einfach sie selbst sein. Nur so konnte sie ihn und diese verhängnisvolle Nacht vor drei Monaten endlich ad acta legen.

Mir war klar, dass ich von dir nicht allzu viel erwarten kann.

Mike wusste genau, wie Caras Worte gemeint gewesen waren. Und er hatte sie verdient. Mehr noch, er hatte sich sogar damit gebrüstet, dass niemand große Erwartungen an ihn stellte. Mike gab sich stets unnahbar, von seiner unmittelbaren Familie einmal abgesehen. Genau wie Rex Bransom, sein leiblicher Vater, hatte er Serendipity bei der erstbesten Gelegenheit den Rücken gekehrt, und damit auch seiner Familie und der Stelle bei der hiesigen Polizei, die er erst kurz zuvor angetreten hatte.

Und genau wie sein Erzeuger hatte er dabei einer Frau das Herz gebrochen. Zumindest war Tiffany im Gegensatz zu Mikes Mutter nicht schwanger gewesen. Mike war damals gerade mal zweiundzwanzig gewesen, jung und unerfahren in Beziehungsdingen. Er hatte es versäumt, Tiffany zu gestehen, dass sie für ihn nicht mehr war als ein Zeitvertreib, eine Affäre. Ja, er hatte sie ganz gern gehabt, aber an Heirat hatte er nie gedacht.

Er schauderte bei der Erinnerung daran, dass Tiffany ihm im Grunde nur einen Vorwand geliefert hatte, um seine Heimatstadt in der Provinz zu verlassen. In Atlantic City hatte er sich als Polizist im Außendienst allerdings auch rasch gelangweilt, was sein Vorgesetzter zum Glück ebenso erkannt hatte wie die Tatsache, dass Mike ein Talent dafür besaß, die Vorschriften bis ans Limit auszureizen. Er hatte seine Beziehungen spielen lassen und Mike einen Posten beim NYPD besorgt, der bedeutend spannender und abwechslungsreicher gewesen war. Neue Herausforderungen am laufenden Band und keine Zeit für ernsthafte Beziehungen.

In New York hatte sich Mike pudelwohl gefühlt. Aber warum ärgerte er sich dann selbst jetzt, zwei Tage später, noch immer über Caras Aussage?

Zu allem Überfluss musste er nun, wenn er seinen Bruder besuchen wollte, zu ihr nach Hause fahren, wo ihn alles an die Nacht mit ihr erinnerte, die sich mittlerweile ohnehin als unvergesslich erwiesen hatte.

Während er seinen Ford F-150 vor dem Haus parkte, dachte er daran, wie er damals vor drei Monaten hinter ihrem sportlichen blauen Jeep Cherokee hergefahren war, nachdem sie sich in Joe's Bar über den Weg gelaufen waren. Sie hatte kaum die Haustür aufgeschlossen und das Licht im Flur angeknipst, da hatte er auch schon all seine guten Manieren über Bord geworfen und war über sie hergefallen. Über einen mangelnden Geschlechtstrieb hatte er sich ja noch nie beklagen können. Und wenn er, wie damals, als Undercover-Cop tätig war, musste er oft lange auf Sex verzichten. Aber das erklärte nicht, warum er so scharf auf Cara gewesen war, dass er kaum noch die Hände von ihr hatte lassen können.

Außerdem war ihm plötzlich so seltsam leicht ums Herz gewesen, als er in Joe's Bar ihr Lachen vernommen hatte – vielleicht sogar so leicht wie noch nie. Und er hatte auch schon so einige sexy Frauen in kurzen Röcken und Cowboystiefeln gesehen, aber als sich Cara über den Tisch gebeugt hatte, um ihrer Freundin etwas ins Ohr zu flüstern, hatte er einen Blick auf ihre halterlosen Strümpfe erhascht und war von einer regelrechten Hitzewelle erfasst worden. Und trotzdem hatte er nicht damit gerechnet, dass ihn die Leidenschaft mit derart unvorhergesehener, nie dagewesener Wucht treffen würde.

Joe's Bar war lange nur eine ganz normale Bar gewesen, bis sich der Eigentümer von seiner Verlobten Annie Kane dazu hatte überreden lassen, zu expandieren und einen Teil des Lokals zur Tanzfläche umzufunktionieren. In dieser Ecke hatte Mike in aller Seelenruhe mit Sam ein Bierchen gezischt, bis er Cara in den Armen eines Typen erspäht hatte, dessen Hände unversehens von ihrer Taille zum Hintern hinuntergerutscht waren. Mike war binnen Sekunden bei ihr gewesen, doch da hatte sie den Kerl bereits an den Handgelenken gepackt und ihm klargemacht, dass sie ihm die Arme brechen würde, wenn er sich nicht benahm. Sie war also beileibe nicht auf Hilfe angewiesen gewesen, hatte es aber dankbar geschehen lassen, als Mike abgeklatscht und ihrerseits mit ihr zu tanzen begonnen hatte. Und schwupps, waren *seine* Hände auch schon unter ihr Top gewandert und hatten ihren samtig weichen Rücken liebkost. Und ihn hatte sie nicht zurechtgewiesen.

»Gehen wir?«, hatte er sie ohne Umschweife gefragt und sein Glück kaum fassen können, als sie »Okay« gehaucht hatte. Sie hatte sich nur noch rasch von Sam und Alexa und ihren übrigen Bekannten verabschiedet, und dann hatte sie für die kommenden Stunden ganz und gar ihm gehört. Und am nächsten Morgen hatte er sich verdrückt, ehe sie aufgewacht war.

Kein Wunder also, dass ihm nicht ganz wohl in seiner Haut war, als er nun wieder bei ihr auf der Matte stand.

Da schwang ohne Vorwarnung die Tür auf. »Hattest du noch irgendwann vor zu klingeln, oder wolltest du den ganzen Tag hier draußen stehen?«, erkundigte sich Cara mit einem spöttischen Grinsen. Sie war barfuß, sodass er ihre rosa lackierten Zehennägel sehen konnte.

»Die Phase der förmlichen Begrüßung haben wir also hinter uns, wie?« Er folgte ihr in den Korridor.

»Wenn du willst, können wir auch gern die guten alten Zeiten noch mal aufleben lassen, Boss. Oder soll ich lieber *Sir* sagen?«, feixte sie keck.

Mike musterte sie mit schmalen Augen, beschloss aber, sich nicht provozieren zu lassen. »Solange wir nicht im Dienst sind, habe ich nichts gegen einen lockeren Umgangston einzuwenden.« Er holte tief Luft. »Wie geht's Sam?«

»Er ist der nervigste Patient, der mir je untergekommen ist«, brummte Cara.

»Das bedeutet dann wohl, dass es bergauf mit ihm geht.«

Sie nickte. »Er sitzt im Wohnzimmer vor der Glotze. Geh ruhig rein, du kennst dich ja aus.« Vermutlich dachte auch sie gerade an seinen letzten Besuch hier, denn sie errötete, hielt seinem Blick aber ohne mit der Wimper zu zucken stand. »Kann ich dir irgendetwas anbieten? Limo? Wasser?«

Mike schüttelte den Kopf. »Nein danke.«

Kurz darauf hatte er neben Sam Platz genommen, der schon bedeutend munterer wirkte als im Krankenhaus. »Du bist ja gar nicht mehr grün im Gesicht«, stellte Mike fest.

»Ich bin auf dem Weg der Besserung, und mir ist langweilig.«

»Aber der Unfall und die OP sind erst achtundvierzig Stunden her, also brems dich ein. Du bist noch zwei Wochen krankgeschrieben, und so lange solltest du dich auch noch schonen.«

Sam fluchte verhalten. »Ich hab aber einiges zu erledigen.«

»Das kann alles warten. Cara und Dare sind ein ganz gutes Gespann, und wenn du wieder da bist, bekommt Dare einen Rookie als Partner, zum Anlernen.«

»Puh, da hab ich ja gerade noch mal Glück gehabt.« Cara kuschelte sich mit untergeschlagenen Beinen in ein überdimensionales Fauteuil. Sie trug ein verwaschenes graues T-Shirt mit dem Logo des SPD, das sie mit der Schere gekürzt hatte, und dazu eine marineblaue Jogginghose mit umgekrempeltem Bund, über dem ein verlockender Streifen nackter Haut zu sehen war.

»Hey, Mike!« Sam schnippte mit den Fingern, um Mikes Aufmerksamkeit auf sich zu lenken. »Hier spielt die Musik. Würdest du mir bitte zuhören, statt Cara anzustarren?«

Dieser Mistkerl! Er hatte Mike nicht nur ertappt, sondern ihn auch noch bloßgestellt. Mike schwor sich, seinem Bruder einen ordentlichen Denkzettel zu verpassen, sobald dieser wieder genesen war.

Caras Wangen glühten, was sie ganz allerliebst aussehen ließ. Mike spürte, wie er selbst feuerrot anlief. »Worum geht's denn?«, schnauzte er Sam an, ohne auf die Unterstellung weiter einzugehen, denn das hätte alles nur noch schlimmer gemacht.

»Wir haben da ein Problem.« Sams Tonfall war ernst.

Mike setzte sich aufrecht hin. »Lass hören.« Er blickte von Sam zu Cara, doch sie schüttelte den Kopf.

»Erzähl du es ihm, Sam.«

»Du erinnerst dich bestimmt an die Liste der ungelösten Kriminalfälle, die wir für die Bürgermeisterin noch mal aufrollen sollten.«

»Natürlich. Ich habe euch beide damit beauftragt.«

»Ganz recht. Also, es geht da um das Winkler-Motel. Es war nicht einfach, den Beschwerden, die damals diesbezüglich bei uns eingegangen sind, auf den Grund zu gehen. Die Leute, die in diesem ... Etablissement verkehrten, wollten das verständlicherweise nicht zugeben.«

Mike hatte keine Ahnung, worauf sein Bruder hinauswollte.

»Und?«

»Moment noch. Es ist etwas kompliziert. 1983 hat die Polizei bei einer Routinekontrolle ein Auto angehalten, in dem Drogen gefunden wurden. Der Fahrer wurde verhaftet und der Wagen beschlagnahmt, und im Kofferraum fand man zehntausend Dollar in markierten Scheinen. Das Geld und die Drogen wurden in der Asservatenkammer deponiert, und da liegt die Kohle aus unerfindlichen Gründen noch heute. Wie es aussieht, hat man sie einfach vergessen.«

Mike fluchte verhalten, und Cara lachte.

»Ein paar Wochen später hat eine Gruppe Frauenrechtlerinnen angefangen, vor dem Motel zu protestieren.«

»Das feinste Freudenhaus am Platze …«, murmelte Mike – so hatte man das Motel damals genannt.

»Ganz recht.« Cara bedeutete Sam fortzufahren.

»Es kam zu einer Auseinandersetzung zwischen den Feministinnen und den Leuten im Motel, und bei der darauf folgenden Razzia stellte die Polizei auch in dem Motel markierte Geldscheine sicher, die dann bei den übrigen Beweismaterialien verwahrt wurden. Nachdem sich der erste Wirbel gelegt hatte, geriet die Angelegenheit schnell in Vergessenheit, das Motel bekam einen neuen Besitzer, und die Nutten nahmen ihre Arbeit wieder auf. Und an das Geld hat niemand mehr einen Gedanken verschwendet. Irgendwann blieb dann die Kundschaft aus, und der Betrieb wurde eingestellt, und heute will keiner mehr darüber reden, was sich damals wirklich abgespielt hat.«

Mike schüttelte ungläubig den Kopf. »Also, mir ist klar, dass wir in einer kleinen Stadt leben, in der es die Polizei mit ihren Aufzeichnungen manchmal nicht so genau nimmt. Und ich kann auch nachvollziehen, dass einige der feinen Herren, die zum Kundenkreis der Winklers gehörten, dafür gesorgt haben, dass die Ermittlungen eingestellt wurden. Aber worum geht es hier eigentlich genau? Geldwäsche und Prostitution?«

»Das wissen wir nicht«, antwortete Cara.

Mike hob enerviert die Arme. »Was wissen wir denn?«

Sam räusperte sich. »Also, wir wissen, dass es heute nur noch ein einziges Mitglied der Polizei von Serendipity gibt, das Licht in die Angelegenheit bringen könnte, und zwar ... Dad.«

Mike umklammerte die Armlehne des Sofas, bereit aufzuspringen, doch Cara hob beschwichtigend die Hand. »Moment, Moment. Wir haben nicht behauptet, dass sich Simon irgendetwas hat zuschulden kommen lassen.«

»Bis jetzt sieht es jedenfalls nicht danach aus«, fügte Sam hinzu. »Aber nachdem Cara und ich uns in den Fall eingelesen hatten, sind wir in die Asservatenkammer gegangen, in der Hoffnung, dort irgendwelche aufschlussreichen Hinweise zu finden. Und siehe da, die markierten Geldscheine waren registriert – aber es befinden sich darunter auch Scheine im Wert von eintausend Dollar, die nicht dazu passen.«

Mike beugte sich gespannt nach vorn. »Hast du Dad danach gefragt?«

Sam nickte. »Na, klar.«

»Und, was hat er gesagt?«

Als Sam die Stirn runzelte, hatte Mike plötzlich ein ungutes Gefühl.

»Er wollte sich partout nicht dazu äußern. Und glaub mir, ich hab ihm ganz schön zugesetzt. Ich wollte ihn später noch mal auf das Thema ansprechen, aber dann erhielt er die Diagnose und hat sich sogleich in Behandlung begeben ... Tja, und seither warte ich auf den richtigen Augenblick.«

Mike presste die Lippen aufeinander. »Okay, und wo stehen wir jetzt?«

Sam wich seinem Blick aus.

»Du verschweigst mir doch etwas«, stellte Mike fest. Sein Tonfall ließ keinen Zweifel daran aufkommen, dass er wissen wollte, was.

»Sag es ihm«, drängte Cara. »Er muss es erfahren.«

Sam atmete aus, ehe er antwortete. »Dads Partner damals war Rex Bransom.«

Mike fluchte, dann starrte er an die Decke und versuchte, sich zusammenzureißen. Eigentlich hätte er es kommen sehen müssen, als Sam vorhin gezögert hatte, doch er war vollkommen überrascht. »Mein sauberer Herr Erzeuger«, knurrte er schließlich.

Sam wartete schweigend ab, bis er die Neuigkeit verdaut hatte.

Er wusste nur zu gut, dass der »echte« Vater seines Bruders ein leidiges Thema war. Für Mike war Rex Bransom ein Mann, der nicht an einer Familie interessiert gewesen und deshalb bereits während der Schwangerschaft seiner Mutter aus seinem Leben verschwunden war. Ella und Simon hatten die Wahrheit nie beschönigt – sie hatten ihm erzählt, dass Rex seine schwangere Freundin hatte sitzen lassen, weil er Dummheiten gemacht und sich Probleme eingehandelt hatte. Nachdem Rex untergetaucht war, hatte Simon, der damals sein bester Freund und Partner gewesen war, Ella geheiratet und Mike adoptiert.

Und sie hatten ohne Rex Bransom ein sehr schönes Leben gehabt. Tief in seinem Inneren hatte sich Mike immer gefragt, ob nicht noch mehr hinter dem Verschwinden seines Vaters gesteckt hatte, doch er hatte nie nachgebohrt. Wohl weil er selbst nach seinem leiblichen Vater kam, wie er nur zu gut wusste, seit er Serendipity bei der erstbesten Gelegenheit den Rücken gekehrt hatte. Er hatte nie mehr wissen wollen – er hätte es nicht ertragen.

»Alles okay?«, fragte ihn Sam.

Cara schwieg weiterhin, doch Mike fühlte ihren aufmerksamen, bedauernden Blick auf sich ruhen. Nun, sie konnte sich ihr Mitgefühl sparen.

»Ja, alles bestens«, log er. Aber nur, solange er nicht an den Mann dachte, der ihm nicht nur das Leben geschenkt, sondern vermutlich auch all seine negativen Charaktereigenschaften vererbt hatte, ehe er sich für immer aus dem Staub gemacht hatte.

»Dann ist dir bestimmt klar, dass Cara einen Partner braucht, mit dem sie die Ermittlungen weiterführen kann«, fuhr Sam fort.

»Ja. Und da auch Dad involviert ist, werde ich das übernehmen.« Mike legte den Kopf in den Nacken und stöhnte.

»Du scheinst dich ja sehr auf die Zusammenarbeit mit mir zu freuen«, flachste Cara, wohl um ihn aus seinem Stimmungstief zu holen.

»Das ging nicht gegen dich.« Damit erhob er sich und marschierte hinaus, ohne die beiden auch nur eines weiteren Blickes zu würdigen.

»Gib ihm ein bisschen Zeit«, sagte Sam zu Cara, sobald sein Bruder außer Hörweite war. »Wenn es um seinen leiblichen Vater geht, kommt unweigerlich seine schlimmste Seite zum Vorschein.«

Cara biss sich auf die Unterlippe. Mike tat ihr leid,

obwohl ihr sonnenklar war, dass er auf derartige Emotionen durchaus verzichten konnte. »Bevor wir die Ermittlungen zu diesem Fall aufgenommen haben, war mir gar nicht bewusst, dass Simon ihn adoptiert hat.«

»Meine Eltern haben nie ein Geheimnis daraus gemacht, weder gegenüber Mike noch vor uns anderen. Sie haben ihm stets zu verstehen gegeben, dass sie ihn beide lieben, und mein Dad – *unser* Dad, Simon war immer unser Dad – hat ihm nie einen Grund geliefert, daran zu zweifeln. Er hat ihn kein bisschen anders behandelt als Erin und mich. Kein Wunder also, dass du es nicht wusstest.«

»Verstehe. Familien sind eben kompliziert.« Cara dachte an ihre eigenen Eltern. »Meine Mutter hat mich übrigens für heute Abend zum Essen eingeladen.«

Sam blinzelte überrascht. Er wusste, dass sie so gut wie gar keinen Kontakt zu ihren Eltern hatte, obwohl sie in derselben Stadt lebte.

»Hast du die Einladung angenommen?«

Cara schüttelte den Kopf. »Nein, ich habe gesagt, was ich immer sage: Erst wenn sie sich endlich von ihm trennt. Ich habe ihr sogar meine Hilfe angeboten. Ich würde sie sofort abholen und nach Havensbridge bringen, falls sie sich irgendwann dazu entschließen sollte.« Havensbridge war das städtische Frauenhaus, in dem Cara hin und wieder ehrenamtlich aushalf.

»Und, wie hat sie reagiert?«

»Wie immer. Sie hat die Bemerkung übergangen und das Thema gewechselt.«

Sam seufzte. »Das tut mir leid.«

»Ich bin es gewohnt. Leider.«

Sie erhob sich. »Ich lasse dich jetzt in Ruhe, damit du dich etwas ausruhen kannst. Ich muss noch einiges erledigen.«

»Danke. Und noch einmal danke dafür, dass ich hier wohnen kann. Spätestens am Sonntagabend mach ich die Fliege. Der Arzt meinte, ab Montag benötige ich keine Betreuung mehr.«

»Ich finde es eigentlich ganz schön, Gesellschaft zu haben.«

»Und ich verlasse mich darauf, dass du mich auf dem Laufenden hältst, was die Ermittlungen angeht. Auf Mike kann ich diesbezüglich wohl kaum zählen. Aber du wirst ohnehin jemanden brauchen, mit dem du dich beraten kannst und bei dem du dich abreagieren kannst, solange er dein Partner ist.«

Cara zwang sich zu lächeln. »Keine Sorge, ich komme schon mit ihm klar. Und wag es ja nicht, noch einmal hinter meinem Rücken mit ihm über mich zu reden. Ich weiß es zu schätzen, dass du dir meinetwegen Sorgen machst, aber auf erzwungene halbseidene Entschuldigungen von deinem Bruder kann ich verzichten.« Normalerweise hätte sie Sam deswegen ordentlich den Kopf gewaschen, aber in Anbetracht der Umstände ließ sie ausnahmsweise Milde walten.

Sam wirkte keineswegs verlegen. »Eine halbseidene Entschuldigung? Mehr hat er nicht zustande gebracht?«, fragte er missbilligend.

»Kümmere dich um deine eigenen Angelegenheiten«, ermahnte Cara ihn.

»Tut mir leid, dass du jetzt gezwungen bist, so eng mit ihm zusammenzuarbeiten.« Sam hatte die Stirn in Falten gelegt, und die Verärgerung über seinen lädierten Zustand war ihm deutlich anzusehen.

»Wie gesagt, ich komme schon mit Mike zurecht.« O ja.

Aber erst musste sie lernen, seine Launen richtig einzuschätzen, und herausfinden, was dahintersteckte.

Bei seinem Besuch vor drei Monaten war er wie ein offenes Buch für sie gewesen – ein Mann, der genauso darauf gebrannt hatte, mit ihr zu flirten und ins Bett zu gehen wie sie mit ihm. Doch seit seiner Rückkehr wirkte er meist mürrisch und verstimmt, und Cara wusste nie so recht, ob das an seinen beruflichen Verpflichtungen oder an der Krankheit seines Vaters lag, ob an ihrer Gegenwart oder daran, dass ihn die Umstände gezwungen hatten, für eine unbestimmte Zeit nach Serendipity zu kommen.

Tja, da sie künftig zusammenarbeiten würden, musste sie den Grund für seine ständige Verdrießlichkeit eruieren, denn sie zu ignorieren war schlicht unmöglich, und außerdem ertrug Cara es nicht, gefühlsmäßig so in der Luft zu hängen. Schon gar nicht, wenn so viel auf dem Spiel stand – nicht zuletzt ihre eigene psychische Gesundheit.

Kapitel 3

An diesem Abend war Cara mit Alexa in Joe's Bar verabredet, aber erst machte sie sich auf den Weg zum Frauenhaus von Serendipity, das sich an einer ungeteerten Straße etwa zwanzig Fahrminuten außerhalb der Stadt befand.

Havensbridge war eine große, hinter Bäumen versteckte Villa mit zahlreichen Zimmern und gehörte der zweiundvierzigjährigen Belinda Vanderbilt, einer entfernten Cousine *der* Familie Vanderbilt. Belinda hatte zwar das Glück gehabt, in vermögende Verhältnisse hineingeboren worden zu sein, doch bei der Wahl ihres Ehemannes hatte sie leider kein gutes Händchen bewiesen. Nachdem sie ihren Ex in Notwehr erschossen hatte, weil sie sonst von ihm zu Tode geprügelt worden wäre, war sie aus der luxuriösen Wohnung in New York City hierher auf das Anwesen gezogen, das sie von ihrer Großtante geerbt hatte. Um anderen Frauen ein ähnliches Schicksal zu ersparen, hatte sie den Entschluss gefasst, die Villa zu einer Zufluchtsstätte für Opfer von häuslicher Gewalt umzubauen.

Seit nunmehr zehn Jahren bot sie gewaltgefährdeten Frauen – und oft auch ihren Kindern – ein sicheres

Zuhause und unterstützte sie, ohne großes Aufsehen zu erregen, auf dem Weg in ein selbstbestimmtes Leben.

Belinda hatte sogar Psychologie studiert, um die betroffenen Frauen gemeinsam mit befreundeten Kolleginnen und Kollegen betreuen und beraten zu können.

Cara war seit zwei Jahren ehrenamtlich im Frauenhaus tätig – aus denselben Gründen, die auch den Ausschlag für ihre Berufswahl gegeben hatten: Sie hatte das Bedürfnis, eine Veränderung im Leben der Menschen zu bewirken, mit denen sie zu tun hatte. Auf diese Weise versuchte sie zu kompensieren, dass sie nicht in der Lage war, ihrer eigenen Mutter zu helfen. Man musste kein Psychologe sein, um das zu erkennen. Trotzdem liebte Cara ihre Arbeit bei der Polizei und in Havensbridge, und sie mochte die Frauen, die sie hier kennenlernte.

Sie stieg aus und begab sich zum Eingang, wo sie von einer Gefängniswärterin namens Jane Baker begrüßt wurde, die in ihrer Freizeit ebenfalls hier aushalf und heute zum Wachdienst am Empfang eingeteilt war. Cara kam regelmäßig vorbei, um mit den Frauen zu sprechen, die sie entweder selbst hierhervermittelt oder erst hier kennengelernt hatte. Wenn nötig schob sie aber auch mal am Eingang Wache wie Jane heute.

Nach einem kurzen Plausch mit Jane ging sie in die große, gemütliche Gemeinschaftsküche.

Die Frau, wegen der sie gekommen war, hieß Daniella und schnipselte gerade Karotten und Paprika für das Abendessen. Wie es aussah, würde es eine Gemüsepfanne geben.

»Hallo, Daniella«, sagte Cara gleich beim Eintreten, um sie nicht zu erschrecken.

»Hi!« Die hellblauen Augen der jungen Frau leuchteten auf. »Du bist tatsächlich gekommen.«

»Natürlich. Versprochen ist versprochen.« Cara ließ sich auf einem Hocker neben ihr nieder und sah ihr zu. »Wo sind denn die anderen?«

»Lindsay stopft gerade ihre Klamotten in den Wäschetrockner, und Darla wollte sich hinlegen, weil sie Kopfschmerzen hat.« Daniella lächelte schüchtern. »Hast du in deiner Freizeit echt nichts Besseres zu tun, als hier rumzuhängen?«, fragte sie, wie immer, wenn Cara zu Besuch kam.

»Nö.« Genau deshalb trug Cara noch ihre Freizeitklamotten und würde sich erst später für den Abend umziehen – sie wollte Daniella das Gefühl vermitteln, dass sie alle Zeit der Welt hatte. Es stimmte ja auch – sie würde bleiben, solange Daniella ein offenes Ohr brauchte und mit ihr reden wollte.

Cara schnappte sich ein Messer, und begann, eine Möhre zu schälen und zu schnippeln. »Wie geht's denn so in letzter Zeit?«, erkundigte sie sich.

Daniella war erst seit einer Woche hier und hatte noch viel Arbeit vor sich. Ihr war klar, dass sie sich von ihrem Freund lösen musste, aber sie konnte und wollte nicht glauben, dass seine verbalen und seelischen Grausamkeiten irgendwann unweigerlich auch körperliche Gewalt nach sich ziehen würden. Es war oft am schwierigsten, Frauen davon zu überzeugen, dass Worte genauso viel Schaden anrichten konnten wie eine Faust, wenn nicht sogar mehr.

»Ganz gut, aber es ist nicht leicht, den Kontakt zu zu Hause total abzubrechen.« Daniella sah flüchtig zu Cara. Ihre Stimme klang belegt, ihr Gesicht war halb hinter ihren langen braunen Haaren verborgen.

»Du hast doch niemanden angerufen, oder?«, fragte Cara.

»Nein. Aber ich habe es in Erwägung gezogen«, gab Daniella offen zu und legte das Messer ab.

Cara ergriff ihre Hand. »Der Anfang ist immer schwer, das können alle Frauen hier bestätigen. Aber du wirst sehen, es lohnt sich, sobald du dir einen Plan für eine bessere Zukunft zurechtgelegt hast.«

Daniella atmete zitternd aus. »Das hoffe ich.«

»Ich bin ganz sicher. Hast du dir schon überlegt, wie es weitergehen soll? Hast du mit Belinda deine Möglichkeiten ausgelotet?«

»Ja. Ich könnte wieder als Anwaltsgehilfin arbeiten. Allerdings habe ich zwei Jahre ausgesetzt.«

Cara wusste, dass Daniella auf Drängen ihres Freundes ihre Stelle aufgegeben hatte. Erst war es ganz gut gelaufen, sie hatte sich geliebt und gebraucht gefühlt. Aber dann hatte er allmählich begonnen, sie immer mehr von ihrem Umfeld zu isolieren – erst von den Arbeitskolleginnen, dann von ihren Freundinnen und zum Schluss von ihrer Familie. Und sobald sich dann ihr ganzes Leben nur noch um ihn gedreht hatte, war er immer öfter wegen Kleinigkeiten ausgeflippt. So hatte

Cara sie auch kennengelernt – ihre Nachbarn hatten während einer seiner Schimpftiraden die Polizei alarmiert. Irgendwann hatte er Daniella dann geohrfeigt, und danach hatte Cara sie dazu überreden können, ihn zu verlassen. Doch Daniella war einsam und psychisch labil, und sie zweifelte an ihrer Entscheidung.

»Du musst lediglich deine Kenntnisse ein bisschen auffrischen. Vielleicht kannst du irgendeinen Kurs machen. Belinda hat überall Kontakte. Du könntest von hier wegziehen oder …«

»Aber meine Familie lebt hier«, wandte Daniella mit Tränen in den Augen ein.

Cara atmete tief durch. Sie konnte nachvollziehen, dass Daniella in der Nähe von Bekannten und Verwandten bleiben wollte. »Moment, lass mich ausreden. Wenn du das nicht willst, musst du dich eben doch dazu durchringen, eine einstweilige Verfügung gegen Bob zu erwirken, dann kannst du dir hier in der Gegend eine Stelle suchen. In sicherer Entfernung von ihm.« Sie drückte Daniella die Hand. »Das Gute ist doch, dass du nicht gezwungen bist, gleich eine Entscheidung zu treffen.«

»Ich weiß, aber ich bin nicht intelligent genug …«

»Hey! Hör auf«, unterbrach Cara sie schärfer als beabsichtigt. Es machte sie rasend, dass es manchen Männern gelang, ihre Partnerinnen so lange herunterzumachen, bis sie ihnen jeden Funken von Selbstbewusstsein geraubt hatten.

Ihr Ärger hatte natürlich persönliche Gründe, denn genau so war es auch bei ihren Eltern gelaufen, wobei ihr Vater sein Verhalten stets auf seine Alkoholsucht geschoben hatte. Cara hatte schon früh gelernt, möglichst wenig Zeit zu Hause zu verbringen. Sie hatte viel Sport getrieben und sich allerlei andere Beschäftigungen gesucht, und oft war sie bei ihrer Freundin Melissa zu Hause gewesen. Zum Glück hatte Melissas Mutter nichts dagegen einzuwenden gehabt. Wie auch immer, Cara hatte stets sehr darunter gelitten, ihre Mutter allein zu Hause zu wissen. Als Teenager hatten sie deshalb schlimme Gewissensbisse geplagt. Mittlerweile hatte Cara erkannt, dass ihre Mutter für ihre Entscheidungen selber verantwortlich war, aber das zu verstehen und es zu akzeptieren, waren zwei grundlegend verschiedene Dinge. Mit anderen Worten: Das schlechte Gewissen plagte sie nach wie vor. Ihre Freundin Melissa war inzwischen aus Serendipity weggezogen, aber sie hatten noch Kontakt.

Cara kehrte mit ihrer Aufmerksamkeit zu Daniella zurück und zwang sich, ihren scharfen Tonfall etwas zu mäßigen, als sie nun fragte: »Was hat die Therapeutin dir empfohlen, wenn dir Bobs Beleidigungen in den Sinn kommen?«

»Dass ich mir meine Begabungen und Fähigkeiten in Erinnerung rufen soll. Ich bin eine kluge, tüchtige Frau«, antwortete Daniella, aber es klang nicht sonderlich überzeugt.

Cara nickte. »Sehr gut. Das musst du dir immer wieder sagen, denn es stimmt.«

Es entstand eine verlegene Pause, die jäh zu Ende war, als ein zierlicher Rotschopf hereinkam.

»Tut mir leid, dass ich so lange weg war. Ich musste einen riesigen Berg Wäsche zusammenlegen«, entschuldigte sich die junge Frau. »Aber jetzt helfe ich dir, Daniella.«

»Hi, Lindsay«, begrüßte Cara sie lächelnd.

»Hi, Cara! Na, was gibt's Neues?«

»Bei mir nicht viel. Und bei dir?«

»Ich habe morgen ein Vorstellungsgespräch«, verkündete Lindsay aufgekratzt.

»Hervorragend! Herzlichen Glückwunsch.«

Lindsay war in letzter Zeit das reinste Energiebündel. Blieb nur zu hoffen, dass ihre positive Lebenseinstellung auch auf Daniella abfärben würde. Cara hegte ernsthaft die Befürchtung, dass Daniellas Gemütszustand sie geradewegs wieder in die Arme ihres Exfreundes treiben würde, und das wollte sie auf gar keinen Fall miterleben.

»Danke. Bleibst du zum Essen?«, fragte Lindsay.

Cara schüttelte den Kopf. Nun, da Daniella wieder Gesellschaft hatte, konnte sie getrost gehen. »Heute kann ich leider nicht, aber ich komme bald wieder vorbei.«

»Danke, Cara. Ich weiß es zu schätzen«, sagte Daniella.

»Und ich kann nur wiederholen, was ich dir vorhin schon gesagt habe. Du bist eine tolle Frau. Vergiss das nicht.«

Cara umarmte erst Daniella und dann Lindsay, die vor Freude über ihr Vorstellungsgespräch ganz aus dem Häuschen war.

Dann fuhr sie nach Hause, um sich umzuziehen. Nach der Begegnung mit Daniella war sie in gedämpfter Stimmung. Höchste Zeit für ein paar Drinks und ein bisschen Abshaken. Das würde sie hoffentlich auf andere Gedanken bringen.

Déjà-vu-Erlebnisse sind ein nicht zu unterschätzendes Aphrodisiakum, dachte Mike, als er Joe's Bar betrat. Er hatte sich noch nicht daran gewöhnt, dass hier neuerdings so laute Musik gespielt wurde. Die Tanzfläche war voll. Normalerweise traf er sich hier mit Sam, aber da dieser noch krankgeschrieben war, hatte Mike beschlossen, sich allein ein Bierchen zu gönnen. Natürlich hätte er einen seiner Kumpels von früher anrufen können; seit seiner Rückkehr hatte er mit dem einen oder anderen wieder Kontakt, doch heute stand ihm nicht der Sinn danach.

Er war aufgewühlt und schlecht gelaunt, und ihm schwirrte der Kopf nach allem, was er von Sam und Cara über die Nachforschungen erfahren hatte, die sie im Auftrag von Bürgermeisterin Flynn anstellen sollten. Er würde keine Ruhe finden, ehe er wusste, inwieweit Rex und Simon die Hände dabei im Spiel gehabt hatten. Wie auch immer die Sachlage war, sie mussten größte Vorsicht walten lassen und durften kein Aufsehen erregen. Er nahm sich vor, das auch Cara noch einmal einzuschärfen. Aber erst musste er dringend etwas abschalten, und da er jetzt unmöglich in seiner winzigen Wohnung hocken und die Wände oder den Fernseher anstarren wollte, war er nach unten in die

Bar gegangen. Doch statt das Gedankenkarussell zu stoppen, weckte die Umgebung Erinnerungen an eine heiße Nacht mit einer schönen Frau, von der er künftig tunlichst die Finger lassen sollte.

Na, toll.

Er marschierte schnurstracks zum Tresen in der Hoffnung, dass Joe Zeit für ein Schwätzchen hatte, doch dann erspähte er dort zu seiner Überraschung ausgerechnet Cara. Sie war allein und stierte in ihr fast leeres Cocktailglas. Vermutlich wartete sie gerade auf ihre Freundinnen.

Am liebsten hätte Mike auf der Stelle kehrtgemacht und sich doch in seinen vier Wänden verschanzt, möglichst weit weg von der Versuchung. Doch er liebte das Risiko, also ging er weiter. Als er näher kam, bemerkte er einen ihm unbekannten Typen zu ihrer Linken, der ihr offenbar Avancen machen wollte. Das schien ihr häufiger zu widerfahren. Die Vorstellung weckte bei Mike Gefühle, die er lieber nicht zu genau analysieren wollte.

Er trat hinter sie und legte eine Hand auf die Rücklehne ihres Barhockers. Dass er dabei ein Grummeln in der Magengegend verspürte, lag nicht am Hunger, auch wenn er es nur zu gern darauf geschoben hätte. Doch nein, es war die reine Eifersucht, wie er sich widerstrebend eingestehen musste. Es frustrierte ihn, dass sie eine derartige Wirkung auf ihn ausübte.

Jetzt beugte sich der Fremde zu Cara, um ihr etwas ins Ohr zu sagen.

Sie zog den Kopf ein und wich sogleich ein Stück zur

Seite. »Hast du nicht gehört? Du sollst mich in Ruhe lassen«, fauchte sie.

»Ich will dir doch nur einen Drink spendieren, Süße«, verteidigte sich der Mann. Sein Lächeln hatte etwas reichlich Arrogantes.

Cara legte den Kopf schief. »Ich hab schon *zwei Mal* nein danke gesagt. Wenn du nicht auf der Stelle abhaust, werde ich dir beweisen, dass ich nicht deine Süße bin.«

Mike unterdrückte ein Lachen. Sie hatte ihn noch nicht gesehen, und er wollte dem Schlagabtausch noch etwas lauschen, ehe er sich bemerkbar machte. Cara nahm sich schon an guten Tagen kein Blatt vor den Mund, und sie wusste sich zur Wehr zu setzen, wenn es sein musste – eine Eigenschaft, die Mike definitiv bewunderte.

Er hätte seinen Kopf darauf verwettet, dass sie ihre Glock bei sich trug, obwohl sie nicht im Dienst war. Bei ihrem kleinen Techtelmechtel damals hatten sie auch erst einmal beide die Waffen abschnallen müssen, ehe es richtig zur Sache gehen konnte.

Ihr hartnäckiger Verehrer musterte Cara, als würde er überlegen, ob sie sich nur ein bisschen zierte, oder ob sie tatsächlich nicht interessiert war. Dabei hätte ihm die Tatsache, dass sie Cowboystiefel mit Stahlkappen trug und bereits ungeduldig mit dem übergeschlagenen Bein wippte, die Entscheidung eigentlich erleichtern müssen.

Mike beschloss einzugreifen, ehe sie dem Kerl einen Tritt in die Kronjuwelen verpasste. »Die Lady gehört zu mir. Zieh Leine.« Er baute sich neben Cara auf, zu seiner vollen Größe aufgerichtet.

Sie sah überrascht zu ihm hoch.

»Chief Marsden! Ich wollte Ihnen natürlich nicht in die Quere kommen.« Er hatte Mike also erkannt. »Sie hat nicht erwähnt, dass sie schon vergeben ist.«

»Aber ich habe klipp und klar *nein* gesagt«, brummte Cara, worauf der Typ die Augen verdrehte und verschwand. »Idiot.«

»Das kannst du laut sagen. Wartest du auf deine Freundinnen?«, fragte Mike.

Cara schüttelte den Kopf. Es überraschte ihn, dass sie allein war, denn im Gegensatz zu ihm war sie ein äußerst geselliger Mensch.

»Alexa hatte einen Notfall, und mir ist heute nicht nach Smalltalk.« Sie deutete mit dem Kopf auf einen Tisch in der Nähe, an dem ihre Kollegen saßen. »Was ist mit dir?«, erkundigte sie sich und leerte ihr Glas.

»Mir geht's genauso – Sam steht ja nicht zur Verfügung, und auf andere Gesellschaft hab ich keine Lust.« Der Barhocker neben ihm war gerade frei geworden, und er zog ihn heran und setzte sich. »Noch ein Drink?«

»Ja. Manhattan.«

Er hob eine Augenbraue. Stark und eine Spur süß, genau wie sie selbst, aber diese Beobachtung behielt er lieber für sich. Stattdessen winkte er Joe und bestellte den Cocktail für Cara und das Übliche für sich. »Sieht so aus, als hättest du das Bedürfnis, dich zu betrinken. Wie kommt's?«

Cara drehte sich zur Seite, bis ihre Knie an die seinen stießen. »Was soll das werden?«, fragte sie und deutete erst auf ihn und dann auf sich selbst.

»Was meinst du?«

»Na, dass du hier sitzt und dich mit mir unterhältst. Bist du sicher, dass es dir gut geht?«, fragte sie spitz und musterte ihn mit ihren blauen Augen.

Okay, er hatte es vermutlich verdient. Immerhin war er ziemlich abweisend gewesen, als er neulich bei ihr gewesen war, um seinen Bruder zu besuchen. Genau genommen ließ sein Verhalten ihr gegenüber schon seit seiner Rückkehr nach Serendipity zu wünschen übrig.

»Na ja, wir sind ja jetzt gezwungen, enger zusammenzuarbeiten, da ist es vielleicht ganz sinnvoll, wenn wir uns unterhalten, oder?« Mike wollte sich vorerst noch etwas bedeckt halten. Er war sich über seine Gefühle für sie noch nicht im Klaren, geschweige denn in der Lage, mit ihr darüber zu reden.

Sie betrachtete ihn argwöhnisch. »Vermutlich, ja.«

»Voilà, ein Manhattan für Cara.« Joe stellte ihr einen neuen Cocktail hin. »Und ein Whiskey für den Polizeichef«, fügte er grinsend hinzu.

»Danke«, sagte Mike.

»Na, alles klar bei Annie und dir?«, fragte Cara den Barkeeper.

Bei der Erwähnung seiner Verlobten leuchteten Joes Augen auf. »Ja, alles bestens. Wir schweben auf Wolke sieben. Habt ihr die Einladung zu unserer Hochzeit bekommen?«

Cara lächelte breit, und Mike war entzückt, endlich wieder einmal ihre Grübchen zu sehen. »Klar. Ich habe bereits zugesagt.«

Mike nickte bloß.

»Für die Gästeliste ist Annie zuständig. Mir ist das alles nicht so wichtig«, erklärte Joe mit einer wegwerfenden Handbewegung. »Ich will bloß, dass sie meine Frau wird.«

Caras erfreutes Lachen verriet, wie sie darüber dachte. »Tja, ich bin dabei. Das lasse ich mir nicht entgehen.«

»Ich kann's kaum noch erwarten«, sagte Joe.

Ein glückliches Paar, dachte Mike und nahm einen Schluck Whiskey. Er genoss das leichte Brennen, das die Flüssigkeit in seiner Kehle verursachte.

»Ich wusste, ihr zwei würdet einander guttun.« Beim Anblick von Caras strahlendem Lächeln wurde Mike gleich noch eine Spur wärmer ums Herz, und er versuchte vergeblich, sich einzureden, dass es am Alkohol lag.

»Geht es Annie gut?«, wollte Cara wissen.

»Ja, sie hatte jetzt schon eine ganze Weile keinen MS-Schub mehr«, sagte Joe und wandte den Kopf, weil jemand am anderen Ende des Tresens seinen Namen gerufen hatte. »Tja, ich muss dann mal weitermachen. Entschuldigt mich.«

»Das geht beides auf mich«, rief Mike ihm noch nach.

»Du brauchst mich doch nicht einzuladen«, wehrte Cara ab.

Er hatte schon mit Protest gerechnet. »Schon möglich, aber ich tu's trotzdem.«

Sie zuckte die Achseln. »Danke.«

»Gern geschehen. Und jetzt erzähl mal. Hattest du einen schlechten Tag?«, fragte er, um wieder dort anzuknüpfen, wo sie vor der Bestellung stehen geblieben waren.

Cara runzelte die Stirn. »Nicht direkt, nein«, antwortete sie und nahm einen herzhaften Schluck von ihrem Drink. »Aber eine Bekannte von mir macht grad eine schwere Zeit durch.«

Der Kummer, der in diesen Worten mitschwang, ließ auch Mike nicht kalt. »Kenne ich sie?«

Sie schüttelte den Kopf. »Sie wohnt zurzeit in Havensbridge, wo ich ja gelegentlich aushelfe.«

»Das Frauenhaus.« Auf ihren erstaunten Blick hin fügte er hinzu: »Ich bin darüber informiert, wo hier die Opfer von häuslicher Gewalt untergebracht werden.«

»Die Arme ist total ... demoralisiert. Ich fürchte, es wird nicht mehr lange dauern, bis sie zu ihrem Ex zurückkehrt.«

Mike sah ihr in die Augen. »Du kannst ihr die Entscheidung für ihr Leben nicht abnehmen.« Dann nahm er wider besseres Wissens ihre Hand.

Cara straffte die Schultern, doch er ließ seine Hand, wo sie war. »Du kannst ihr lediglich deine Unterstützung anbieten.«

»Manchmal reichen Worte allein nicht aus. Ich weiß das besser als so manch anderer.«

Mike war natürlich bekannt, dass ihre Eltern eine

turbulente Ehe führten, schließlich war Serendipity eine Kleinstadt. Er wusste, dass ihr Vater kein besonders netter Mensch war, vor allem, wenn er getrunken hatte. Was Mike nicht wusste, war, ob der alte Hartley je die Hand gegen Cara erhoben hatte. Schon bei der bloßen Vorstellung verspürte Mike selbst den Drang, etwas oder jemanden zu schlagen.

»Cara?«

»Hmmm?«

Er hätte sie gern gefragt, ob ihr Vater sie je verprügelt hatte. Mehr noch, er wollte sie beschützen und dafür sorgen, dass ihr niemals jemand Schmerzen zufügte. Aber sie konnte auf seine Hilfe gut und gern verzichten – genauso gut, wie er auf diese verrückten Gefühle verzichten konnte, die sie in ihm weckte.

»Möchtest du tanzen?«, fragte er sie deshalb stattdessen. *Sehr clever, Kumpel*, dachte er im selben Moment.

Cara zögerte einen Augenblick, dann nickte sie. »Warum nicht.«

Während sie sich durch die Massen zu der überfüllten Tanzfläche in der Ecke schoben, röhrte Adele aus den Lautsprechern der Jukebox, doch bis sie sich zwischen all den anderen Tanzenden ein Plätzchen erobert hatten, war das Lied vorbei, und die ersten Takte eines Schmusesongs erklangen. Mike stöhnte innerlich auf. Warum mussten ihn die Mächte des Himmels derart auf die Probe stellen? Aber er hatte Cara nun einmal gefragt, ob sie tanzen wollte, und er konnte es weiß Gott kaum noch erwarten, sie in den Armen zu halten; also streckte er ihr auffordernd eine Hand hin.

Sie ergriff sie, und im selben Moment ging ein Stromstroß durch seinen Körper, der stärker ausfiel als erwartet. Stärker als er ihn vom letzten Mal in Erinnerung gehabt hatte. Mike zog Cara an sich und hoffte inständig, dass es ihm gelingen würde, sein bestes Stück im Zaum zu halten, denn hier, in diesem Gedränge, wo sie so eng an ihn geschmiegt war, würde sie garantiert jede Regung in den unteren Regionen registrieren.

Sie übte nun einmal eine unwiderstehliche Wirkung auf ihn aus.

Cara schwieg, also enthielt sich Mike ebenfalls jeglichen Kommentars. Es war auch gar nicht nötig, etwas zu sagen, denn die natürliche Leichtigkeit, mit der sie sich gemeinsam zur Musik bewegten, sprach für sich.

Spätestens jetzt hätte ihn eigentlich die Unruhe erfassen müssen, die er empfand, wenn er auf das Haus seiner Eltern zuging und das Gefühl hatte, zu ersticken oder von all den Erwartungen erdrückt zu werden. Dieselbe Unruhe, die sich stets gemeldet hatte, wenn Tiffany versucht hatte, irgendetwas im Voraus zu planen. Doch er verspürte nichts dergleichen. Er fand Caras Gegenwart lediglich tröstlich und wie immer sehr erregend.

Sie seufzte leise und lehnte den Kopf an seine Brust, und Mike war, als würde sich in seinem tiefsten Inneren ein Knoten lösen. Der köstlich fruchtige Duft ihres Shampoos stieg ihm in die Nase, und plötzlich stürmten Erinnerungen auf ihn ein.

Letztes Mal hatte sie ohne zu zögern eingewilligt, als er angeregt hatte, mit zu ihr nach Hause zu gehen.

Sie war genauso erpicht auf wilden, leidenschaftlichen Sex gewesen wie er. Sex ohne Diskussion, ohne Fragen nach Bedeutung oder Konsequenzen. Und sie hatte all seine Begierden – nicht nur die körperlichen – gestillt, hatte ihn so umfassend befriedigt, dass er seither mit keiner anderen Frau geschlafen hatte. Er hatte versucht, den Gedanken daran zu verdrängen, doch jetzt konnte er sich auf nichts anderes mehr konzentrieren. Und nun hielt er die Frau, die er begehrte, erneut in den Armen.

Was sie wohl sagen würde, wenn er vorschlug, dort weiterzumachen, wo sie vor drei Monaten aufgehört hatten? Eine unverbindliche Affäre, eine mit einem klar definierten Ende: seine Abreise aus Serendipity. Doch all das war Cara ohnehin bewusst. Sie hatte es selbst gesagt: *Mir war klar, dass ich von dir nicht allzu viel erwarten kann.* Ihre Worte hatten ihn gekränkt, aber sie entsprachen nun einmal den Tatsachen.

Das Einzige, was Mike nicht in Frage stellte, war sein plötzlicher Sinneswechsel. Denn der war genauso offensichtlich wie die Tatsache, dass er Cara begehrte und dass sie im Augenblick die einzige Frau war, die für ihn in Frage kam.

Cara hatte ganz offensichtlich den Verstand verloren. Wie sonst sollte sie sich erklären, dass sie hier, von pulsierender Lust erfüllt, eng an Mike geschmiegt tanzte, statt sich schleunigst in Sicherheit zu bringen? Seltsamerweise waren alle negativen Gedanken mit einem Mal aus ihrem Kopf verschwunden.

Durch den Stoff ihrer Bluse hindurch konnte sie die

Wärme seiner großen, kräftigen Hand spüren, die auf ihrem Rücken lag. Mit einem dankbaren Seufzer lehnte sie den Kopf an seine Brust und lauschte seinem heftig pochenden Herzen.

Seine Finger wanderten tiefer, in den Hosenbund ihrer Jeans, und pressten ihren Unterkörper an den seinen, sodass sie sich der harten Wölbung seiner Erektion nur zu deutlich bewusst war. Ihre Brüste fühlten sich schwer an, und zwischen ihren Beinen sammelte sich bereits Flüssigkeit. Sie brauchte ihn dringender als ihren nächsten Atemzug. Aber wie sollte sie es einigermaßen unversehrt überleben, wenn sie sich noch einmal mit ihm einließ?

Hm. Die grundlegende Frage lautete im Augenblick wohl eher: Wie konnte sie ihm widerstehen?

»Cara?« Seine Stimme klang tief und heiser. Cara legte den Kopf in den Nacken und sah zu ihm hoch.

»Ja«, sagte sie und beantwortete damit die Frage, die sein Körper ihr gestellt hatte. Und sie wusste genau, was sie da sagte.

Er musterte sie mit großen Augen. »Bist du ganz sicher?«

Cara nickte.

Er beugte den Kopf und murmelte: »Dann geh doch schon mal nach oben zu meiner Wohnung. Ich komme gleich nach.«

Ein getrennter Abgang, dachte Cara. Diesmal achtete er mehr auf Diskretion als beim letzten Mal. Sah ihm eigentlich gar nicht ähnlich.

»Okay.« Als sie sich aus seinen Armen löste, sandte

die Vorfreude ein köstliches Kribbeln durch ihren gesamten Körper. Sie beschloss, unterwegs noch schnell einen Zwischenstopp auf der Toilette einzulegen.

Vor dem Spiegel hielt sie inne, überrascht vom Anblick ihrer geröteten Wangen und glasigen Augen. Hoffentlich hatte das niemand bemerkt, denn sonst konnte sie sich das unauffällige Hinausschleichen echt sparen.

Draußen an der frischen Luft war es kalt. Cara war froh, dass sich Mike nach ein, zwei Minuten zu ihr gesellte, denn sie hatte Jacke und Tasche im Jeep gelassen.

Er schloss die Tür zu seiner Wohnung auf, dann ergriff er ihre Hand und zog sie mit sich nach drinnen. Beim Anblick der kärglichen Einrichtung seines Apartments musste sie unwillkürlich an seinen unsteten Lebenswandel denken. Dieser Mann brauchte kein Zuhause, sondern lediglich ein Bett zum Schlafen. Als sie vorhin so eng umschlungen getanzt hatten, war ihr das doch tatsächlich kurz entfallen. Sie tat also gut daran, es sich immer wieder in Erinnerung zu rufen und die entsprechenden emotionalen Vorkehrungen zu treffen.

Er warf den Schlüsselbund auf einen kleinen Beistelltisch. »Freut mich, dass du nicht nein gesagt hast.«

Sie schluckte schwer. »Es war schön mit dir letztes Mal.« Bei ihm hatte sie mehr empfunden als mit jedem anderen Mann zuvor. Und die Begegnung mit Daniella vorhin hatte ihr lebhaft vor Augen geführt, dass es nicht selbstverständlich war, wenn man mit jemandem so auf einer Wellenlänge war wie Mike und sie. Unglaublicher Sex und eine von Offenheit und Ehrlichkeit geprägte Affäre.

»Ja, das war echt heiß.«

Sogar seine Stimme erregte sie, aber irgendwie gelang es ihr trotzdem, ihren gesunden Menschenverstand nicht gleich über Bord zu werfen. »Ich habe nur eine Bedingung …« Sie drehte sich zu ihm um und sah ihn an. »Und wenn du das nicht akzeptieren kannst, bin ich gleich wieder weg.«

»Und die wäre?«, fragte er argwöhnisch und verschränkte die Arme vor der Brust.

Der Ärmste. Er hatte wohl Angst, sie könnte zu viel von ihm erwarten. Irgendwie tat er ihr leid. Durch seine Unfähigkeit, andere Menschen an sich heranzulassen, entging ihm bestimmt so einiges im Leben. Sie fragte sich, was wohl die Ursache für seine Scheu vor zwischenmenschlichen Kontakten sein mochte, zumal er in einem sehr liebevollen Umfeld aufgewachsen war. Die Ehe ihrer Eltern war weiß Gott alles andere als harmonisch, doch Cara wollte trotzdem glauben, dass es irgendwo dort draußen einen Mann gab, auf den sie sich verlassen und dem sie vertrauen konnte.

Sie zweifelte zwar gelegentlich daran, aber im Gegensatz zu Mike war sie nicht gewillt, die Hoffnung aufzugeben. Doch für derartige Überlegungen war jetzt eigentlich nicht der richtige Zeitpunkt.

Cara trat näher und öffnete die obersten zwei Blusenknöpfe. »Versprich mir, dass es morgen keine Spannungen zwischen uns geben wird. Ich will nicht, dass du dich wieder so abweisend verhältst und mich behandelst wie …«

»Wie Dreck«, hatte sie sagen wollen, doch dann wurde ihr klar, dass das nie seine Absicht gewesen war. »Wie eine dieser Frauen, die jeden Mann gleich vor den Traualtar zerren wollen.«

»Du glaubst wohl, du kennst mich in- und auswendig, wie?«, fragte er, aber er war blass geworden. Sein Blick allerdings ruhte auf den sanften Rundungen ihres Brustansatzes. *Ein Hoch auf den Push-up-BH*, dachte Cara.

»Ganz recht.« Sie öffnete einen weiteren Knopf. »Und noch etwas ...«

»Nämlich?« Seine Stimme war nur noch ein heiseres Krächzen, denn inzwischen war sie beim letzten Knopf angelangt. »Ich will nicht mehr als das, was du freiwillig zu geben bereit bist.«

Ihre Worte schienen ihn zu beruhigen, denn ein sexy Lächeln umspielte seine Lippen. Doch als sie sich anschickte, die Bluse abzustreifen, hob er die Arme, um sie daran zu hindern.

Das war Mike, wie er leibte und lebte: ein Mann, der stets gelassen blieb und immer das Sagen hatte. Ein Mann, der eine unheimlich erregende Wirkung auf sie ausübte und mit schöner Regelmäßigkeit ihr Blut in Wallung brachte. Er sah ihr tief in die Augen, und Cara ging davon aus, dass er sie gleich küssen würde, doch er wandte stattdessen den Kopf zur Seite und presste die Wange an ihr Gesicht.

Seine Bartstoppeln kitzelten sie, und seine Haut fühlte sich angenehm warm an, aber noch ehe sich Cara an ihn schmiegen konnte, nahm er plötzlich ihr Ohrläppchen zwischen die Lippen und begann, daran zu knabbern und zu saugen. Bei der zärtlichen Liebkosung verspürte sie ein köstliches Ziehen bis in die Zehenspitzen. Genau so hatte sie ihn in Erinnerung – nie tat er das, was sie erwartete.

Und sie begehrte ihn trotzdem.

Seine Lippen bahnten sich sanft einen Weg von ihrem Ohr hinunter zum Kinn und von dort weiter zum Mund. Bis er sie endlich küsste, bebte sie bereits vor Lust, dabei hatte er sie kaum berührt. Er wusste, worauf sie abfuhr, und verstand es, ihre Erregung ins Unermessliche zu steigern, und sie genoss jede einzelne Sekunde.

Träge schob er die Zunge in ihren Mund, um sie ausgiebig zu küssen, ließ sie hierhin und dorthin wandern, über den Gaumen und die Innenseiten der Wangen – kein Zentimeter blieb unberührt. Dann packte er Cara plötzlich um die Taille, hob sie hoch und trug sie die drei, vier Schritte bis zur Kochnische, wo er sie auf der Anrichte absetzte.

Er postierte sich zwischen ihren Knien, die Hände rechts und links von ihren Oberschenkeln abgestützt, und beugte sich nach vorn, um sie erneut zu küssen.

Allzu bald unterbrach er den Kuss und murmelte: »Wie machst du das nur, dass du so tough wirkst und zugleich so süß?« Cara spürte, wie sie dahinschmolz, obwohl sie doch vorsorglich einen Schutzpanzer um ihr Herz errichtet hatte.

Warum musste er es ihr nur so schwer machen? Zum Glück schien er keine Antwort von ihr zu erwarten, denn er küsste sie gleich wieder.

Er roch unheimlich verführerisch, seine Arme waren überall, und sein sexy Blick und seine leidenschaftlichen Küsse wirkten äußerst vielversprechend. Cara schlang die Beine um seine Hüften, sodass er sich nicht mehr von der Stelle bewegen konnte, was er mit einem wohlwollenden »Mmm« goutierte, und als sie ihm mit den Fingern durch das seidige Haar fuhr, stöhnte er erneut auf, lauter diesmal.

Wieder unterbrach er den Kuss und tastete schwer atmend nach ihrer Bluse, um sie ihr über die Schultern zu streifen, sodass ihre Arme gefangen waren.

Wie gut, dass ich Spitzenunterwäsche trage, wenn ich nicht im Dienst bin, dachte Cara, während sein hungriger Blick über ihren entblößten Oberkörper glitt. Beim Anblick ihres Sport-BHs wäre er wohl kaum derart in Verzückung geraten. Sie musste unwillkürlich grinsen.

»Was hast du denn?«, wollte er wissen.

»Ach, ich dachte nur gerade, es trifft sich ganz gut, dass ich meine schönsten Dessous angezogen habe«, gestand sie ihm freimütig.

Mike ließ die rauen Fingerspitzen über ihren Spitzen-BH gleiten. »Allerdings«, sagte er, und dann wanderte eine seiner Hände südwärts.

Beim Nabel angelangt hielt er inne, beugte den Kopf, atmete tief ein und drückte ihr einen heißen Kuss auf den Bauch, bei dem ein Zittern durch ihren gesamten Körper ging.

»Du schmeckst auch süß«, murmelte er.

»Oh, Michael!« Sie drückte den Rücken durch und schob das Becken nach vorn, um ihm zu zeigen, was sie wollte. Sie sehnte sich danach, von ihm genommen zu werden, hart, schnell und wild. Schon war ihr Höschen ganz feucht.

»Bald«, versprach er ihr mit rauer Stimme.

Doch das Klingeln ihres Mobiltelefons bereitete dem erotischen Treiben ein jähes Ende. »Das ist meins«, stellte sie bedauernd fest.

»Nicht bewegen.« Mike tastete nach dem Handy, das in ihrer hinteren Jeanstasche steckte, und reichte es ihr.

Cara befreite sich aus seiner Umarmung und warf einen Blick auf das Display. »Das ist die Nummer des Reviers«, sagte sie erstaunt. Warum riefen ihre Kollegen sie an, obwohl sie gar nicht im Dienst war? Sie drückte auf einen Knopf und hielt sich das Telefon ans Ohr. »Hallo?«

»Cara? Ich bin's, Andy. Ich wollte dir nur kurz Bescheid geben – die Nachbarn deiner Eltern haben uns angerufen ...«

Bei seinen Worten wich auf einen Schlag alle Wärme aus ihrem Körper. »Was haben sie gesagt?«, fragte Cara. Sie fröstelte.

»Dass nebenan jemand herumbrüllt und Geschirr zerdeppert. Ich habe mal zwei Leute hingeschickt, um nachzusehen.«

Cara nickte und spürte Mikes besorgten Blick auf sich ruhen. Natürlich hatte er jedes Wort mithören können, so nah, wie er neben ihr stand.

»Danke, Andy. Ich fahre sofort hin.« Damit legte sie auf.

Ihr war übel vor Verlegenheit. »Entschuldige, aber ich muss los«, sagte sie und sprang auf den Boden, ohne Mike in die Augen zu sehen.

»Ich komme mit.« Das war kein Angebot, sondern eine Feststellung.

Sie fuhr herum. »Nein! Ich meine, nein danke, das ist nicht nötig.« Er sollte ihren Vater nicht so sehen, sturzbetrunken und in der denkbar schlimmsten Verfassung. Es war ihr schon peinlich genug, dass Mike hinterher das Protokoll lesen und sie bemitleiden konnte.

Kapitel 4

Beim Anblick von Caras entschlossener Miene wusste Mike sogleich, dass es keinen Sinn hatte, wenn er ihr noch einmal anbot, sie zu begleiten oder auch nur zu fahren. Die Verlegenheit war ihr deutlich anzusehen. Sie wollte nicht, dass er live miterlebte, wie es in ihrem Elternhaus zuging. Tja, schade. Sie mochte zwar ganz schön tough sein, wenn sie im Dienst war, aber privat hatte sie durchaus auch eine empfindsame Seite, die sie ihm ja erst vorhin offenbart hatte, als sie von einer der Bewohnerinnen aus dem Frauenhaus erzählt hatte. Sie brauchte ihn, auch wenn sie ihn nicht dabeihaben wollte.

Trotzdem wartete er ab, bis sie ihre Bluse zugeknöpft hatte und im Laufschritt hinunter zum Parkplatz geeilt war, ehe er sich seine Autoschlüssel schnappte und ihr nachging.

Ihm war, als könne er sie noch immer riechen und ihre weiche Haut spüren, weshalb sein bestes Stück nach wie vor strammstand, aber das würde sich bestimmt geben, bis er beim Haus ihrer Eltern angelangt war, zumal es draußen ziemlich frisch war.

Mike öffnete das Fenster, damit der Fahrtwind seinen überhitzten Körper abkühlen konnte, und ließ sich von seinen Kollegen auf dem Revier die Adresse ihrer Eltern geben.

Als er vor dem von einer kleinen Rasenfläche umgebenen Wohnblock anhielt, in dem das Ehepaar Hartley wohnte, standen seine Kollegen neben dem Streifenwagen. Der eine unterhielt sich mit Cara, während der andere den Papierkram erledigte.

Cara verfolgte mit gerunzelter Stirn, wie Mike aus dem Wagen stieg. Er konnte förmlich hören, was sie dachte: *Was zum Teufel willst du hier?* Da er jedoch ihr Vorgesetzter war und überdies zwei andere Beamte zugegen waren, hielt sie sich zurück. Er fand ihre Selbstbeherrschung bewundernswert, ja, sogar sexy, obwohl sie ihm zweifellos ganz schön die Meinung sagen würde, sobald sie allein waren.

»'n Abend, Boss«, begrüßte ihn Rob Sumter.

Mike nickte ihm zu.

»Irgendwelche Festnahmen?«, fragte er, ohne Cara anzusehen. Er war sich ihrer wütenden Blicke auch so bewusst.

Rob schüttelte den Kopf. »Mrs. Hartley wollte keine Anzeige erstatten.« Auch er mied jeglichen Blickkontakt mit Cara. »Wir haben den Fall bloß für die Akten aufgenommen.«

»Danke, Rob.«

Der Polizist nickte, dann setzte er sich mit seinem Kollegen in den Streifenwagen, und ein paar Minuten später fuhren die beiden davon.

Nun waren Mike und Cara also wieder allein.

»Ich habe dir doch gesagt, dass ich dich nicht hier haben will.« Sie funkelte ihn bitterböse an.

Mike trat näher. »Seit wann tu ich das, was man mir sagt?«

Ihm entging nicht, dass sie fröstelte, und ehe er es sich versah, hatte er sie auch schon an sich gezogen. »Was ist passiert?«

Cara stand erst stocksteif da, doch dann ließ sie ihn gewähren und entspannte sich ein wenig. »Das Übliche. Mein Vater hat sich betrunken, meine Mutter beschimpft und dabei wohl ein paar Teller an die Wand gepfeffert. Kein Wunder, dass sich die Nachbarn über den Krach beschwert und sich Sorgen um meine Mutter gemacht haben.«

»Geht es ihr gut?«

»Laut Rob ja.«

»Du hast nicht mit ihr geredet?«

Sie schüttelte den Kopf, das Gesicht an seiner Brust vergraben. »Ich kann nicht. Sie weiß, dass ich erst wieder mit ihr rede, wenn sie ihn verlässt.«

Mike überlegte krampfhaft, was er darauf sagen sollte, aber ehe ihm eine Erwiderung eingefallen war, machte sich Cara von ihm los. »Ich muss jetzt nach Hause.«

»Warte.« Es war keine Bitte, sondern ein Befehl, und er hoffte inständig, dass sie ihn befolgen würde. Sicher war er sich da keineswegs, aber er musste es zumindest versuchen, obwohl er selbst nicht so recht wusste, warum es ihm so wichtig war, sie jetzt nicht allein zu lassen.

Cara drehte sich zu ihm um. »Was ist?« Sie schlang die Arme um sich in dem Versuch, sich zu wärmen, doch es half nichts, sie klapperte mit den Zähnen.

»Wo ist deine Jacke?«

Sie blinzelte überrascht. »In meinem Auto. War das alles, was du mir sagen wolltest?«

Er unterdrückte ein Schmunzeln. »Nein.« Dann schlüpfte er aus seiner Lederjacke und legte sie ihr um die Schultern. »Gehen wir.«

»Wohin?« Sie rührte sich nicht vom Fleck, stur wie ein Esel.

»Du bist total aufgewühlt, und dir ist kalt. Wir besorgen dir jetzt einen Kaffee, und dann werden wir uns ein bisschen unterhalten, und danach kannst du meinetwegen in dein Auto steigen und nach Hause fahren.«

»Tyrann«, grummelte sie, zog aber seine Jacke enger um sich.

Okay, sie hatte also nicht vor, sich lange zur Wehr zu setzen. Mike ergriff erleichtert ihre Hand und führte sie die Straße entlang, fort vom Haus ihrer Eltern. Um die Ecke befand sich ein kleines Lokal namens Lynette's Diner, in dem vor allem Leute aus dem Viertel verkehrten – und natürlich auch die Cops, die hier beruflich zu tun hatten. Um diese Uhrzeit war es allerdings fast leer.

Er öffnete die Tür und ließ ihr den Vortritt. Cara steuerte sogleich einen der Tische im hinteren Bereich an. Statt sich auf die Bank ihr gegenüber zu setzen, ließ sich Mike neben ihr nieder und rückte ihr dabei ziemlich auf die Pelle.

»Was soll das werden?«, blaffte sie ihn an, wohl, weil ihr die ganze Sache immer noch peinlich war.

Mike konnte sich ein Grinsen nicht verkneifen. »Ich wärme mich an dir.«

Sie hob ungläubig eine Augenbraue.

»Hey, es ist Januar, und ich habe dir meine Jacke geliehen.« Und außerdem wollte er sie ganz einfach spüren.

Er konnte noch immer nicht fassen, wie heftig es vorhin wieder zwischen ihnen geknistert hatte. Und er wollte nach wie vor mit ihr ins Bett, auch wenn er sich nach diesem unerfreulichen Zwischenfall natürlich zurückhalten würde. Aber sein Körper verlangte nach ihrer Nähe. Das waren ja ganz neue Seiten – Seiten, die er selbst noch nicht an sich kannte. Und er hatte auch nicht die geringste Lust, sich darüber den Kopf zu zerbrechen.

Lynette, eine beleibte Frau Mitte fünfzig, kam mit einer Thermoskanne in der Hand auf sie zu. »Was treibt ihr denn so spät noch hier?«

»Wir wärmen uns bloß ein bisschen auf«, antwortete Mike.

»Verstehe. Wie wär's mit einer schönen Tasse Kaffee, Cara?«

Es überraschte Mike nicht, dass die beiden einander kannten, schließlich war Cara in dieser Gegend aufgewachsen und arbeitete auch oft hier.

»Wenn ich um diese Uhrzeit Kaffee trinke, tue ich nachher kein Auge zu. Hast du nicht irgendetwas ohne Koffein? Tee vielleicht?«, fragte Cara.

»Aber klar doch. Was ist dir lieber, entkoffeinierter Kaffee oder Kamillentee?«

»Kamillentee klingt super. Danke, Lynette.«

»Und für den Polizeichef? Kaffee?«

Mike nickte. »Danke, gern.«

Gleich darauf kehrte Lynette mit zwei Tassen zurück und verzog sich anschließend wieder hinter den Tresen.

Cara legte die Hände um ihren Tee und schloss seufzend die Augen. Die Wärme schien ihr gutzutun.

Mike war froh, dass er darauf bestanden hatte hierherzukommen. Er wartete noch einen Moment ab, dann räusperte er sich.

Sie schlug die Augen auf. »Was ist?«, fragte sie argwöhnisch. »Willst du wissen, wie oft mein Vater sich betrinkt? Ausflippt, Leute verprügelt und mit Geschirr um sich wirft?«

Wider Erwarten ärgerte ihn ihr aufsässiger Tonfall nicht, sondern weckte lediglich sein Mitgefühl. »Ich will gar nichts wissen, Cara, es sei denn, du willst dir irgendetwas von der Seele reden. Ich wollte nur, dass du dich etwas beruhigst, bevor du nach Hause fährst.«

»Oh.« Cara schlug verlegen die Augen nieder. »Tut mir leid. Es ist bloß ...« Sie brach ab.

»Es ist dir peinlich«, beendete er den Satz an ihrer Stelle.

»Ja.«

»Es muss dir nicht peinlich sein. Ich beurteile dich nicht nach dem Benehmen deines Vaters oder deiner Mutter«, versicherte er ihr.

»Und du verurteilst mich auch nicht, weil ich nicht

reingegangen bin und mich davon überzeugt habe, dass es meiner Mutter gut geht?« Sie saß sehr steif und aufrecht da, in der hintersten Ecke, möglichst weit weg von ihm, was allerdings nicht allzu weit war. Mike legte einen Arm auf die Rückenlehne, sodass er zumindest ihre Haare berühren konnte, und wickelte sich eine Strähne um die Finger.

Sie seufzte tief und ließ die Schultern ein klein wenig sinken. »Ich habe für sie getan, was ich konnte. Wenn ich reingegangen wäre und mit ihr geredet hätte, wenn ich sie angebettelt hätte, meinen Vater zu verlassen, dann hätte ich ihn damit nur noch mehr in Rage gebracht und alles noch schlimmer gemacht.« Der Frust trieb ihr die Tränen in die Augen. Sie wischte sie mit dem Handrücken weg.

Mike tat wohlweislich, als würde er es nicht bemerken. »Vor mir musst du dich nicht rechtfertigen. Du redest hier mit jemandem, dessen Erbgut bestenfalls fragwürdig ist«, sagte er, obwohl er das Thema sonst nur äußerst ungern anschnitt. »Mein richtiger Vater ist einfach untergetaucht und ward nie mehr gesehen.«

Mike war ihm eben einfach nicht wichtig genug gewesen. Und für Simon und Ella war er nicht gut genug. Er war seit jeher der Überzeugung, dass sie ohne ihn besser dran waren.

»Und irgendwie habe ich das dumpfe Gefühl, dass die Nachforschungen, die wir zwei demnächst gemeinsam anstellen müssen, meine Familie auch nicht gerade in einem guten Licht dastehen lassen werden. Also, wie gesagt, ich werde mir ganz sicher kein Urteil über dich anmaßen. Ich bin für dich da, ich höre dir zu, und ich werde dich nicht wegen der Entscheidung, die du getroffen hast, kritisieren.« Er zögerte kurz, dann fügte er hinzu: »Ehrlich gesagt finde ich, du hast das Richtige getan.«

»Im Ernst?« Sie sah ihn an, mit ihren großen, feuchten Augen, und erst da wurde ihm klar, was für ein unsicherer Mensch sie eigentlich war.

»Ja, im Ernst.« Dann legte er entschlossen den Arm um sie und zog sie näher. »Es erfordert ganz schön viel Mut, sich rauszuhalten, wenn man weiß, dass es einem anderen Menschen schlecht geht. Aber manchmal kann man nichts anderes machen.«

Cara nickte. »Genau. Ich kann ihr nicht helfen, wenn sie es nicht will. Sie muss den ersten Schritt tun.«

»War es schon immer so?«, erkundigte sich Mike.

»Es war seit jeher ein Auf und Ab. Wenn er Arbeit hatte und gut drauf war, hatte er auch sein Alkoholproblem im Griff, aber sobald irgendetwas schiefging, waren alle anderen daran schuld, und er gab sich seiner Sucht hin. Und je mehr er trank, desto lauter und hässlicher ging es zu Hause zu.«

Mike hatte insgeheim befürchtet, dass sie sich auf seine Frage hin völlig zurückziehen würde, doch das Gegenteil war der Fall. Sie schien sogar etwas aufzutauen, und er war froh darüber. Denn da war noch etwas, das ihm keine Ruhe ließ, doch wieder war er nicht sicher, wie sie auf die Frage reagieren würde.

Er sollte es lieber bleiben lassen. Aber er musste es wissen. »Hat er … Hat dein Vater jemals …«

»Ob er mich geschlagen hat?«, beendete sie den Satz für ihn.

»Ja.« Seine Stimme klang ungewohnt rau, selbst für seine eigenen Ohren. Er hielt gespannt die Luft an.

»Nein.«

Mike atmete erleichtert auf.

»Aber nicht, weil er es nicht gewollt hätte. Das war das Einzige, was meine Mutter je fertiggebracht hat, jedenfalls als ich noch jünger war. Sie hat gesagt, sie würde ihn erstechen, wenn er die Hand gegen mich erhebt, und das hat er ihr wohl geglaubt. Leider konnte sie sich für sich selbst nie so einsetzen. Er hat behauptet, sie hätte es verdient, so behandelt zu werden, und irgendwann hat sie ihm geglaubt.« Cara schüttelte den Kopf. »Als ich dann älter war, habe ich einfach möglichst wenig Zeit zu Hause verbracht.«

Sie starrte auf den Tisch, und Mike wusste genau, was ihr durch den Kopf ging.

»Mach dir deswegen keine Vorwürfe«, sagte er leise. »Es war die Aufgabe deiner Eltern, für dich zu sorgen. Deine Mom hat offenbar ihr Möglichstes getan, auch wenn sie es nicht für sich selbst tun konnte. Und dein Dad hat auf der ganzen Linie versagt. Genau wie meiner. Ich hatte nur das Glück, dass Simon für ihn eingesprungen ist.« Der Mann, dessen Erwartungen er niemals gerecht werden würde.

»Woher hast du gewusst, was ich denke?«, fragte Cara.

Tja, weil er sie inzwischen etwas besser kannte und infolgedessen auch besser verstand. Aber das würde er ihr gewiss nicht auf die Nase binden. »Ich habe einfach geraten«, sagte er und zwang sich zu einem lässigen Grinsen. »Und, geht's dir schon besser?«

»Ich habe meinen Tee zwar nicht angerührt, aber ja, es geht mir besser, danke. Du bist *ein guter Freund.*«

Es war sonnenklar, was sie ihm damit zwischen den Zeilen zu verstehen geben wollte, und Mike begriff selbst nicht, warum er sich so daran störte. Vorhin waren sie noch ganz verrückt nacheinander gewesen. Aber das war bloß Sex gewesen. Oder?

Als er ihre Getränke bezahlte, erhob sie zu seiner Überraschung diesmal keine Einwände. Danach brachte er sie zu ihrem Jeep, obwohl er gern noch eine Weile ihre Gesellschaft genossen hätte. Sie würden sich zwar gezwungenermaßen bald wiedersehen, weil sie sich eine Strategie überlegen mussten, ehe sie die Nachforschungen über den ungeklärten Fall und Simons Beteiligung angingen, aber das wollte er im Moment nicht erwähnen.

»Hast du morgen Abend schon etwas vor?«, fragte er sie stattdessen.

Sie blinzelte überrascht. »Nein, warum?« Ihre Augen erschienen ihm wie zwei weit geöffnete Fenster zu ihrer Seele.

»Ich dachte, vielleicht hast du ja Lust auf ein Familienessen bei mir zu Hause.« Mike konnte selbst nicht glauben, was er da sagte.

Wie sie so auf ihrer Unterlippe herumkaute, bekam er direkt Lust, sie zu küssen. Aber das musste warten, im Augenblick war sie viel zu durcheinander.

»Meinst du nicht, dass deine Eltern etwas dagegen

haben könnten?«, fragte sie und brachte damit seine Gedanken wieder auf den rechten Weg.

Er hob eine Augenbraue. »Soll das ein Witz sein? Meine Mutter liebt es zu kochen, und wir wissen beide, dass sie einen Narren an dir gefressen hat.«

Cara errötete. »Sie ist echt ein Goldschatz. Aber der Sonntagabend ist doch normalerweise der *Familie* vorbehalten.«

Bildete er sich das nur ein, oder schwang in ihren Worten eine leise Sehnsucht mit?

»Du gehörst für meine Leute zur Familie.« Wobei er selbst alles andere als geschwisterliche Gefühle für sie hegte. Er wusste auch nicht, was ihn geritten hatte, als er die Einladung ausgesprochen hatte.

»Na gut, wenn du ganz sicher bist …«

Die Dankbarkeit in ihren blauen Augen lieferte ihm die Antwort: Er war erpicht darauf, sie dabeizuhaben, und sie war nicht minder erpicht darauf, die Einladung anzunehmen. »Das bin ich.«

Sie nickte. »Dann rufe ich Ella an und frage sie, was ich mitbringen soll.«

Mike ahnte bereits, was seine Mutter sagen würde, nämlich: »Gar nichts.«

»Komm gegen fünf vorbei«, sagte er.

Bei ihrem Lächeln wurde ihm ganz anders. »Okay«, sagte sie und streckte die Hand nach dem Türgriff aus.

»Cara …«

Sie wirbelte noch einmal herum, und er hob, ohne es zu wollen, die Hand und strich ihr mit den Fingerknöcheln über die Wange.

»Schlaf dich ordentlich aus«, murmelte er.

Bei seiner Berührung überzog eine sanfte Röte ihr Gesicht, was nichts mit der kalten Nachtluft zu tun hatte. »Mach ich. Gute Nacht, Mike.« Sie öffnete die Tür, zog den Kopf ein und kletterte in den Wagen.

Er blieb stehen, während sie den Motor anließ und losfuhr. *Was für eine komplizierte Frau,* dachte er, während er ihr nachsah.

Cara Hartleys Charakter war ein ganzes Stück vielschichtiger, als er angenommen hatte. Und jede der einzelnen Facetten ihrer Persönlichkeit reizte ihn – die starke Polizistin, die verletzliche Tochter und alles, was dazwischen lag. Sie weckte in ihm den Drang, für sie da zu sein und sie zu beschützen, Regungen, die er nicht von sich kannte und bei denen er normalerweise die Beine in die Hand genommen hätte. Tiffany hatte er ja auch recht gern gemocht, aber sie hatte ihn mit ihren ständigen Anrufen und ihrer Bedürftigkeit beinahe erstickt. Wie oft hatte sie ihm gesagt, wie sehr sie ihn brauchte und auf ihn zählte! Leider hatte Mike das gar nicht hören wollen. Er hatte nicht gebraucht werden und für niemanden da sein wollen.

Er kam eben ganz nach seinem alten Herrn. Und deshalb legte er sowohl beruflich als auch privat großen Wert darauf, von vornherein klarzustellen, dass mit ihm auf Dauer nicht zu rechnen war. Selbst sein Vorgesetzter in New York wusste, dass Mike nach einem abgeschlossenen Fall jederzeit den Hut nehmen würde, wenn ihm danach war. Zum Glück gestaltete sich seine Arbeit dort so abwechslungsreich, dass er bislang nicht das Bedürfnis verspürt hatte zu gehen. Was er von den Frauen allerdings nicht behaupten konnte. Bei Cara hatte sich dieser Fluchtimpuls seltsamerweise noch nicht eingestellt, obwohl ihm immer wieder der Gedanke daran kam.

Sie übte nach wie vor eine unwiderstehliche Anziehungskraft auf ihn aus. Er konnte ihr nicht aus dem Weg gehen, solange er in der Stadt war.

Was völlig in Ordnung war, denn sobald Simon wieder gesund war, konnte Mike den Job hier an den Nagel hängen und Serendipity wie geplant verlassen.

Cara empfand stets eine Mischung aus Bewunderung, Dankbarkeit und Neid, wenn sie die Marsdens besuchte. Sie staunte jedes Mal wieder über das in dieser Familie herrschende Zusammengehörigkeitsgefühl, nach dem sie sich früher auch immer gesehnt hatte. Aber sie hatte längst aufgehört, sich Dinge zu wünschen, die sie nicht haben konnte. Stattdessen freute sie sich, wenn sie hier gelegentlich zu Gast sein durfte. Diesmal jedoch fühlte es sich anders an, weil nicht Sam, sondern Mike sie eingeladen hatte. Sie wusste nicht, was dahintersteckte und was es zu bedeuten hatte, aber sie nahm sich vor, nicht zu viel hineinzuinterpretieren. Es war ein Abendessen mit Menschen, denen sie sich stets nahe gefühlt hatte, nicht mehr und nicht weniger.

Kaum hatte sie geklingelt, da öffnete Ella Marsden ihr auch schon die Tür. »Cara! Wie schön, dass du es einrichten konntest«, rief sie und ließ sie herein.

»Ich freu mich, dass ich kommen durfte. Noch dazu so kurzfristig«, sagte Cara und trat in den Vorraum.

»Red keinen Unsinn, du bist hier ein gern gesehener Gast. Ts, ts, was ist denn das?« Ella beäugte die mit Folie bedeckte Auflaufform, die Cara ihr hinhielt.

»Eine Lasagne für Simon und dich. Die kannst du auf Vorrat einfrieren und essen, wenn du mal keine Lust oder Zeit zum Kochen hast.« Als Cara vorhin angerufen und gefragt hatte, ob sie ein Dessert oder eine Beilage mitbringen sollte, hatte Ella abgewehrt und gemeint, es sei bereits alles fix und fertig.

Doch Cara konnte sich lebhaft vorstellen, wie anstrengend es war, wenn man sich um einen kranken Ehemann kümmern musste – von der ständigen Sorge mal ganz abgesehen. Blumen waren zwar eine nette, aber nicht sonderlich originelle Dankesgeste, also war Cara am Vormittag einkaufen gegangen und hatte die Lasagne gemacht.

»Danke.« Ella nahm ihr die Auflaufform ab und bedeutete ihr mit einer Kopfbewegung, mit in die Küche zu kommen. Unterwegs passierten sie das Wohnzimmer, wo Simon in seinem Lehnsessel döste. An der Wand hingen zahlreiche Fotos, und Cara blieb kurz stehen, um sie zu betrachten.

Beim Anblick der Familienporträts, auf denen man verfolgen konnte, wie sich die einzelnen Mitglieder im Laufe der Jahre stetig verändert hatten, musste sie lächeln. Sam und Erin hatten viel helleres Haar als Mike, und die Ähnlichkeit mit Ella und Simon war unverkennbar. Zum ersten Mal fragte sich Cara, wie Mikes leiblicher Vater ausgesehen haben mochte und ob Mike seinen dunklen Haarschopf und die wunderschönen schokoladenbraunen Augen wohl von ihm geerbt hatte.

»Cara?«

»Ich komme!« Cara folgte ihr lächelnd in die Küche. »Ich hab mir gerade die Fotos draußen angesehen.«

Ella lächelte ebenfalls, doch es wirkte etwas gezwungen. Jetzt bemerkte Cara auch ein paar Falten um Augen und Mund, die sie letztes Mal noch nicht gehabt hatte. »Ich freue mich auch jedes Mal, wenn ich sie betrachte. Setz dich zu mir. Die Jungs sind noch nicht da, und Erin hat angekündigt, dass sie etwas später kommt. Willst du eine Limo?«

Cara verneinte und gesellte sich zu ihr an den Tisch.

»Also, wie geht es dir?«, wollte Ella wissen.

»Gut. Ich habe viel zu tun, und das ist mir auch ganz recht so, auch wenn ich nicht allzu viel Freizeit habe neben der Arbeit und meiner ehrenamtlichen Tätigkeit im Frauenhaus.«

Ella nickte. »Sobald Simon wieder fit ist, möchte ich mich auch irgendwie engagieren. Vielleicht, indem ich Krebspatienten zu ihren Behandlungen ins Krankenhaus fahre oder den Kindern auf der Onkologie vorlese.«

»Gute Idee«, sagte Cara. »Was sagen denn die Ärzte zu Simons Zustand?«

»Dass er sich wacker schlägt. Er spricht gut auf die Chemo an und kann regelmäßig behandelt werden. Die Ärzte hoffen, dass sich der Tumor bald vollständig zurückgebildet hat. Und sobald dieser Behandlungszyklus beendet ist, wird sich Simon bestimmt bald wieder kräftiger und unternehmungslustiger fühlen.«

»Das freut mich zu hören.«

Sie unterhielten sich noch eine Weile über dies und das, dann räusperte sich Ella und musterte sie mit ernster Miene. »Cara, Liebes ...«

»Ja?«

»Als Michael angerufen hat, um mir zu sagen, dass du heute Abend auch kommst, hat er den Vorfall gestern Abend erwähnt ...«

Plötzlich fror Cara. Sie hatte bewusst nicht mehr an ihre Eltern gedacht, seit sie gestern Abend ins Auto gestiegen und nach Hause gefahren war. Und sie wollte auch nicht, dass sich irgendjemand anders deswegen Gedanken machte. Aber Mike hatte es offenbar doch getan. »Dann hat er mich also aus Mitleid eingeladen«, murmelte sie ohne nachzudenken.

Ella runzelte missbilligend die Stirn. »Du weißt, dass das nicht stimmt. Du bist doch gerne hier, und wir freuen uns immer über deinen Besuch. Und es tut dir bestimmt gut, wenn du in dieser Situation unter Leuten bist, die dich als Familienmitglied betrachten ...« Sie zögerte, ohne jedoch den Blick von Cara abzuwenden. »Wobei das wohl eher auf Sam zutrifft als auf Michael.«

Cara spürte, wie sie feuerrot anlief. Sie hätte gern mit einer schlagfertigen Entgegnung reagiert, aber ihr wollte partout keine einfallen.

»Ich glaube, Michael wollte dich einfach um sich haben«, fuhr Ella fort.

Cara schüttelte den Kopf. Diese Unterhaltung wurde ja von Minute zu Minute unangenehmer! »Ich … äh … ich bin sprachlos.«

Ella tätschelte ihr die Hand. »Ich wollte dir nur sagen, dass ich immer ein offenes Ohr für dich habe, falls du mal über deine Eltern reden möchtest. Und falls du die Befürchtung hegst, ich könnte etwas gegen deine Verbindung mit Michael haben, nun, da täuschst du dich.«

Cara riss die Augen auf. »Mike und ich haben … Wir sind nicht …«

»Keine Sorge, meine Liebe. Wir sind doch alle erwachsen.« Ella zwinkerte ihr zu, und Cara wäre am liebsten im Erdboden versunken.

Ihr schwirrte der Kopf. »Äh, okay. Vielen Dank für das Angebot. Wegen meinen Eltern meine ich …« Wow. Ihre alten Herrschaften waren zur Abwechslung mal das erfreulichere von zwei Gesprächsthemen.

»Ich mein's ernst. Du hast es bestimmt nicht einfach«, sagte Ella auf ihre mütterliche Art, und Cara ging förmlich das Herz auf.

»Danke. Ich weiß es zu schätzen, aber da gibt es nicht viel zu sagen. Meine Mutter hat ihre Entscheidung schon vor Jahren getroffen, und ich habe beschlossen, den Kontakt mit ihr abzubrechen, solange sie meinen Vater nicht verlässt.« Sie wartete darauf, dass Ella sie für diesen Entschluss kritisierte, aber nichts dergleichen geschah. Im Gegenteil, Ella nickte sogar verständnisvoll.

»Das ist dir bestimmt nicht leichtgefallen.« Ellas

Mitgefühl war, genau wie Mikes Reaktion am Vorabend, für Cara eine Bestätigung, dass sie die richtige Entscheidung getroffen hatte. Vielleicht war es manchmal ja doch ganz hilfreich, wenn man jemanden zum Reden und eine Schulter zum Ausweinen hatte.

»Es war grauenhaft«, gab sie zu. »Aber ich muss konsequent bleiben, sonst wird alles nur noch schlimmer. Oder ich rege mich so auf, dass ich ein Magengeschwür bekomme.« Sie schlug betreten die Augen nieder.

Ella beugte sich über den Tisch. »Ach, Schätzchen, es ist doch keine Schande, wenn du für dich sorgst und dich schützt. Eigentlich ist das ja die Aufgabe deiner Eltern, aber sie waren dazu eben nicht in der Lage, aus welchen Gründen auch immer.« Diese weisen Worte aus dem Mund einer fürsorglichen Mutter bestärkten Cara erneut in ihrem Entschluss.

Sie hob den Kopf. »Das hat Mike auch gesagt.«

»Wusste ich's, doch, dass ich den Jungen richtig erzogen habe.«

Cara nickte. Mike war wirklich ein durch und durch anständiger Kerl.

»Aber du hast trotzdem Gewissensbisse«, stellte Ella fest. Sie ließ einfach nicht locker.

Cara seufzte. »Ich verstehe sie einfach nicht, und ich komme mir abwechselnd wie ein egoistisches Gör oder wie eine selbstgerechte Kuh vor. Mir ist immerhin klar, dass sie in einer komplizierten Welt lebt, auch weil ich in Havensbridge oft mit Frauen wie ihr zu tun habe.«

»Aber du regst dich über etwas auf, das du nicht in der Hand hast.« Ella ergriff ihre Hand.

Bei der tröstenden Geste hatte Cara unvermittelt einen Kloß im Hals.

»Ich weiß nur zu gut, wie es ist, wenn man an sich selbst und seinen Entscheidungen zweifelt«, fügte Ella leise hinzu.

»Im Ernst?« Auf Cara hatte sie bislang immer einen äußerst selbstsicheren Eindruck gemacht.

»Na, du kennst doch die Hintergründe meiner Ehe mit Simon, oder?«

Cara wusste nicht recht, worauf genau Ella anspielte. »Ich weiß, dass du vor Simon mit einem anderen Mann zusammen warst«, sagte sie vorsichtig.

»Ganz recht. Ich wurde von ihm schwanger, und er hat mich sitzen lassen«, sagte Ella unverblümt.

Cara blinzelte, überrascht von ihrer Offenheit.

»Simon war mein bester Freund, und er hat sich sofort bereit erklärt, einzuspringen und für mich zu da zu sein – sprich, er hat angeboten, mich zu heiraten und mein ungeborenes Kind zu adoptieren.«

»Und das war eine schwierige Entscheidung?«, fragte Cara.

»Ja.« Ella senkte den Blick. »Es kam mir einfach nicht fair vor.«

Cara verspürte ein Ziehen in der Brust in Anbetracht ihrer Ehrlichkeit. »Du hast Mikes leiblichen Vater wohl sehr geliebt.«

Ella nickte. »Ja, das habe ich, aber er war nicht der Mann, für den ich ihn gehalten habe.«

Ganz im Gegensatz zu Simon, dachte Cara.

»Aber auf Simon konnte ich mich verlassen. Meine

Liebe zu ihm entspringt dem Bewusstsein, dass er ein aufrichtiger, solider Kerl ist, und sie wurde mit jedem Ehejahr, mit jedem Kind stärker. Ich liebe das Leben, das wir zusammen geführt haben.«

Cara lächelte. Die Marsdens waren immer ein leuchtendes Vorbild gewesen, ein Ehepaar, das man beneidete und dem man nacheiferte. »Du hast es also nie bereut?«

»Nie«, antwortete Ella ohne zu zögern. »Aber in letzter Zeit habe ich mich gelegentlich gefragt ...« Sie verstummte und schüttelte den Kopf. »Ach, lassen wir das.«

»Sprich ruhig weiter«, ermunterte Cara sie, weil sie noch immer zutiefst gerührt war von Ellas Angebot. Was lag da näher, als ihr nun denselben Dienst zu erweisen?

»Nun, ich ... Ich bin seit einiger Zeit mit Mikes leiblichem Vater in Kontakt«, gestand Ella ihr im Flüsterton.

»Was?!« Soweit Cara informiert war, hatte niemand etwas von Rex Bransom gehört, seit er Ella verlassen hatte. Jedenfalls hatte Mike es so dargestellt.

»Vor ein paar Wochen hat er mich via Facebook ausfindig gemacht und mir aus heiterem Himmel eine Freundschaftsanfrage geschickt. Ich war so überrumpelt, dass ich auf ›Annehmen‹ geklickt habe, ehe ich wusste, wie mir geschieht, und genau das hatte er wohl auch beabsichtigt. Danach konnte er natürlich die Familienfotos sehen, die ich gepostet habe. Er wusste, wie es uns geht und dass Mike ihm wie aus dem Gesicht geschnitten ist.« Sie sprach jetzt so leise, dass man sie kaum noch verstehen konnte.

»Und Simon weiß von nichts«, mutmaßte Cara.

Ella schüttelte den Kopf. »Er hatte gerade mit der Therapie begonnen. Und selbst wenn er gesund gewesen wäre ...« Sie zitterte am ganzen Körper. »Er würde sich fürchterlich darüber aufregen, dass Rex nach all den Jahren plötzlich aus der Versenkung aufgetaucht ist und sich nach *seiner* Familie erkundigt hat. Wer weiß, ob ich ihm davon erzählt hätte, wenn er nicht krank gewesen wäre. Aber diese Entscheidung blieb mir ja Gott sei Dank erspart.«

»Bislang jedenfalls.« Wieder hatte Cara offenbar ins Schwarze getroffen, denn Ella lächelte wider Erwarten.

»Dir entgeht aber auch gar nichts.«

Cara schmunzelte. »Das liegt an meinem Beruf.«

»Tja, im Augenblick darf Simon unter keinen Umständen davon erfahren, so viel ist klar.«

»Und was ist mit Mike?« Cara hatte es ausgesprochen, noch ehe sie den Satz zu Ende gedacht hatte. Wenn Mike wüsste, dass seine Mutter im Kontakt mit seinem untergetauchten Vater stand ... Sie schauderte schon bei der Vorstellung.

Ella schüttelte den Kopf.

»Aber er sollte Bescheid wissen.« Cara war überzeugt, dass Mike fuchsteufelswild werden würde, wenn er erfuhr, dass Ella ihm diese Neuigkeit vorenthalten hatte.

»Unmöglich! Mike hat echt ein Riesenproblem mit Rex. Er wäre stinksauer, wenn er hört, dass ich überhaupt auf die Anfrage reagiert habe.« Ella packte Caras Hand. »Bitte, versprich mir, dass du es für dich behältst. Ich weiß, das ist viel verlangt ... Ich hätte wohl besser nichts sagen sollen, aber ich musste mich einfach jemandem anvertrauen, und du hattest es mir ja auch angeboten ...« Sie umklammerte Caras Hand noch fester. »Bitte«, flehte sie mit zitternder Stimme und vor Angst weit aufgerissenen Augen.

»Also gut, okay«, willigte Cara ein, damit sie sich nicht noch mehr aufregte.

»Und sag um Himmels willen nichts zu Sam oder Erin, ja?«

»Ich werde schweigen wie ein Grab«, gelobte Cara mit zusammengekniffenen Augen, obwohl sie schon jetzt das dumpfe Gefühl hatte, dass sie es noch bereuen würde.

»Danke.« Ella ließ ihre Hand los und lehnte sich erleichtert zurück.

Cara nickte.

»Entschuldige. Eigentlich wollte ich dir nur zeigen, dass du nicht die Einzige bist, die Zweifel an einer Entscheidung hat, und jetzt musst du dieses Geheimnis mit dir herumschleppen, du Ärmste.«

»Schon gut.« Cara rang sich ein Lächeln ab.

Sie erhoben sich, und Ella trat zu ihr, um sie zu umarmen.

»Aber vergiss nicht, dass Geheimnisse oft schneller ans Licht kommen, als man denkt«, ermahnte Cara sie, als sie sich voneinander lösten.

Ella nickte. »Ich weiß. Aber ich muss abwarten, bis

es Simon besser geht, ehe ich es ihm eröffne. Rex ist für alle Beteiligten ein Reizthema.«

Beim Anblick ihrer geröteten Wangen fragte sich Cara, worum es in den E-Mails zwischen Rex und ihr wohl gehen mochte. Hegte Ella etwa auch heute noch Zweifel an ihrer Entscheidung?

Sie hörten die Haustür auf- und wieder zugehen, und dann vernahmen sie Sams Stimme. »Ich bin jetzt da, Mom, und Mike fährt auch gerade vor.«

Gleich darauf fiel die Haustür krachend ins Schloss.

Ella formte mit den Lippen ein tonloses »Danke«, dann wandte sie sich von Cara ab und rief: »Wir sind in der Küche!«

Und Cara wappnete sich schon mal für die Begegnung mit Mike und versuchte, das explosive Geheimnis, das sie ihm verschweigen musste, einstweilen zu verdrängen.

Kapitel 5

Sie vernahmen schwere Schritte, und ein paar Sekunden später stand Mike in der Küchentür. Er war unrasiert, und die Bartstoppeln ließen ihn verwegen und sexy aussehen. Dabei war seine erotische Ausstrahlung auch im glattrasierten Zustand schon nicht zu verachten. Der Mann verströmte so viel Selbstsicherheit und Sinnlichkeit, dass Cara in seiner Gegenwart regelmäßig weiche Knie bekam.

Er trat in die Küche und begrüßte seine Mutter mit einem Kuss auf die Wange.

»Hallo, mein Schatz«, sagte Ella.

Dann wandte er sich zu Cara um, wobei sein Blick länger als nötig auf ihr ruhte.

»Hi«, sagte Cara leise und versuchte, sich nicht anmerken zu lassen, dass sie plötzlich Schmetterlinge im Bauch hatte.

Er schien sich zu freuen, dass sie da war – offenbar war er nicht sicher gewesen, ob sie auch wirklich aufkreuzen würde. Beim Anblick seiner zufriedenen Miene wurde ihr ganz warm ums Herz.

»Wo ist denn dein Bruder abgeblieben?«, wollte Ella von Mike wissen.

»Dad ist aufgewacht, und er hat sich zu ihm ins Wohnzimmer gesetzt.« Mike hatte den Brotkorb erspäht und hob die Folie an, mit der er zugedeckt war. Er schnappte sich ein Stück Brot und schob es sich in den Mund.

»Finger weg, sonst ist nachher nichts mehr davon übrig!«, schalt ihn Ella, aber an ihrem nachsichtigen Lächeln war deutlich zu erkennen, dass sie es nicht allzu ernst meinte.

»Na, worüber habt ihr euch unterhalten?«, erkundigte sich Mike und sah aufmerksam zwischen den beiden Frauen hin und her.

»Über dich bestimmt nicht«, schaltete sich Erin ein, die sich gerade zu ihnen gesellte. Cara fuhr herum. Sie war so damit beschäftigt gewesen, Mike anzustarren, dass sie seine Schwester gar nicht bemerkt hatte.

»Hallo zusammen.« Erin grüßte lächelnd in die Runde, dann stieß sie Mike eine Spur zu fest mit der Hüfte an.

Er rächte sich sogleich, indem er ihr einen Klaps auf die Wange verpasste.

»Hört sofort auf«, ermahnte Ella die beiden, worauf sie die Hände in den Jackentaschen vergruben wie ungezogene Kinder.

Cara grinste. Sie hatte Mike seit Jahren nicht mehr im Umgang mit seiner Familie erlebt, jedenfalls nicht in einer so entspannten Situation, und sie war fasziniert von dieser ungewohnten Seite, von der sie ihn bei der Arbeit natürlich nie erlebte. Selbst wenn sie mit ihm allein war, wirkte er stets ernst und konzentriert. Ihr gefiel dieser verspielte Mike, und sie nahm sich vor, ihn öfter mal hervorzulocken.

Wenig später waren sie alle im Wohnzimmer versammelt. Alles drehte sich um Simon und darum, dass er sich möglichst wohlfühlte, dabei war völlig offensichtlich, dass er es gar nicht schätzte, wenn er im Mittelpunkt stand und alle so besorgt um ihn waren. Er wirkte zwar zerbrechlicher als vor der Behandlung, aber die Lebensfreude und die Liebe zu seiner Familie waren ihm immer noch deutlich anzusehen. Kein Wunder, dass sich Ella in ihn verliebt hatte.

Simon erkundigte sich bei jedem seiner Kinder, was zurzeit in ihrem Leben so los war, obwohl sie ihn häufig besuchten und er eigentlich über alles informiert war. Insbesondere Sam hatte in den vergangenen Wochen viel Zeit hier verbracht und mit seinem Vater ferngesehen, Schach gespielt oder ihm einfach Gesellschaft geleistet. Erin kam bestimmt genauso oft her, was Simons *Verhör*, wie sie es nannten, im Grunde überflüssig machte – aber es gehörte eben zum traditionellen Sonntagabendessen im Kreise der Familie.

Cara fragte sich, wie es wohl gewesen wäre, einen so warmherzigen, interessierten Vater gehabt zu haben, doch sie schob den Gedanken sogleich beiseite. Die Vergangenheit war nicht zu ändern, und sie wurde bloß unglücklich, wenn sie darüber nachsann, und derlei Gefühle gehörten nicht hierher in dieses Haus.

Ella hatte Hühnchen in Aprikosensoße gemacht, dazu gab es Kartoffelbrei und grüne Bohnen. Cara konnte kaum fassen, wie lecker es schmeckte. »Das war unglaublich«, sagte sie, nachdem sie ihren Teller leergegessen hatte. »Ich hätte furchtbar gern das Rezept.« Obwohl sie allein lebte, war sie eine leidenschaftliche Köchin.

Mike musterte sie erstaunt.

»Was ist? Hast du etwa angenommen, ich bestelle mir täglich was beim Lieferservice?«, fragte sie ihn grinsend.

»So ungefähr«, brummte er.

»Das liegt daran, dass du schon so lange aus Serendipity weg bist«, sagte Erin. »Mom kocht oft für Sam und mich mit, und ich friere es mir dann ein. Auf diese Weise habe ich auch immer etwas Selbstgekochtes zu essen zu Hause.«

»Es würde dir nicht schaden, wenn du endlich selbst kochen lernst«, sagte Ella, wohl nicht zum ersten Mal, denn ihre Tochter verdrehte entnervt die Augen.

»Keine Zeit«, entgegnete Erin mit einer abwehrenden Geste. »Aber Cara scheint wie du eine Verfechterin der Ansicht zu sein, dass eine Frau kochen können sollte.« Sie selbst hegte ganz offensichtlich keine Ambitionen, ihrer Mutter nachzueifern.

Ella nickte und erklärte breit lächelnd: »Du sagst es. Und ich verrate dir gern das Rezept, Cara. Wenn du mir deine E-Mail-Adresse gibst, dann schicke ich es dir. Ich habe nämlich alle meine Rezepte im Computer erfasst.«

»Sieh einer an, unsere Mom, der Computerfreak!«, staunte Sam. »Ich bin beeindruckt!«

Erin beugte sich zu ihrer Mutter rüber und umarmte sie. »Ich habe ihr alles beigebracht, was ich kann.«

»Sagte die Do-it-yourself-Computerspezialistin …«, frotzelte Mike.

Erin zuckte die Achseln. »Mir blieb gar nichts anderes übrig – irgendjemand in dieser Familie muss sich schließlich mit Computer, Router und Co. auskennen. Ihr zwei habt diesbezüglich ja keinerlei Anstalten gemacht, also blieb es an mir hängen, dafür zu sorgen, dass der Marsden-Clan ans Internet angeschlossen wird.«

»Der Fortschritt ist eben nicht aufzuhalten«, pflichtete Mike ihr bei. »Ich habe mich schon erkundigt, wie man das Polizeirevier diesbezüglich modernisieren könnte, ohne dass es allzu viele Kosten verursacht. Auch wenn Serendipity eine Kleinstadt ist, wir könnten uns dadurch einige Arbeitsabläufe erleichtern.«

Cara fand es schön, dass Mike das Wörtchen »wir« verwendet hatte. Er betrachtete sich also als Teil der hiesigen Polizei.

»Ich verstehe nicht, wieso nicht alles bleiben kann, wie es ist«, brummte Simon. »Papier, Stift und das althergebrachte Karteisystem, das hat immer hervorragend funktioniert.«

Sam warf ihm einen vielsagenden Blick zu. »So hervorragend, dass es seit Jahren ständig Diskrepanzen und Probleme gibt«, ätzte Mike, worauf sein Vater Cara bat, ihm die grünen Bohnen zu reichen, um das Thema zu wechseln.

»Aber gern.« Cara griff nach der Schüssel und gab sie an Simon weiter, während Mike, der neben ihr saß, die Schultern straffte. Es war offensichtlich, dass er sich über seinen querköpfigen alten Herrn ärgerte.

Eine Weile herrschte Schweigen, dann griff Erin das Thema erneut auf: »Mom hat übrigens seit Neuestem einen Twitter-Account, und bei Facebook ist sie auch.«

Mike schnaubte, Cara umklammerte ihre Gabel etwas fester.

Sam prustete los. »Das ist doch nicht dein Ernst, Mom!«

»Was gibt es denn dagegen einzuwenden? Ich finde es sehr löblich, dass Mom versucht, auf dem aktuellen Stand der Technik zu sein«, verteidigte Erin ihre Mutter.

Cara wagte es nicht, zu Ella zu sehen, aus Angst, Mike könnte ihren besorgten Blick aufschnappen.

Sie kam zu dem Schluss, dass es wohl das Klügste war, einfach so zu tun, als wäre alles in bester Ordnung. »Ich bin ebenfalls bei Facebook. Ist ganz unterhaltsam.«

»Ja, nicht?«, sagte Erin. »Gut, wenn man in einer Kleinstadt lebt, dann trifft man seine Bekannten ohnehin die ganze Zeit, aber manchmal hört man auch von jemandem, den man seit Jahren nicht gesehen hat, und kann ein bisschen in Erinnerungen schwelgen ...« Sie verstummte mit einem so verträumten Gesichtsausdruck, dass sich Cara unwillkürlich fragte, wer der guten Erin wohl geschrieben haben mochte.

Ella war ziemlich blass geworden.

»Ich weiß, was du meinst«, sagte Cara, um die Aufmerksamkeit von Ella auf sich zu lenken. »Ich finde es auch schön, mich mit alten Freunden auszutauschen und zu hören, was es bei ihnen so Neues gibt.«

»Ach, hast du etwa nach einem deiner ehemaligen Verehrer gesucht?«, feixte Sam. »Adam Stone und Kevin Manning und wie sie alle hießen …«

Cara rümpfte die Nase und bedachte ihn mit einem verärgerten Blick. Warum musste er jetzt auf ihre Exfreunde anspielen? »Wer weiß, vielleicht haben *sie* ja *mich* gesucht.«

»So, haben sie das?«, wollte Mike mit finsterer Miene wissen.

Bei seinem argwöhnischen, ja, fast schon bedrohlichen Tonfall schauderte Cara unwillkürlich.

Huch? War er etwa eifersüchtig? Falls ja, dann hatte sie doch nichts dagegen, ein bisschen über ihre Verflossenen zu reden. Hauptsache, Mike legte weiterhin so interessante Gefühle an den Tag.

»Also, Kevin hat mir eine E-Mail geschickt und Adam hat etwas auf meiner Seite gepostet.«

Mike quittierte es mit einem verärgerten Knurren.

»Und, sind die beiden verheiratet, oder haben sie immer noch Sehnsucht nach dir?« Sam grunzte belustigt, als wäre die Vorstellung völlig lachhaft.

»Hey, so unwahrscheinlich ist das nun auch wieder nicht!«, empörte sich Cara.

Sam grinste. »Das hab ich auch nie behauptet. Und, hat sonst noch jemand hier von einer alten Flamme gehört?«, fuhr er fort, als hätte er es darauf angelegt, Unruhe zu stiften.

»Warum bist du denn plötzlich so erpicht auf dieses Thema?«, fragte Ella schrill, was ihr prompt verwunderte Blicke von ihren drei Kindern eintrug.

Oh, verflixt, dachte Cara.

Simon sah aus, als würde er seinen Gedanken nachhängen und schien es nicht gehört zu haben.

»Was hast du denn auf einmal, Mom?«, fragte Sam besorgt.

»Ist alles in Ordnung?« Mike beugte sich nach vorn, als wollte er über den Tisch hinweg den Arm nach seiner Mutter ausstrecken.

Ella sprang auf. »Alles bestens. Wenn ihr fertig gegessen habt, räume ich jetzt den Tisch ab, und in ein paar Minuten gibt es dann das Dessert.« Sie stapelte ein paar Teller übereinander und hastete aus dem Esszimmer.

»Das war ja seltsam«, bemerkte Erin.

»Aber echt«, pflichtete Mike ihr bei, und Sam nickte.

Cara erhob sich. »Ähm, ich geh eurer Mutter mal ein bisschen zur Hand.«

»Lass nur, ich mach das schon«, schaltete sich Erin ein. »Du bist schließlich unser Gast. Ich werde mal nachsehen, ob mit Mom alles in Ordnung ist.«

Cara wäre gern mitgekommen, aber damit hätte sie garantiert das Misstrauen der anderen geweckt. »Okay. Gib Bescheid, wenn ihr Hilfe braucht, ja?«

Erin nickte. »Mach ich, danke.«

Sam half seinem Vater vom Stuhl hoch und schlug ihm vor, nach nebenan zu gehen und ein wenig fernzusehen.

Als die beiden verschwunden waren, drehte sich Cara zu Mike um und stellte zu ihrer Überraschung fest, dass er sie anstarrte. Jetzt war er nicht mehr der alberne große Bruder, der mit Erin herumalberte, sondern hatte wieder seine ernste Miene aufgesetzt. Allerdings schien er die Sorge um seine Mutter bereits vergessen zu haben, jedenfalls dem raubtierartigen Blick nach zu urteilen, mit dem er Cara betrachtete.

Sie spürte, wie ihr heiß wurde. »Was ist?«, fragte sie.

»Komm mit.«

»Wohin?«

Er streckte den Arm nach ihr aus. »Ich will ein paar Minuten mit dir allein sein.«

Wie sollte sie da widerstehen?

Sie ergriff die Hand, die er ihr hinhielt, und ließ sich von ihm durch den kurzen Korridor ziehen, zu einer Tür, die allem Anschein nach zu seinem alten Zimmer führte. Kaum waren sie eingetreten und hatten die Tür hinter sich geschlossen, da hatte er Cara auch schon hochgehoben und auf sein Bett geworfen.

»So, dann erzähl mal von deinen zahlreichen Exfreunden«, knurrte er und sah mit heftig pochendem Herzen auf sie hinunter.

»Nur, wenn du mir von deinen Exfreundinnen erzählst«, konterte sie.

Ihre Schlagfertigkeit hatte ihm schon immer imponiert, obwohl sie ihn damit zuweilen ganz schön aus dem Konzept brachte.

»Also, was ist? Adam? Kevin?« Seine Stimme troff vor Verachtung, als er die beiden Namen aussprach.

Cara erwiderte seinen bohrenden Blick ungerührt. »Und was ist mit dieser Tiffany?«

Er stöhnte, wohl wissend, dass es nur fair war, wenn sie den Spieß umdrehte. »Okay, gleiches Recht für alle.

Also, Gerüchten zufolge ist sie von hier weggezogen und hat geheiratet. Hat meine Mutter jedenfalls kolportiert.«

»Und, bist du traurig darüber?«, hakte Cara nach.

Mike hob den Kopf. »Du machst keine halben Sachen, wie?«

»Du doch genauso wenig.«

Er grinste.

Sie nicht.

»Ich bin kein bisschen traurig darüber«, sagte Mike. »Und warum interessierst du dich plötzlich für meine Verflossenen? Was ist in dich gefahren?«

Das war eine sehr gute Frage. Eine, die er sich selbst auch immer wieder gestellt hatte – und er kannte die Antwort, leider. »*Du* bist in mich gefahren.« Er stützte sich mit einer Hand am Bettgestell über ihrem Kopf ab, bohrte ein Knie in die Matratze und beugte sich über sie. »Du machst mich ganz verrückt.«

Das Grübchen auf ihrer Wange bewies, dass sie sich über sein Geständnis freute. »Okay, nachdem du so ehrlich warst, bin ich es auch. Ich habe von zwei alten Flammen gehört.«

»Und?« Sie waren sich so nah, dass er nur noch ihre Gegenwart, ihren Geruch wahrnahm und alles andere um sich herum vergaß.

»Beide verheiratet, und keiner von beiden interessiert mich noch, mal abgesehen von ein paar schönen Erinnerungen. Warum fragst du?«

Wenn er das wüsste! Er hatte noch nie eine Frau gefragt, mit welchen Männern sie sich sonst noch traf.

Es war ihm egal gewesen. »Weil ich die Exklusivrechte will, solange wir zusammen sind.«

Sie schnaubte ungläubig. »Wir sind deiner Ansicht nach also zusammen?«

»Siehst du das etwa anders?« Es klang wie eine Drohung.

Mike kam sich vor wie ein arrogantes Aas. Es war unverschämt und unvernünftig, solche Behauptungen aufzustellen, ohne Cara überhaupt nach ihrer Meinung gefragt zu haben, aber sie brachte eben den Neandertaler in ihm zum Vorschein.

Cara starrte ihn eine Weile mit unergründlicher Miene an, als würde sie sich fragen, ob sie ihm eine reinhauen und aus dem Zimmer stürmen sollte. Verdient hätte er es zweifellos.

Stattdessen schlang sie ihm die Arme um den Nacken. »Du wirst mir das Herz brechen«, murmelte sie und zog ihn an sich.

Und da war sie, die Panik, mit der Mike schon die ganze Zeit gerechnet hatte. Erstaunlicherweise verspürte er trotzdem nicht den Impuls, gleich die Flucht zu ergreifen. »Hier sind keine Herzen im Spiel«, sagte er bloß.

»Verstehe.« War das Enttäuschung, was sich da flüchtig in ihrer Miene gespiegelt hatte? Wie auch immer, sie überspielte es gekonnt.

Es behagte ihm nicht, dass sie ihre Gefühle vor ihm verbarg, und das, obwohl er sie ja selbst quasi dazu verdammt hatte. Sie leckte sich über die vollen rosa Lippen, und da war es mit seiner Selbsbeherrschung endgültig vorbei. Er fiel über sie her und küsste sie so leidenschaftlich, wie er nur konnte, um sie den Kummer der vergangenen Nacht vergessen zu lassen und auch den Schmerz, den er ihr womöglich mit seiner unbedachten Bemerkung gerade eben zugefügt hatte. Und vor allem, um ihr zu zeigen, was Sache war.

Dass sie sein war.

Vorläufig jedenfalls.

Zu seiner Erleichterung erwiderte sie den Kuss, öffnete die Lippen und gewährte ihm Einlass. Und als ihre Zungen einander umspielten, hatte er auf einmal das Gefühl, dass alles gut war. Verflogen waren die Wut und die Eifersucht, und auch sonst alle komplizierten, unerklärlichen Empfindungen, mit denen er nichts anzufangen wusste. Er stöhnte und legte sich auf sie, weil seine Arme müde geworden waren und er sie unter sich spüren wollte.

Sie schmiegte sich an ihn und fuhr ihm mit den Fingern durchs Haar, reagierte auf jede Bewegung seines Körpers, parierte jeden Vorstoß seiner Zunge.

Bis Ella nach ihnen rief und sie damit in die Wirklichkeit zurückholte.

Obwohl es ihm alles andere als leichtfiel, rollte sich Mike von Cara herunter und wälzte sich auf den Rücken, einen Arm über dem Kopf ausgestreckt. »Ich vermute mal, das Dessert steht bereit«, sagte er und hoffte, dass sein überhitzter Körper bald wieder auf Normaltemperatur herunterkühlen würde.

»Ich dachte, das hier ist das Dessert.«

Er lachte und staunte wieder einmal darüber, dass ihr

in jeder noch so ungewöhnlichen Situation eine schlagfertige Entgegnung einfiel.

»Wobei es wohl keine so gute Idee ist, hier hemmungslos herumzuknutschen.« Cara rappelte sich auf und warf einen Blick in den kleinen Wandspiegel.

»Ich geh zuerst raus«, sagte sie, während sie sich das verlaufene Make-up unter den Augen abwischte und ihre Frisur in Ordnung brachte. »Falls jemand Fragen stellt, sage ich einfach, ich musste mal für kleine Polizistinnen.«

Mike nahm zwar an, dass sich seine Familie bestimmt denken konnte, was sie hier getrieben hatten, aber das behielt er wohlweislich für sich, um sie nicht noch zusätzlich aufzuregen. »Ich komm gleich nach.« Sobald er wieder aufrecht gehen konnte, ohne sich spöttische Blicke einzuhandeln.

Nachdem sich Mike am Sonntagabend so lächerlich besitzergreifend aufgeführt hatte, gelang es ihm, Cara ein paar Tage aus dem Weg zu gehen. Er nützte die Zeit, um sich wieder einigermaßen in den Griff zu bekommen und sich in den ungeklärten Fall rund um die markierten Geldscheine in der Asservatenkammer einzulesen. Es war wirklich hoch an der Zeit, das vorhandene EDV-System zu modernisieren – es war marode und veraltet bis dorthinaus, und das war heutzutage einfach nicht mehr tragbar.

Was den Fall anging, musste er sich leider mit handgeschriebenen Aufzeichnungen und den Erinnerungen diverser Leute begnügen; und der einzige Mensch in

Serendipity, der ihm etwas zu diesem Fall hätte sagen können, schwieg hartnäckig. Mike klopfte mit dem Stift auf den Tisch und überlegte, wie man die Klärung des Falles am geschicktesten angehen konnte. Warum hatte das FBI die Banknoten nicht gleich vorsorglich an sich genommen? Dann wären sie vor dem Zugriff Unbefugter sicher gewesen.

Er runzelte die Stirn und dachte angestrengt nach, bis ihm etwas einfiel: Von seiner Zeit als Undercover-Cop in der City kannte er jemanden beim FBN, also beim Federal Bureau of Narcotics, und diese Kontaktperson hatte Zugang zu jeder verfügbaren Datenbank. Allerdings brauchte er sich keine Hoffnungen auf eine telefonische Auskunft zu machen. Er würde schon nach New York fahren müssen. Zum Glück war Manhattan nur eine Autostunde entfernt.

Mike arrangierte telefonisch ein Treffen und hatte gerade den Hörer aufgelegt, als er durch die offene Bürotür ein allzu vertrautes Frauenlachen vernahm. Bei dem verlockenden, femininen Klang schlug sein Herz sogleich etwas schneller. Er erhob sich und ging zur Tür, wo er kurz innehielt. Draußen standen ein paar seiner Mitarbeiter beisammen – lauter Männer, bis auf Cara, die noch immer über etwas lachte, das einer ihrer Kollegen soeben gesagt hatte. Als sie sich zu Rafael Marcos umdrehte und ihm mit einem kecken Grinsen die Wange tätschelte, fühlte sich Mike unwillkürlich ausgeschlossen. Er wäre lieber hier draußen bei seinen Leuten gewesen, statt allein in seinem Büro zu hocken. Doch als er sich nun zu ihnen gesellte, verstummte das

Gelächter abrupt, und alle, einschließlich seines Bruders, der vorerst nur Innendienst machen durfte, begaben sich wieder an die Arbeit.

Mike runzelte die Stirn. War er wirklich ein so unbeliebter Boss? Er konnte sich nicht vorstellen, dass es bei seinem Vater derart bierernst zugegangen war, und sosehr er sich auch vorgenommen hatte, hier Spuren zu hinterlassen, es war nicht seine Absicht, eine derart ungemütliche Arbeitsatmosphäre zu schaffen. Das war weder gut für seine Polizisten noch für ihn.

»Du stehst heute doch gar nicht im Dienstplan«, sagte er zu Cara, während er insgeheim noch immer über sein Dilemma nachsann.

Sie sah zu ihm hoch. »Stimmt, aber ich hatte ein bisschen Zeit und dachte, das ist eine gute Gelegenheit, um ein bisschen Papierkram zu erledigen.« Ihr Tonfall war höflich und förmlich, wie es sich gehörte, wenn sie beide im Dienst waren.

Mike störte sich trotzdem daran. »Was hältst du davon, mich im Zuge der Ermittlungen zu unserem ungeklärten Fall nach New York zu begleiten, wenn du hier fertig bist?«

»Gern! Was hast du vor?«, fragte sie mit leuchtenden Augen.

»Ich werde mich mit einer Kontaktperson treffen, die mir hoffentlich ein paar Informationen liefern kann.«

»Klingt vielversprechend.« Cara rieb sich eifrig die Hände. »Ich bin dabei.« Sie warf einen Blick auf ihre Armbanduhr. »Ich brauche noch eine Stunde, okay?«

»Geht in Ordnung.«

Sie schenkte ihm ein flüchtiges Lächeln, ehe sie sich wieder in die Arbeit vertiefte und ihn einfach links liegen ließ.

Es ärgerte ihn, dass es ihr so leichtfiel, sich hier im Büro von ihm zu distanzieren und das Knistern zwischen ihnen zu ignorieren. Er brauchte sie nur anzusehen, dann spürte er es schon. Er dachte an den letzten Sonntagabend, daran, wie sie ausgesehen hatte, als sie in seinem Bett gelegen hatte, mit zerzaustem Haar und geröteten Lippen vom Knutschen, willig und bereit. Für ihn.

Herrje. Wenn er sich schon bei der Arbeit nicht mehr unter Kontrolle hatte, dann hatte er echt ein Problem. Andererseits war es kein Wunder, dass er in ihrer Gegenwart nur noch an Sex denken konnte. Seit seiner Rückkehr tänzelten sie ständig umeinander herum, ohne ein einziges Mal miteinander geschlafen zu haben. Höchste Zeit, das Vorspiel endlich zu beenden und zur Tat zu schreiten. Wenn er erst Dampf abgelassen hatte, war er bestimmt wieder etwas ausgeglichener. So gesehen traf es sich gut, dass sie ihn nach Manhattan begleiten würde, auch wenn er ihr den Vorschlag zunächst ohne jegliche Hintergedanken gemacht hatte. New York City war sein Revier, und er wusste schon, wie er es anstellen würde, dass er eine Weile mit ihr ungestört war, um seinen Plan in die Tat umzusetzen.

Sie würden sich ausgiebig miteinander vergnügen, und danach würde er befriedigt nach Serendipity zurückkehren, befreit von seiner Eifersucht und all diesen gefühlsduseligen Gedanken, die ihm ständig im Kopf herumschwirrten. Er würde wieder ganz der Alte sein, cool, ruhig und gelassen.

Cara war in Zivil aufs Revier gekommen, weil sie ja nur vorgehabt hatte, ein paar Altlasten aufzuarbeiten, und sie fragte sich, ob sie für die Besprechung in New York nicht lieber uniformiert sein sollte, doch als sie sich eine Stunde später wie vereinbart auf dem Parkplatz trafen, stellte sie erleichtert fest, dass sich Mike ebenfalls umgezogen hatte.

»Alles klar?«, fragte er und setzte seine Aviator-Sonnenbrille auf, die ihn in Kombination mit Lederjacke und Jeans verdammt heiß aussehen ließ. Unter dem abgewetzten Denimstoff zeichneten sich seine muskulösen Oberschenkel und sein knackiger Hintern nur allzu deutlich ab. Cara seufzte. Die kommenden paar Stunden würde sie wohl ziemlich abgelenkt sein.

»Alles klar«, sagte sie und kramte ebenfalls ihre Sonnenbrille aus der Tasche. Hoffentlich hatte er nicht bemerkt, dass sie ihn angeschmachtet hatte!

Zu ihrer Überraschung öffnete er ihr die Beifahrertür, ganz der Gentleman. Sie kletterte in den Jeep und schnallte sich an, er stieg ebenfalls ein, und dann ging es auch schon los.

Seit dem Essen am Sonntagabend bei seinen Eltern war Cara irgendwie neben der Spur. Immer wieder musste sie an die beiden Extreme denken, mit denen er sie konfrontiert hatte – erst sein leidenschaftliches »Weil ich die Exklusivrechte will, solange wir zusammen sind«, und dann sein emotionaler Rückzug und die kühle Bemerkung von wegen »Hier sind keine Herzen im Spiel«.

Sie schauderte, und er sah flüchtig zu ihr.

»Ist dir kalt?«, fragte er und stellte die Heizung an, ohne ihre Antwort abzuwarten.

»Ja, danke«, schwindelte sie und schielte unauffällig zu ihm hinüber.

Leider konnte sie seine Augen nicht sehen, denn obwohl es bedeckt war und aussah, als würde es bald schneien, zwangen die Lichtverhältnisse sie, ihre Sonnenbrillen aufzubehalten. Trotzdem zweifelte Cara nicht daran, dass er sie begehrte. Das Knistern zwischen ihnen war beim besten Willen nicht zu ignorieren, und es wäre dumm von ihr gewesen, sich etwas zu versagen, nach dem sie sich derart verzehrte. Aber sie durfte nicht vergessen, dass es für Mike ausschließlich um Sex ging. Und Sex ohne Gefühle hatte für Cara schon immer so seine Tücken gehabt.

Sie biss sich auf die Innenseite der Wange und beschloss, ihre Gefühle in eine kleine Truhe zu verbannen, den Deckel zu schließen und sich erst dann damit auseinanderzusetzen, wenn die Affäre zu Ende war oder Mike die Stadt verlassen hatte. Je nachdem, was zuerst eintrat. Sie hatte schon sehr früh gelernt, gewisse Gefühle einfach nicht zuzulassen und beherrschte diese Kunst mittlerweile geradezu meisterhaft. »Erzähl doch mal von deiner Kontaktperson«, forderte sie Mike auf.

»Wir kennen uns aus meiner Zeit als Undercover-Cop. Wir müssen ein paar Datenbanken anzapfen, ohne Aufsehen zu erregen. Ich will unter allen Umständen verhindern, dass jemand auf unsere Nachforschungen aufmerksam wird«, sagte er.

»Meinst du wirklich, dein Vater weiß, was es mit den fraglichen Banknoten auf sich hat?«, fragte Cara. Ihr wollte einfach nicht in den Kopf, dass ihnen ausgerechnet Simon Marsden, der für sie der Inbegriff der Unbestechlichkeit und Rechtschaffenheit war, entscheidende Informationen zu diesem Fall verschwieg.

»Warum sonst hätte er sich wohl in Schweigen gehüllt, als Sam ihn danach gefragt hat?«

»Auch wieder wahr.«

Für den Rest der Fahrt herrschte meist ein angenehmes Schweigen. Als sie im Herzen von Manhattan angekommen waren, setzte sich Cara aufrechter hin und betrachtete ihre Umgebung, die Hochhäuser und die vielen dick eingepackten Menschen, von denen einige mit ihren Hunden unterwegs waren oder mit ihren Sprösslingen spazieren gingen, manche sogar mit Babys im Kinderwagen.

»Ich kann mir nicht vorstellen, hier zu leben«, sagte sie, als sie an einer Ampel stehen bleiben mussten.

»Hier ist immer was los.«

In der Ferne ertönte eine Autohupe, gefolgt vom Heulen einer Sirene – ob Streifenwagen oder Rettung konnte sie nicht genau sagen. »Wie kann man bei dem Lärm nachts überhaupt schlafen?«

»Man gewöhnt sich daran.«

»Ich glaube nicht, dass ich das könnte.«

»Vielleicht findest du es ja eines Tages heraus.«

Sie lehnte den Kopf an das kühle Fenster. »Das wage

ich zu bezweifeln. Die paar Mal, die ich hier war, konnte ich es kaum erwarten, den Massen und dem geschäftigen Treiben den Rücken zu kehren.«

»Im Ernst?«

»Jep. Du weißt doch, ich komme aus einer verschlafenen Kleinstadt.« Sie sahen sich an, und Cara zuckte in Anbetracht seiner erstaunten Miene die Schultern.

Er lachte und lenkte den Wagen von der befahrenen Straße in die Einfahrt einer Parkgarage. »Wir sind da.« Am Ende der langen, steilen Abfahrt wartete bereits ein Angestellter, um den Wagen zu übernehmen.

Cara sprang aus dem Jeep.

»Na, bereit für die Big Bad City?«, fragte Mike.

Sie verdrehte die Augen. »Ich komme zwar aus einer Kleinstadt, aber deswegen bin ich noch lange kein unbedarftes Landei.« Und sie hatte ihre Mini-Glock dabei.

Wieder lachte er, etwas lauter diesmal, und ehe sie wusste, wie ihr geschah, hatte er auch schon ihre Hand genommen und führte sie die steile Rampe hinauf zur Straße. »Wir haben's nicht allzu weit. Es ist gleich um die Ecke.«

Sie nickte, darum bemüht, mit ihm Schritt zu halten, und wunderte sich, dass er ihre Hand noch immer festhielt. Die Berührung zauberte ihr Schmetterlinge in den Bauch und sorgte dafür, dass ihr trotz der frostigen Temperaturen angenehm warm war. In Serendipity war es auch frisch gewesen, aber der Wind, der hier durch die Häuserfluchten fegte, verlieh der Kälte ordentlich Biss, sodass Cara froh war, als sie vor einem Grillrestaurant anhielten.

Mike öffnete die Tür und ließ ihr den Vortritt. Es war ein kleines Lokal mit hölzernen Trennwänden zwischen den Tischen, dem das schummrige Licht tief hängender Lampen ein gemütliches Ambiente verlieh.

»Mikey!«, röhrte jemand mit lauter Stimme, sobald sie eingetreten waren, und Cara zuckte zusammen. Sie hatte angenommen, Mikes Kontakt würde irgendwo in einer Ecke sitzen, möglichst darauf bedacht, kein Aufsehen zu erregen. Stattdessen kam ein Hüne mit Bierbauch und angegrauten Haaren auf sie zu, um sie breit grinsend zu begrüßen.

Mike klopfte ihm kräftig auf die Schulter. »Bill Carlson, du alte Kanaille. Wie geht's?«

»Gut«, sagte der Angesprochene und zog ihn an sich, um ihn zu umarmen. »Hervorragend.« Er musste gute zwanzig Jahre älter sein als Mike.

Mike löste sich von ihm, um ihn zu betrachten. »Es bekommt dir offenbar ganz gut, dass du diesen Laden hier führst. Du bist wohl selbst dein bester Kunde, wie?«

Sein Gegenüber grinste bloß. »Es liegt nicht nur an der Bar, sondern auch an Lucy. Wir haben geheiratet, und sie wartet immer schon mit einem selbst gekochten Essen auf mich, wenn ich nach Hause komme.« Er tätschelte seinen Ranzen.

Mike riss die Augen auf. »Du bist in den Hafen der Ehe eingelaufen? Soweit ich mich erinnere, hast du mal gesagt – ich zitiere: ›Kein verdammtes Weib wird mir je die Ketten anlegen.‹«

Bill schüttelte lachend den Kopf. »Tja, mein Junge,

wie heißt es so schön? Erstens kommt es anders und zweitens als man denkt. Wer ist denn eigentlich die hübsche Lady, die du da mitgebracht hast?«

Cara errötete in Anbetracht des Kompliments und fragte sich, woher sich die beiden wohl kannten. Mike schien sich jedenfalls sehr über das Wiedersehen zu freuen.

»Das ist Cara Hartley. Cara, darf ich vorstellen: Bill Carlson. Bill war bei der Kriminalpolizei, bis er ein Weichei geworden ist und sich in den Ruhestand begeben hat«, sagte Mike mit einem spöttischen Grinsen. Cara entging nicht, dass er mit keinem Wort erwähnt hatte, in welcher Beziehung sie zueinander standen, und sie versuchte, deswegen nicht enttäuscht zu sein. Besser gar keine Erklärung als eine, die sie nicht hören wollte.

»Früher oder später erwischt es uns alle, Kumpel«, konterte Bill, dann streckte er Cara die Hand hin. »Freut mich, Sie kennen zu lernen, Miss Hartley.«

»Gleichfalls.« Cara schüttelte sie. »Nennen Sie mich Cara.«

Bill sah zu Mike und legte den Kopf schief. »Ich hatte nicht damit gerechnet, dass du jemanden mitbringen würdest«, raunte er ihm zu, aber Cara konnte es trotzdem hören.

Mike zuckte die Achseln. »Ich fand es nicht weiter erwähnenswert.«

»Wenn du meinst …« Bill trat einen Schritt zurück und ließ noch einmal den Blick über sie gleiten. »Der Tisch ganz hinten rechts. Es ist genug Platz für drei. Ich bin nebenan, falls ihr mich braucht.« Er nickte Cara zu. »War mir ein Vergnügen«, sagte er, dann ging er zu der Flügeltür, die in die Küche führte.

Cara holte tief Luft. »Soll ich hier warten?« Sie hatte inzwischen begriffen, dass Mikes Kontakt sie nicht erwartete und womöglich gar nicht happy darüber sein würde, dass Mike in Begleitung gekommen war.

»Nein.« Mike begab sich ohne ein weiteres Wort in den hinteren Teil des Restaurants.

Cara folgte ihm und musste, als sie den betreffenden Tisch erreicht hatten, feststellen, dass Mikes Kontaktperson eine *Frau* war – und zwar eine ausnehmend attraktive: braun gebrannt, ebenmäßige Züge, langes dunkles Haar mit dezenten blonden Strähnchen. Ihre Lederjacke und der lila Schal ließen sie schick und äußerst selbstbewusst wirken.

Bei ihrem Anblick bekam Cara plötzlich einen ganz trockenen Mund und fühlte sich in ihrer dicken dunkelgrünen Daunenjacke wie ein Michelin-Männchen. Jetzt war ihr klar, was Bill vorhin gemeint hatte.

»Mike!«, flötete die Amazone und erhob sich, um sich ihm regelrecht an den Hals zu werfen. Es sah ganz danach aus, als wären die beiden mehr als bloß alte Bekannte. Cara fragte sich unwillkürlich, ob die beiden wohl schon miteinander intim gewesen waren oder die Frau lediglich Ambitionen in diese Richtung hegte. Aber sie biss die Zähne zusammen und beschloss, sich ihre Verunsicherung nicht anmerken zu lassen. Ja, sie war eifersüchtig, aber sie würde den Teufel tun und Mike zeigen, was sie empfand.

»Lauren. Schön, dich zu sehen.« Man musste ihm immerhin zugutehalten, dass er diese Lauren sogleich an den Armen packte und von sich schob. »Wir haben da ein paar Fragen an dich.«

»Wir?« Lauren schnippte sich eine Haarsträhne über die Schulter und tat, als hätte sie erst jetzt bemerkt, dass er nicht allein war.

»Darf ich vorstellen: Cara Hartley, Polizistin aus Serendipity. Wir arbeiten gerade an einem Fall, bei dem wir deine Hilfe benötigen. Cara, das ist Lauren Nannariello.«

Lauren hob das Kinn an. »Als du vorhin angerufen hast, war mir ehrlich gesagt nicht klar, dass es um eine geschäftliche Angelegenheit geht. Aber es kommt ja immer wieder vor, dass du Berufliches und Privates vermischst«, säuselte sie mit rauchiger Stimme. Sie setzte sich und bedeutete Mike, neben ihr Platz zu nehmen.

Alles klar, dachte Cara. Die beiden waren also tatsächlich schon miteinander im Bett gewesen. Die Vorstellung behagte ihr ganz und gar nicht. Aber Mike hatte ihr klipp und klar gesagt, dass er jetzt mit ihr zusammen war, und Cara duldete es nicht, wenn andere Frauen dem Mann an ihrer Seite Avancen machten. Höchste Zeit, für klare Verhältnisse zu sorgen. Sie war gespannt, wie er reagieren würde.

»Mike?«, sagte sie freundlich, aber entschlossen.

Er drehte sich zu ihr um, und sie setzte sich auf die Bank gegenüber von Lauren, sah ihm direkt in die Augen und klopfte auf den Platz neben sich. Er würde sich bestimmt für ihre Seite entscheiden – er hatte gar keine andere Wahl.

Doch siehe da, er zuckte mit bedauernder Miene die Achseln und ließ sich neben Lauren nieder.

Der rationalen Polizistin in Cara war klar, dass er alles tun musste, um an die benötigten Informationen zu kommen. Doch die Frau in ihr nahm es ihm übel, dass er sie in diese Situation gebracht hatte, und sie schwor sich Rache.

Kapitel 6

Es schneite heftig, als sie das Lokal verließen. Cara schwieg, und Mike hing seinen Gedanken nach. Er hätte sich ohrfeigen können. Nur weil Lauren *für ihn* nicht mehr als eine Kontaktperson war, bedeutete das noch lange nicht, dass Lauren das ebenfalls so sah. Schon bei der Begrüßung war ihm klar geworden, dass er in der Klemme steckte.

Aber irgendwie hatte er es geschafft, die peinlichen Gesprächspausen zu überbrücken und sein Ziel zu erreichen. Er hatte Lauren erklärt, was er benötigte, und sie gebeten, im System des FBN nachzuforschen, warum die Banknoten seit 1983 in der Asservatenkammer von Serendipity vor sich hin verstaubten. Und es war ihm wundersamerweise sogar gelungen, ihre zudringlichen Hände unter dem Tisch abzuwehren.

Nachdem sie sich bereit erklärt hatte, sie zu unterstützen, war sich Cara die Nase pudern gegangen, und Lauren hatte von Mike sogleich eine Erklärung für sein Desinteresse gefordert. Sie hatte in ihre gelegentlichen Zusammenkünfte wohl mehr hineininterpretiert als er, aber immerhin hatte sie sich um der guten alten Zeiten willen breitschlagen lassen, ihnen zu helfen.

Tja, er hatte sich an beiden Fronten nicht gerade heldenhaft geschlagen, und da auch Cara ziemlich angesäuert wirkte, hatte Mike beschlossen, sie nicht zum Essen auszuführen, sondern mit ihr zu sich nach Hause zu gehen. Er wollte mit ihr allein sein. Sie hatte regelrecht geschockt gewirkt, als er ihr ohne Vorwarnung eröffnet hatte, dass er um die Ecke wohnte, und seither kein Wort mehr gesagt. O Mann, heute ging er ja echt in die Vollen. Er stellte sich schon mal darauf ein, dass sie ihm gleich ordentlich den Marsch blasen würde.

Im dichten Schneetreiben kämpften sie sich die Straße entlang zu seiner Wohnung, die sich in einem ganz passablen Viertel befand. Sie passierten die ramponierten alten Briefkästen im Eingangsbereich, von denen sich da und dort die Namensschilder lösten, und erklommen die Treppe zur ersten Etage.

Mike schloss die Tür auf, ließ Cara eintreten und sperrte hinter ihnen ab. Sie schlüpfte ungefragt aus den Schuhen, und er tat es ihr nach.

»Home, sweet home«, sagte er und warf den Schlüsselbund auf ein kleines Regal im winzigen Flur.

Cara warf ihm einen flüchtigen Blick zu, ehe sie ins Wohnzimmer ging und sich umsah. »Hübsch«, murmelte sie.

»Das verdanke ich nur meiner Mutter und meiner Schwester, die darauf bestanden haben, mir beim Einrichten zu helfen.« Ella und Erin hatten ganze Arbeit geleistet. Die Farbtöne Braun und Beige dominierten, da und dort waren Akzente in Marineblau gesetzt, und der Gesamteindruck war sehr behaglich. Die beiden

Frauen zeichneten zweifellos auch für die zahlreichen Fotos verantwortlich, die im gesamten Raum verteilt waren und diverse Familienmitglieder zeigten. Nun, zumindest die wichtigen.

»Die beiden haben einen ausgezeichneten Geschmack«, sagte Cara. Sie öffnete den Reißverschluss ihrer Jacke, und Mike trat zu ihr, um sie ihr abzunehmen. Er rechnete jeden Augenblick damit, dass das Donnerwetter über ihn hereinbrach, doch als sie sich zu ihm umdrehte, lächelte sie zu seiner Verblüffung. »Mir war gar nicht klar, dass du hier eine Wohnung hast, obwohl das ja eigentlich ganz logisch ist. Schließlich lebst du in New York.«

Mike verspürte mit einem Mal dieselbe Beklemmung, die ihn stets überkam, wenn er vor dem Haus seiner Eltern stand. »Im Moment lebe ich zwar in Serendipity, aber ich wollte die Wohnung hier nicht aufgeben. Die Miete ist unschlagbar günstig, obwohl ich nur Untermieter bin, und ...«

»Und außerdem willst du möglichst bald wieder hierher zurück, schon klar.« Sie wandte sich ab und ging zum Fenster.

Er trat hinter sie, während ihr Blick über die Straße und das Hochhaus auf der anderen Seite wanderte. »Können wir es einfach hinter uns bringen?«, fragte er gepresst. Er wollte endlich wissen, woran er war.

»Was meinst du?« Cara drehte sich zu ihm um, und er legte ihr die Arme auf die Hüften, einfach um sie irgendwie zu berühren.

»Lauren«, sagte er.

»Deine Kontaktperson?«, fragte sie mit gespielter Verwunderung, doch ihre Unschuldsmiene konnte ihn nicht täuschen.

Er musterte sie mit schmalen Augen. »Du bist doch bestimmt verärgert, weil ich dir ein paar Details vorenthalten habe.«

»Ach, zum Beispiel, dass sie eine Frau ist? Ja, das kam etwas unerwartet.«

Cara legte den Kopf schief, aber der Blick ihrer klaren blauen Augen war unergründlich. Verdammte Polizistenausbildung.

»Du meinst also, ich bin sauer, weil du nicht erwähnt hast, dass da etwas zwischen euch läuft? Ja, es wäre durchaus hilfreich gewesen, das zu wissen.« Sie wirkte angespannt, befreite sich aber nicht aus seinem Griff.

Kein Wutanfall, bis jetzt jedenfalls. Mikes Herz klopfte noch heftiger. Lauren hatte ausgesehen, als würde sie ihm am liebsten eine scheuern, als er ihr vorhin eröffnet hatte, dass er jetzt mit Cara zusammen war – auch weil er die Frechheit besessen hatte, sie einfach mitzubringen, ohne Lauren vorzuwarnen.

Er musterte Cara prüfend, konnte aber nicht abschätzen, was in ihr vorging. Vielleicht sollte er sicherheitshalber schützend die Hände vor sein bestes Stück halten. Man konnte ja nie wissen.

»Oder spielst du auf die Tatsache an, dass dein *Kontakt* aussieht wie ein Supermodel?«

Mike verzog das Gesicht, wohl wissend, dass Lauren rein optisch ganz und gar nicht dem gängigen Klischee des Computer-Nerd entsprach. »Ich habe mir deswegen überhaupt keine Gedanken gemacht, weil mit ihr zurzeit nichts läuft.«

Cara hob eine Augenbraue. Unter diesem eisigen Blick waren garantiert schon viele Verdächtige schwach geworden.

»Ach, komm schon. Ihre Begrüßung war mehr als eindeutig. Ich bin nicht dämlich.«

Er musste unwillkürlich grinsen. »Du nicht, aber ich. Lauren ist ... eine Freundin mit gewissen Vorzügen, wie man so schön sagt. Sie hat ein Bedürfnis erfüllt, mehr nicht.«

Cara schüttelte den Kopf und versuchte vergeblich, ein Stöhnen zu unterdrücken. »Du bist so ein Macho.«

»Und warum hast du dann keinen Tobsuchtsanfall oder brüllst zumindest ein bisschen rum?« Diese Frau war ihm echt ein Rätsel. Aber genau das gefiel ihm an ihr.

»Wart's ab, die Retourkutsche kommt schon noch. Gleiches Recht für alle. Ach, und übrigens: Solange wir zusammen sind, will ich die Exklusivrechte«, zitierte sie ihn.

Er prustete los, dabei war ihm eigentlich gar nicht zum Lachen. Sie war wirklich einmalig, und er war noch nicht bereit, sie ziehen zu lassen.

Ihr schien es ähnlich zu gehen, denn jetzt schlang sie ihm endlich die Arme um den Nacken und zog ihn an sich. Ihre üppigen Kurven schmiegten sich perfekt an seine harten Brust- und Bauchmuskeln ... und an seine noch viel härtere Erektion.

»Haben wir uns verstanden?«, fragte sie.

»Oh, ja.«

Sie blinzelte und blickte ihm in die Augen. »Hattest du mit Lauren eine Affäre?«

Er fuhr ihr mit den Fingern durchs Haar und konnte aufrichtig sagen: »Nein. Wir haben uns bloß gelegentlich getroffen, wenn wir beide Zeit und Lust hatten.«

»Und was ist mit mir? Bin ich für dich auch bloß eine Freundin mit gewissen Vorzügen?«

Gott, was war er nur für ein Trottel.

»Nein, die Sache mit dir ist definitiv mehr als das.« Er rieb die Hüfte an ihr, und sie stöhnte leise auf.

»So, kann jetzt der Rest des Abends beginnen, nachdem wir das geklärt haben?«

Sie lächelte. »Ja, das wäre schön.« Er hatte all ihre Fragen zu ihrer Zufriedenheit beantwortet.

Eine Welle des Verlangens erfasste sie, als Mike ihr die Hand hinstreckte. Ein letzter Blick aus dem großen Fenster bestätigte ihr, dass sich die leichten Schneeschauer, von denen in der Wettervorhersage die Rede gewesen war, zusehends zu einem handfesten Schneesturm auswuchsen. Heute würden sie wohl ohnehin nicht mehr nach Serendipity zurückfahren können. Nicht, dass Cara allzu viel Wert darauf gelegt hätte.

Und das, obwohl heute im Laufe des Tages gleich mehrere Warnsignale in ihr aufgetaucht waren und es höchst leichtsinnig war, sie zu ignorieren. Eigentlich wusste sie genau wie alle anderen Frauen in Serendipity, dass man von Mike Marsden besser die Finger ließ – das war schon sonnenklar gewesen, als er sich aus dem Staub gemacht hatte, um vor Tiffany und ihren Erwartungen zu fliehen. Dazu kam, dass Mike laufend unverbindliche Affären hatte. Er hatte ihr nicht gesagt, dass sein »Kontakt« eine Frau war, mit der er geschlafen hatte. Er hatte den Mietvertrag für seine Wohnung in New York nicht gekündigt, obwohl er nicht wusste, wie lange sein Aufenthalt in Serendipity dauern würde. All das bewies, dass er ein rastloser Mensch war, der durchs Leben ging, ohne sich darum zu scheren, welche Auswirkungen sein Verhalten auf die Menschen in seinem Umfeld hatte. Selbst wenn es sich dabei um Menschen handelte, denen er alles andere als egal war. Aber Cara wusste, dass er es nicht tat, weil sie ihm egal waren, sondern weil er einfach keine Ahnung hatte, wie man eine Beziehung führte.

Hätte er ihr gesagt, dass sie für ihn nur ein flüchtiges Abenteuer war oder dass ihm Lauren etwas bedeutet hatte, dann hätte Cara auf der Stelle Reißaus genommen. Doch ihr Bauchgefühl – dasselbe Bauchgefühl, auf das sie vertraute, wenn es im Beruf um ihr Leben ging – sagte ihr, dass sein »Die Sache mit dir ist definitiv mehr« ernst gemeint war und nicht bloß eine Floskel, um sie herumzukriegen.

Cara verstand ihn. Sie wusste, wie er tickte, und sie begehrte ihn trotzdem. Was bedeutete, dass sie ihn so akzeptieren musste, wie er war.

Tja, und nun war sie hier in seiner Wohnung. Er hätte auch die glamouröse Lauren haben können, mit der Cara in ihrer Jeans und dem langärmeligen T-Shirt gerade so gar nichts gemein hatte, doch er hatte sich anders entschieden. Und er verschlang sie förmlich mit Blicken.

»Na, hast du es dir doch noch anders überlegt?«, fragte er und riss sie damit aus ihren Gedanken. Er hielt ihr noch immer die Hand hin.

Cara grinste. »Keine Chance.«

Und in dieser Sekunde verwandelte sich ihre Vorfreude in pure Sinnlichkeit. Mike sah ihr tief in die Augen und kam langsam, mit bedächtigen Schritten auf sie zu.

»Ausziehen.« In seinen Augen glänzte eine Begierde, die ganz auf sie gerichtet war, und unter seinem Blick begann jeder Millimeter ihres Körpers zu kribbeln.

»Du aber auch.« Diesmal würde sie sich nicht von ihm herumkommandieren lassen, so wie beim letzten Mal. Sie würde ihm auf Augenhöhe begegnen, ihm eine ebenbürtige Partnerin sein. Eine, die er nie vergessen würde.

Er zog sich das Sweatshirt über den Kopf.

Sie tat es ihm nach, wobei sie ihn nicht aus den Augen ließ, weil sie sich an seinem muskelbepackten Körper gar nicht satt sehen konnte. Mike starrte nicht minder fasziniert auf ihren Busen in dem sexy Spitzen-BH, den sie zum Glück unter ihren Schlabberklamotten trug. Als Nächstes entledigte er sich seiner Jeans – und der Boxershorts gleich mit.

Beim Anblick seiner nackten, prallen Männlichkeit leckte sich Cara unwillkürlich über die Lippen, was ihm zu ihrem Entzücken ein Knurren entlockte. Hastig streifte sie ebenfalls ihre Hose ab.

Als sie sich, nur noch mit Slip und BH bekleidet, wieder aufrichtete, war er näher getreten, so nahe, dass sie bereits seine verlockende Wärme spüren konnte und am liebsten in ihn hineingekrochen wäre.

Er sah ihr in die Augen und legte ihr eine Hand in den Nacken. »Ich weiß nicht, wie du es anstellst, aber ich bin verrückt nach dir. Und es geht hier um weit mehr als nur um die Befriedigung eines körperlichen Bedürfnisses, das kannst du mir glauben.« An seiner Wange zuckte ein Muskel.

Cara ahnte, wie viel Überwindung ihn dieses Geständnis gekostet haben musste. Sie dankte es ihm, indem sie sich an ihn lehnte und seinen erotischen männlichen Geruch einatmete.

»Meinetwegen können wir das Reden jetzt einstellen«, sagte sie und leckte ihm mit der Zunge über die behaarte Brust, was er mit einem Stöhnen goutierte.

Er hob sie hoch und trug sie zum Bett, wo er sie etwas unsanft absetzte. Doch statt sich sogleich auf sie zu stürzen und sie wild und leidenschaftlich zu nehmen, schob er sich vorsichtig über sie, betrachtete sie mit seinen wunderschönen Augen und beugte dann das Haupt, um sie zu küssen.

Damit hatte sie nicht gerechnet. Es war ein ausgiebiger, intensiver Kuss, der ihre Erwartungen ordentlich durcheinanderbrachte, denn er fühlte sich kein bisschen nach unverbindlicher Affäre an, sondern so, als würde sie Mike die Welt bedeuten und nicht nur ein klein wenig. Er küsste sie, als könnte er auf den Sex gut und gerne noch die halbe Nacht warten.

Er ließ keine Stelle in ihrem Mund unberührt, und mit jedem Lecken, jedem Biss, jedem Vorstoß der Zunge heizte er das Feuer, das bereits in ihr loderte, noch ein bisschen mehr an. Cara war rastlos, ungeduldig, jeder Zentimeter ihres Leibes sehnte sich danach, berührt zu werden. Doch je heftiger sie sich unter ihm wand, desto schwerer machte er sich auf ihr, hielt sie mit seinem harten, durchtrainierten Körper in Schach.

Er steht echt darauf, das Sagen zu haben, dachte sie und bäumte sich unter ihm auf, um die Hüften an ihm zu reiben.

»Je ungestümer du dich benimmst, desto länger werde ich dich warten lassen«, murmelte er mit einer rauen Stimme, die sie richtig scharf machte.

Sie schüttelte grinsend den Kopf. »Du bist so ein Tyra …«

Mike unterbrach sie, indem er sie erneut küsste, dann ließ er seine geschickten Lippen nach unten wandern, bis er ihren BH erreicht hatte. Er schob den Stoff beiseite, um gemächlich an ihren festen Knospen zu saugen, erst an der einen, dann an der anderen, bis Cara die Leere zwischen ihren Beinen kaum noch aushielt. Wieder warf sie den Unterleib nach oben, um sich an seiner Erektion zu reiben, dort, wo sie es am dringendsten benötigte.

Er wälzte sich auf die Seite und legte eine Hand auf ihren Bauch, hielt sich jedoch von der Stelle, an der sie berührt werden wollte, weiter fern.

»Deine Haut ist so weich«, murmelte er, und das war so untypisch für ihn, dass Cara spürte, wie sich tief in ihrem Herzen eine Empfindung regte. Eine, die ihr eine Heidenangst einjagte.

Ehe sie antworten konnte, schob er endlich die Hand zwischen ihre Beine, und sie stöhnte auf. »Ich mach ja schon«, gelobte er und setzte sein Versprechen sogleich in die Tat um, indem er sich von den Brüsten zu ihrer Hüfte vorarbeitete, wobei er eine feuchte Spur auf ihrer Haut hinterließ und anschließend mit der Zunge am Bund ihres Höschens entlangleckte. Er zog es ihr aus und dann war er endlich, endlich *dort* angelangt.

Cara seufzte erleichtert auf, als er sie zwischen den Schenkeln zu liebkosen begann und ihr damit Genüsse bereitete, wie sie sie noch nie erlebt hatte. Er saugte, leckte und neckte sie und widmete sich schließlich so hingebungsvoll ihrer empfindlichen Klitoris, dass sie fast sofort kam, so schnell und so heftig, dass sie kaum noch wusste, wo oben und unten war. Doch das genügte Mike nicht – er machte unerbittlich weiter, bis das letzte Beben der Lust abgeebbt war.

Sie hatte kaum die Augen geöffnet, da hörte sie schon das Knistern einer Kondomverpackung. Sekunden später war er über ihr, drang tief in sie ein und füllte sie ganz und gar aus.

Cara liebte es, mit Mike zu schlafen, denn er wirkte dabei unheimlich selbstbewusst, was sie äußerst erregend fand – so sehr, dass sich bei ihr innerhalb weniger Augenblicke erneut ein Orgasmus ankündigte.

»Verdammt, bist du gut«, keuchte sie erregt, während er in ihr vor und zurück glitt und sie unentwegt vorantrieb zum Gipfel der Lust.

Ihre Worte entlockten ihm ein sexy Schmunzeln. »Ich gebe mein Bestes«, sagte er.

»Das merke ich«, stöhnte sie und grinste schelmisch, obwohl ihr gar nicht danach zumute war, denn das, was er mit ihr anstellte, rief allerlei höchst beängstigende Gefühle in ihr hervor.

»Schling die Beine um meine Hüften«, befahl er.

Sie kam der Aufforderung nach, und er stieß noch tiefer in sie, immer und immer wieder, wobei er ein ums andere Mal ihre empfindliche Knospe reizte, sodass Cara Sterne und Lichtblitze sah, während die Wogen der Lust ein weiteres Mal über ihr zusammenschlugen.

Mike küsste sie, bis sie sich wieder etwas beruhigt hatte, dann fing er erneut an, sich zu bewegen. Sie klammerte sich an seinen muskulösen, schweißnassen Körper, und ihr war, als könnte sie jede Ader, jede Rille seines prallen Schafts spüren. Und als er schließlich explodierte, reagierte ihr Körper prompt mit einem weiteren Höhepunkt.

Cara schlug blinzelnd die Augen auf und stellte zu ihrer Verblüffung fest, dass sie in Mikes Bett eingeschlafen war. Sie streckte den Arm aus, doch er war weg, die Laken waren ausgekühlt. Ihr knurrte der Magen – kein Wunder, es war schon 21 Uhr, jedenfalls wenn es nach dem Wecker auf dem Nachttisch ging, und sie hatte das Abendessen ausgelassen. Nach einem kurzen Abstecher ins Bad, wo sie sich ein wenig frisch machte, ging sie nach nebenan, auf der Suche nach dem Hausherrn.

Mike saß auf dem Ecksofa im Wohnzimmer, die Augen auf den Fernseher geheftet, auf dem Couchtisch vor ihm eine Pizzaschachtel. *Typisch Junggeselle,* dachte Cara, amüsiert von seiner unprätentiösen Art, und konnte sich ein Lächeln nicht verkneifen.

Da er das Basketballspiel, das gerade lief, so gespannt verfolgte, nutzte sie die Gelegenheit, ihn eine Weile ungestört zu beobachten. Er wirkte unheimlich männlich und erotisch, wie er dort saß, mit nichts weiter als einer dunkelblauen Jogginghose am Leib, und ihr war, als könnte sie noch immer die Hitze spüren, die sein Körper vorhin verströmt hatte, seine Haut auf ihrer Haut, die kräftigen Stöße seiner Männlichkeit in ihrem Inneren.

Sie unterdrückte ein Stöhnen. »Hey«, sagte sie, um sich bemerkbar zu machen und räusperte sich dann, weil ihre Stimme völlig eingerostet war.

Mike hob den Kopf und grinste. Von Verlegenheit keine Spur. Sehr gut.

»Ich kann nicht fassen, dass du mich so lange hast schlafen lassen.«

»Wir hätten heute sowieso nicht mehr zurückfahren können.« Er deutete auf das Fenster, vor dem noch immer dicke, fette Flocken tanzten. »Ich habe auf dem Revier angerufen und Bescheid gesagt, dass wir in der City sind, um einer Spur nachzugehen und erst morgen im Laufe des Tages zurückkommen.«

Sie nickte, krümmte sich jedoch innerlich. Was würden ihre Kollegen wohl über ihren kleinen Ausflug mit dem neuen Boss denken? In einem Nest wie Serendipity ereigneten sich normalerweise keine Kriminalfälle, deren Aufklärung eine Fahrt nach New York erforderte. Trotzdem, gelegentlich kam es vor, so wie jetzt. Vielleicht würde es ja gar keinen Tratsch geben.

»Keine Sorge, ich habe nichts gesagt, das sie zu der Annahme veranlassen könnte, dass wir hier Arbeit und Vergnügen kombinieren«, versicherte ihr Mike, als hätte er ihre Gedanken gelesen. Oder war ihr so deutlich anzusehen gewesen, was ihr durch den Kopf ging?

Sie lächelte schief. »Danke. Ich weiß es zu schätzen.«

»Ist es dir peinlich?«, fragte er leichthin, aber ihr war, als würde dabei ein Schatten über sein attraktives Gesicht huschen, dicht gefolgt von einem überheblichen Grinsen.

Konnte es sein, dass sie da gerade einen Anflug von Unsicherheit miterlebt hatte?

»Natürlich nicht«, verneinte sie, nur für den Fall, dass seine Frage tatsächlich ernst gemeint gewesen war. »Ich will nur keinen Ärger – weder jetzt noch später, wenn du wieder weg bist.«

Sie liebte ihren Job und den freundschaftlichen Umgang, den sie mit ihren Kolleginnen und Kollegen pflegte. Sollte jemand argwöhnen, dass sie mit Mike schlief oder irgendwie bevorzugt behandelt wurde, dann würde das gerade bei den altgedienten Beamten womöglich nicht so gut ankommen. Andererseits war Serendipity eine kleine Stadt, da blieben Beziehungen am Arbeitsplatz nun einmal nicht aus. Gut möglich, dass es nicht das geringste Problem geben würde. Trotzdem zog sie es vor, die Angelegenheit nicht an die große Glocke zu hängen, schon weil das einiges erleichtern würde, wenn Mike nach New York zurückkehrte.

Mike nickte verständnisvoll. Er konnte ihre Bedenken nachvollziehen, und doch störte es ihn, dass sie ihre Beziehung geheim halten wollte. Es verletzte seinen Stolz, auch wenn das überhaupt keinen Sinn ergab.

Er schob den Gedanken beiseite. »Hast du Hunger?«

»Und wie.« Cara nickte, strich sich die Haare aus dem Gesicht und drehte sie zu einem lässigen behelfsmäßigen Knoten zusammen.

Sie hatte ihr T-Shirt wieder angezogen, ihre Beine waren nackt. Ihre Oberschenkel und Waden waren muskulös, weil sie viel Sport machen musste, um fit zu bleiben, doch abgesehen davon wirkte ihr Körper zierlich, weich und weiblich, von den Rundungen ihrer Hüfte bis hinauf zu ihren vollen Brüsten. Was für ein himmelweiter Unterschied zu den langbeinigen Bohnenstangen, mit denen er sich sonst einließ, Lauren mit eingeschlossen! Und Mike musste sich eingestehen, dass er Caras feminine Formen und die Art, wie sie sich an seinen Körper schmiegten, bevorzugte.

»Setz dich doch. Ich habe auf dich gewartet.« Er klopfte auf den Platz neben sich und hob dann den Deckel der Pizzaschachtel an.

Cara trat näher und spähte hinein. »Halb Peperoni, halb Margarita«, stellte sie lächelnd fest.

»Ich wusste nicht genau, was du magst.«

»Beides. Soll ich uns noch etwas zu trinken holen?«

»Im Kühlschrank ist Cola und Bier.«

Sie ging in die Küche und kam mit zwei Flaschen Budweiser zurück.

»Gute Wahl.« Auch das mochte er an Cara – dass sie

keine wählerische Tussi war, sondern auch mal ein Bier trank, dachte er und schmunzelte.

»Was ist?«, fragte sie, während sie sich im Schneidersitz neben ihm niederließ.

Verdammt, sie hatte ihr Höschen wieder angezogen. Er hatte schon gehofft, sie wäre unten ohne und allzeit bereit.

»Hey, hör gefälligst auf zu spannen«, rügte sie ihn und setzte sich etwas damenhafter hin, mit ausgestreckten, an den Knöcheln sittsam überkreuzten Beinen.

Mike verdrehte die Augen. »Lass den Quatsch und mach es dir wieder bequem.« Er wollte den Ausblick von vorhin genießen, selbst wenn es gar nichts zu sehen gab. Und er wollte ihr nicht das Gefühl vermitteln, in seiner Gegenwart die keusche Jungfrau mimen zu müssen.

Statt seinem Befehl Folge zu leisten, griff sie nach den Bierflaschen, die sie bereits geöffnet hatte, und reichte ihm eine. Mike nahm einen großen Schluck, dann stellte er die Flasche ab, erhob sich und hakte die Daumen in den Bund seiner Jogginghose, als wollte er sich ausziehen.

»Hey!« Cara hätte beinahe ihr Bier ausgespuckt, teils vor Entrüstung, teils in dem Versuch, ihn davon abzuhalten. »Was soll das werden?«

»Ich ziehe meine Hose aus.«

»*Warum* in drei Teufels Namen?« Eine bezaubernde Röte überzog ihre Wangen.

»Na, ich dachte, wenn ich es mir bequem mache, dann tust du es vielleicht auch.«

»Okay, okay.« Sie setzte sich wieder mit gekreuzten Beinen hin, und diesmal rutschte ihr Shirt dabei hoch, sodass er deutlich das dreieckige Stück Stoff zwischen ihren Oberschenkeln sowie ein paar Zentimeter blasse Haut rechts und links davon sehen konnte. »Und jetzt lass den Quatsch und setz dich hin. Beim Essen kann ich auf nackte Tatsachen verzichten.«

Mike lachte und ließ sich wieder auf das Sofa plumpsen. Dann reichte er ihr ein Stück Pizza und nahm sich selbst eines.

»Wer gewinnt?«, fragte Cara und deutete mit dem Kopf zum Fernseher.

»Vorhin lagen die Knicks vorne«, erwiderte Mike, der längst das Interesse an den Vorgängen auf der Mattscheibe verloren hatte. Er konnte sich nicht entsinnen, wann ihn zuletzt eine Frau von einer Sportübertragung abgelenkt hatte.

Sie wechselten noch ein, zwei Worte, dann herrschte eine Weile gefräßiges Schweigen. Mike fand die Atmosphäre sehr gemütlich und störte sich auch nicht daran, dass sie zu zweit in seiner winzigen Wohnung saßen, dabei waren seine vier Wände sein Allerheiligstes, sein Rückzugsgebiet, wo er sich von der Arbeit und seinen diversen Undercover-Missionen erholte.

»Wie läuft's denn so in Havensbridge? Wie geht es dem Mädel, um das du so besorgt warst?«

Cara blinzelte überrascht. »Das weißt du noch?«

»Na klar. Es war dir wichtig.«

Mit ihren vor Freude geröteten Wangen erinnerte sie ihn an vorhin, als sie unter ihm im Bett gelegen hatte und gekommen war. Prompt fing seine Männlichkeit wieder an zu schwellen, und er setzte sich etwas anders hin, weil er es sich nicht anmerken lassen wollte. Noch nicht, aber bald.

»Daniella ist ... psychisch labil«, berichtete Cara. »Und einsam. Sie hat sogar zugegeben, dass sie schon ein paarmal das Telefon in der Hand hatte, um ihren Ex anzurufen, aber bislang hat sie es nicht getan.«

Beim Anblick ihrer besorgten Miene krampfte sich Mikes Herz zusammen. »Du kannst nur darauf bauen, dass sie das tun wird, was das Beste für sie ist.«

»Darauf kann man leider bei vielen Menschen nicht bauen.«

Cara schlug die Augen nieder, und es war klar, dass sie auf ihre Mutter anspielte.

Mike schwieg, weil er nichts hätte sagen können, um sie aufzumuntern oder zu beruhigen. Das Leben war manchmal eben ätzend. Man musste sich irgendwie durchkämpfen und das Beste daraus machen.

Nachdem sie die Pizza bis auf den letzten Krümel vertilgt hatten, knüllte Cara ihre Serviette zusammen und lehnte sich mit einem lauten Stöhnen zurück. »Puh! Diese Kalorien werde ich morgen abarbeiten müssen.«

Mike sah von ihren noch immer überkreuzten Beinen zu ihrem Busen und beobachtete fasziniert, wie sich die Brustwarzen unter seinem Blick aufstellten. Dann schaute er ihr geradewegs in die Augen und fragte: »Warum bis morgen warten?«

Sie grinste verschmitzt. »Und was ist mit dem Dessert?«, fragte sie kokett.

Ehe er antworten konnte, war sie auch schon aufgestanden und stemmte die Hände in die Seiten. »Hose runter«, befahl sie.

Von dieser Seite kannte er sie ja noch gar nicht. Bis jetzt hatte sie stets artig nach seiner Pfeife getanzt, aber nun hatte sie offenbar beschlossen, zur Abwechslung mal die Rollen zu tauschen, und Mike fand es verdammt heiß.

Seine Lippen zuckten, doch er versuchte, das Lächeln zu unterdrücken. »Ich dachte, beim Essen kannst du auf nackte Tatsachen verzichten?«

»Das, worauf ich jetzt Lust habe, kann ich mir aber nur zu Gemüte führen, wenn du nackt bist.« Sie klopfte ungeduldig mit der Fußspitze auf den Fußboden. »Also, was ist? Du verschwendest hier wertvolle Zeit. Runter mit der Hose!«

Mehr als ein Schnauben brachte Mike nicht heraus, aber er erhob sich und tat wie geheißen. Ihm war etwas schwummrig, weil all sein Blut bereits gen Süden strömte, deshalb hatte Cara leichtes Spiel mit ihm, als sie ihm die Hände auf die Schultern legte und ihn nach hinten schubste.

Er plumpste auf die Couch, und sie kniete sich zwischen seine Beine, ergriff seine pralle Erektion und ließ ihre zierliche Hand langsam an seinem schmerzenden Schaft auf und ab gleiten.

Ein Ziehen ging durch seine Hoden, während sie mit dem Daumen über die Eichel rieb, um die ersten Lusttropfen zu verteilen. Mike warf stöhnend den Kopf in den Nacken und schnappte nach Luft, als sie die

Lippen über sein bestes Stück stülpte und ihn in ihre feuchtwarme Mundhöhle aufnahm. Doch er wollte keine Sekunde verpassen, also zwang er sich, die Augen zu öffnen und verfolgte, wie sie die Zunge über seinen langen Schaft gleiten ließ. Er vergrub die Hände in ihren Haaren und genoss das seidige Gefühl zwischen den Fingern und das sanfte Auf und Ab ihres Kopfes, während sie ihn kostete und leckte und dabei ein ums andere Mal oben kurz innehielt, um an der Eichel zu saugen und ihn dann noch tiefer in sich aufzunehmen.

Als sie schließlich auch noch die Hand zu Hilfe nahm, konnte Mike schon bald nicht mehr stillsitzen. Immer wieder bäumte er sich auf, schob sich ihr entgegen, stieß immer wieder gegen ihren Gaumen, bis er spürte, wie der Höhepunkt nahte. Doch er wollte nicht allein kommen.

Er tippte ihr an die Wange, worauf sie sein bestes Stück ganz langsam aus dem Mund gleiten ließ und ihn mit großen, vor Erregung glänzenden Augen ansah. Kein Zweifel, sie hatte es genauso genossen wie er, und das heizte ihm mehr als alles andere ein.

»Komm her«, befahl er.

Zu seiner Überraschung widersprach sie nicht, sondern rappelte sich, auf die Couch gestützt, auf. Er zog ihr mit einer raschen Bewegung den Slip aus und warf ihn auf den Boden.

»Hey, den brauche ich noch!«

»Wir überlegen uns später eine Lösung. Und jetzt her mit dir.« Er klopfte sich auf die Oberschenkel.

Sie hob eine Augenbraue. »Kondom, Mike«, erinnerte sie ihn, und nach ihrer Stimme zu urteilen war sie genauso erregt wie er.

»Shit.« Daran hatte er überhaupt nicht mehr gedacht. Das passierte ihm sonst nie, schon weil er nichts über die Umstände seiner eigenen Zeugung wusste außer der Tatsache, dass seine Mutter dadurch in die Bredouille geraten war. Doch das Schlafzimmer schien unendlich weit weg zu sein.

»Ich nehme die Pille«, murmelte Cara so leise, dass er es fast nicht gehört hätte, und er atmete erleichtert auf.

»Ich lasse mich regelmäßig untersuchen«, sagte er.

»Ich auch, und außerdem hatte ich seit unserem One-Night-Stand kei…«

Das Ende des Satzes wollte er nicht hören, also packte er sie und zog sie näher, bis sie über ihm kniete, die Beine rechts und links von seinen Oberschenkeln. Sie griff nach seinem Penis und dirigierte die Spitze zwischen die Falten ihres Geschlechts, um ihn ihre Feuchtigkeit spüren zu lassen. Wie es aussah, war sie bereit für ihn und konnte es wie er kaum noch erwarten.

Sie bewegte ruckartig den Unterleib nach unten, und im selben Augenblick hob er die Hüften an und drang in sie ein.

»Oh, Gott«, keuchte sie.

Er wusste genau, was sie meinte – ihm ging es genauso. Er konnte sie überall spüren. »Reite mich, Baby.«

Sie schlug die Augen auf. »Nenn mich nicht …«

»Baby. Ja, ich hab's gehört.« Aber nach dem Grund dafür würde er sie ein andermal fragen.

Er streckte die Arme nach ihr aus, legte ihr eine Hand in den Nacken, spürte das Pochen ihrer Halsschlagader. »Reite mich, Cara.«

Er küsste sie, und da war es um sie geschehen. Sie begann, sich auf ihm zu bewegen, spannte sämtliche Muskeln an, molk ihn Stoß um Stoß, brachte ihn dem Orgasmus rasend schnell näher. Dann kippte sie die Hüften, um ihn noch besser in sich zu spüren, und während ihre Leiber immer wieder aufeinanderprallten, schlängelte sich seine Hand nach unten, und seine Finger tasteten nach ihrem empfindlichen Kitzler. Schon die leichteste Berührung ging Cara durch und durch, und ein sanftes Kneifen genügte, um sie endgültig zum Explodieren zu bringen.

»O Gott, o Gott, Michael!«

Da stieß er noch kräftiger zu, drang noch tiefer in sie ein, immer wieder, selbstvergessen, völlig versunken in den Akt und die unglaublichen Empfindungen, die dabei in ihm hervorgerufen wurden, bis er ebenfalls kam.

Kapitel 7

Eine Woche später bestellte Erin ihre Brüder ins Family Restaurant, weil sie mit ihnen reden wollte. Also machte sich Mike gegen Mittag auf den Weg zu dem Diner am Stadtrand, das sich seit Generationen in der Hand der Donovans befand. Macy Donovan, die aktuelle Hausherrin, eine hübsche Brünette mit hellblauen Augen, lächelte ihm zu, als er eintrat, und deute auf seine Geschwister, die an einem Tisch in der Ecke saßen.

Unterwegs nickte er den Leuten zu, die er teils schon seit einer Ewigkeit kannte, und am Tisch der Barron-Brüder blieb er kurz stehen.

»Hey«, grüßte er in die Runde.

Ethan, der Älteste, Nash, der Mittlere und Dare, das Nesthäkchen, blickten von ihren Burgern auf. Dare war Polizist und überdies ein enger Freund von Sam.

Ethan erhob sich. »Mike! Schön, dich zu sehen.«

»Gleichfalls.« Mike klopfte ihm auf die Schulter. Die beiden waren gleich alt und zusammen zur Schule gegangen, und danach hatten sie beide eine ganze Weile nicht in Serendipity gelebt. Früher war Ethan ein böser Bube mit schlechtem Umgang gewesen, hatte getrunken und geraucht und so lange Ärger gemacht, bis man ihn eines Abends verhaftet hatte. Dann waren seine Eltern gestorben, und er hatte die Stadt und seine beiden Brüder verlassen. Zehn Jahre später war er als Millionär zurückgekehrt, nachdem er der Regierung für einen ordentlichen Batzen Geld eine Waffensoftware verkauft hatte. Mikes Highschoolfreunde waren zwar nicht ganz so wild wie Ethans Gang gewesen, aber genauso wenig an einer Schulbildung interessiert.

»Wie geht's deiner Göttergattin?«,

Ethans sonst eher harte Gesichtszüge wurden weich. »Hervorragend, Kumpel.«

»Wie ich höre, habt ihr Nachwuchs bekommen.« Eine Neuigkeit, die Mike noch immer nicht so recht verkraftet hatte. Er schüttelte den Kopf. »Ethan Barron ist Vater geworden.«

Ethans Brüder grinsten. »Ja, nicht zu fassen, oder?«, fragte Nash, der Rechtsanwalt war.

Dare schnaubte. »Du musst reden. Du hast sogar Zwillinge!«

»Du meine Güte.« Mike spürte, wie ihm der kalte Schweiß ausbrach. Aber er musste zugeben, dass Nash einen genauso glücklichen Eindruck erweckte wie sein älterer Bruder. Und Ethan wirkte ruhiger und ausgeglichener denn je. »Ich freu mich für euch.«

»Danke.«

»Bestell Faith Grüße von mir und herzlichen Glückwunsch.«

»Warum kommst du nicht mal zum Essen zu uns und sagst ihr das persönlich?«

»Ähm …«

»Du kannst gern jemanden mitbringen. Ich sage Faith, sie soll dich anrufen wegen dem Termin.«

Mike nickte, völlig überrumpelt. »Klingt gut«, zwang er sich zu antworten, obwohl ihn bei der Vorstellung von einem Dinner mit frischgebackenen Eltern ein akuter Juckreiz überkam. Aber vielleicht lag das auch bloß an dem verdammten Anzug, den er zur Arbeit tragen musste, wenn eine Besprechung anberaumt war. Heute Vormittag hatte ihm die Bürgermeisterin einen Besuch abgestattet und ihn bei dieser Gelegenheit mal wieder ordentlich genervt, und danach hatten ihn noch mehrere städtische Beamte um eine Unterredung gebeten.

»Tja, dann lass ich euch mal weiteressen«, sagte er.

Während er sich zu seinen Geschwistern gesellte, geisterten ihm Ethans Worte durch den Kopf. *Du kannst gern jemanden mitbringen.* Das könnte ja spannend werden.

Seit dem Trip nach New York hatte er Cara nur bei der Arbeit gesehen, und obwohl sie nicht darüber gesprochen hatten, verhielten sie sich auf dem Revier beide genauso neutral wie vorher. Nichts deutete darauf hin, dass sie eine Beziehung hatten. Doch er kam nicht umhin, die Kurven zu bewundern, die sich unter ihrer Uniform abzeichneten, sobald er sich unbeobachtet wähnte. Und immer wieder warf er ihr verstohlene Blicke zu, die sie auch erwiderte, so sich die Gelegenheit dazu ergab, und dann spiegelte sich unverhohlene Leidenschaft in ihren halb vom Pony verdeckten blauen Augen.

Für ein Treffen hatten sie die ganze Woche über beide keine Zeit gehabt, aber er hatte sie abends angerufen oder ihr gelegentlich eine SMS geschickt, und er hatte sich dabei ertappt, dass er in den seltsamsten Augenblicken an sie dachte. Das war noch bei keiner anderen Frau vorgekommen.

Es hatte ihn echt ganz schön erwischt.

Aber sie zu einem Essen bei Freunden ganz offiziell als seine Begleiterin mitzubringen, das bedeutete, dass sie sich öffentlich zu ihrer Beziehung bekennen mussten. Allerdings hatte sie klar und deutlich gesagt, dass sie sich in der Arbeit keine Probleme einhandeln wollte, weder jetzt noch nachdem er wieder weg war, und er verstand das vollauf. Und doch verspürte ausgerechnet er, der sich so gegen Beziehungen sträubte, plötzlich den Drang, allen zu zeigen, dass sie zu ihm gehörte. Und Ethan hatte ihm soeben den perfekten Anlass geliefert, um die entsprechende Diskussion mit Cara anzuleiern.

Sam hatte erwähnt, dass er sich heute Abend mit Cara, Dare, Liza und dem Rest ihrer Clique bei Joe's treffen würde, und Mike wusste aus eigener Erfahrung, was das bedeutete: Früher oder später würde sich irgendein Kerl an Cara heranmachen und ihr unmoralische Angebote unterbreiten. Und das wollte er künftig verhindern. Es war also an der Zeit, mal ein ernstes Wörtchen mit ihr zu reden.

Erins Stimme riss ihn jäh aus seinen Gedanken. »Hey, du kommst zu spät«, rügte sie ihn und tippte auf ihre Armbanduhr. »Wir haben schon für dich bestellt.«

»Danke.« Mike war egal, was er aß, solange er nur irgendetwas zwischen die Kiemen bekam. Er hatte einen Bärenhunger. »Ich hatte einen Anrufer an der Strippe, der sich partout nicht abwimmeln lassen wollte, und dann musste ich noch kurz Ethan Barron Hallo sagen.«

Er ließ sich neben Sam nieder, der seit Montag wieder mit der Funkstreife im Einsatz war und deshalb seine Uniform trug. Erin hatte Rock und Bluse an, ihre übliche Bürokluft.

»Ich find's ja schön, mit euch zu Mittag zu essen, aber du hast irgendwie besorgt geklungen«, fuhr er fort.

Erin blickte ihn mit ihren haselnussbraunen Augen an. »Es geht um Mom.«

»Um Mom?«, wiederholten ihre Brüder unisono.

»Und ich dachte, du machst dir Sorgen um Dad«, sagte Sam, und Mike nickte.

»Nein. Dad geht es den Umständen entsprechend gut, aber Mom wirkt so fahrig in letzter Zeit.«

»Na hör mal, Erin, das wärst du an ihrer Stelle doch auch, oder?«, sagte Sam. »Schließlich hat sie wegen Dad so einiges durchgemacht.«

Erin schüttelte energisch den Kopf. »Das ist es nicht.«

»Du siehst mal wieder Gespenster«, winkte Sam ab, was ihm einen kritischen Blick von Mike eintrug.

Erin war die Einfühlsamkeit in Person. Wenn sie der Ansicht war, dass mit ihrer Mutter etwas nicht stimmte, dann glaubte er ihr.

»Was ist der Anlass für deine Sorgen?«, fragte er sie.

»Na ja, sie hat doch beim Essen vorletzten Sonntag

so eigenartig reagiert, als es um Facebook ging. Und als ich sie darauf angesprochen habe, da hat sie total auf stur gestellt. Sie hat weder behauptet, es wäre alles in Ordnung, noch hat sie zugegeben, dass sie überreagiert hat. Sie hat bloß gesagt: ›Ich will nicht darüber reden‹, und dann hat sie die Lippen zusammengepresst und kein Wort mehr von sich gegeben. Und das ist total untypisch für sie. Jedenfalls hat sie sich mir gegenüber noch nie so verhalten.«

»Stimmt, das klingt wirklich nicht nach ihr.« Ella und Erin standen sich sehr nahe, und es kam so gut wie nie vor, dass sie sich so verschlossen gab, schon gar nicht gegenüber Erin.

»Sam, du wolltest doch heute Abend Dad besuchen, oder?«, fragte Erin, und Sam nickte. »Könntest du dann mal mit ihr reden? Oder zumindest die Augen offen halten und mir hinterher sagen, ob sie ... irgendwie anders ist als sonst?«

»Mach ich«, versprach er, obwohl ihm deutlich anzusehen war, dass er Erin für verrückt hielt.

»Wie kommen denn die Neuerungen an, die ich für das Revier geplant habe?«, erkundigte sich Mike bei seinem Bruder.

Erin hob eine Augenbraue. »Du meinst, dass du deine Leute künftig einzeln auf Streife schicken willst, zumindest tagsüber?«

»Ach, das hat sich schon bis zu euch rumgesprochen?«, fragte Mike.

Erin zuckte die Achseln. »Offenbar gab es sonst keine interessanten Neuigkeiten.«

»Wir werden uns langweilen, wenn nicht viel los ist, aber ansonsten hat keiner was dagegen einzuwenden, soweit ich weiß«, sagte Sam. »Vor allem, weil im Juni ein paar Leute in Rente gehen, und dann kommen die Rookies vermehrt zum Einsatz.«

Mike nickte. »Gut.«

Ehe sie weitersprechen konnten, kam die Kellnerin mit dem Essen, und damit waren die wichtigen Themen vorerst vom Tisch.

Mike war gerade in sein Büro zurückgekehrt, da klingelte sein Handy. Es war Lauren, wie ihm ein rascher Blick auf das Display verriet. Er war gespannt auf ihren Bericht. Hoffentlich konnte sie ihm Informationen liefern, die ihn in dem ungeklärten Fall weiterbrachten und belegten, dass sein Vater nicht darin verwickelt war. Aber er hatte das dumpfe Gefühl, dass er sich diesbezüglich keine Illusionen machen musste.

In der Woche nach dem Trip nach New York City war Caras Leben wieder in geordneten Bahnen verlaufen: Sie hatte gearbeitet, war nach Havensbridge gefahren, wenn sich die Gelegenheit dazu ergeben hatte, und Mike hatte sie nur auf dem Revier getroffen, wo sie sich beide ganz professionell und neutral verhalten hatten.

Aber sie beobachtete ihn unauffällig, so oft es ging, und dann dachte sie an die Nacht in Manhattan und wünschte, sie könnte die Zeit zurückdrehen. Zum Glück war sie beschäftigt gewesen – so beschäftigt, dass sie kaum dazu gekommen war, einen klaren Gedanken zu fassen. Doch morgen und übermorgen hatte sie endlich frei. Heute nach Feierabend stand Joe's auf dem Programm, und danach würde sie hoffentlich Mike sehen. Ob bei ihm oder bei ihr war ihr egal.

Sie war noch ganz in Gedanken versunken, als Mikes Sekretärin ihr mitteilte, der Boss wolle sie sprechen. Cara sah sich um. Ein paar ihrer Kollegen saßen an ihren Schreibtischen, außerdem herrschte ein stetiges Kommen und Gehen, weil gerade Schichtwechsel war. Keiner schien es seltsam zu finden, dass Mike sie zu sich beordert hatte.

Ehe sie sein Büro ganz hinten in der Ecke betrat, blieb sie kurz an der Schwelle stehen und atmete einmal tief ein. *Ruhig bleiben*, dachte Cara, doch das war leichter gesagt als getan, zumal Mike unglaublich sexy wirkte, wie er dort in dunkelgrauem Anzug mit fliederfarbener Krawatte an seinem Schreibtisch saß.

Er hob den Kopf. »Komm rein und mach die Tür zu.«

Cara tat wie geheißen und blieb dann stocksteif mitten im Raum stehen. Sie fragte sich, warum er sie hergebeten hatte. »Was kann ich für dich tun?«

»Setz dich«, befahl er in einem ernsten Tonfall, bei dem ihr etwas mulmig wurde.

Sie nahm Platz und umklammerte die Armlehnen des Stuhls. »Ist etwas passiert?«

Er murmelte etwas Unverständliches, dann fragte er: »Wie kommst du darauf, dass etwas passiert sein könnte, nur weil ich dich zu mir gebeten habe?«

»Na ja, ich bin einfach mal davon ausgegangen, dass

du etwas Berufliches mit mir zu besprechen hast ... Gibt es irgendwelche Neuigkeiten?« Sie hatten seit dem vergangenen Wochenende nicht mehr über »ihren« Fall gesprochen. Vermutlich hatte Lauren noch nichts von sich hören lassen.

Sein Handy klingelte, und Mike spähte mit gerunzelter Stirn auf das Display. »Einen Moment ... Ah, auf diesen Anruf hab ich schon gewartet«, murmelte er und ging ran.

»Hallo!«, sagte er erfreut. »Schön von dir zu hören ...« Er lauschte. »Ihr macht ja echt gleich Nägel mit Köpfen.«

Sein Glucksen weckte bei Cara Erinnerungen an New York, wo sie herumgealbert und gelacht ... und miteinander geschlafen hatten.

»Gern«, sagte Mike derweil, und nach einer kurzen Pause: »Okay.« Wieder lauschte er. »Ob ich in Begleitung komme?« Er sah Cara so fest in die Augen, dass ihr ganz anders wurde. »Ja, ich bringe jemanden mit. Danke. Also, bis dann, ich freu mich drauf.« Er legte auf und verstaute das Telefon wieder in der Sakkotasche. »Entschuldige.«

Cara nickte und zuckte die Achseln.

Er erhob sich und kam auf ihre Seite des Schreibtisches. »Also«, sagte er und lehnte sich an die Tischkante. »Ich wollte tatsächlich wegen unserem ›Problemfall‹ mit dir reden. Lauren hat sich vorhin gemeldet.«

Cara beugte sich gespannt nach vorn. »Und, was hat sie herausgefunden?«

»Nicht viel. Sie weiß nur, dass die Polizei von Serendipity das FBN erst ein halbes Jahr nach dem Vorfall informiert hat, und da war der Fahrer, der mit den Drogen und dem Geld im Kofferraum geschnappt wurde, schon auf Kaution freigekommen.«

»Wie konnte denn das passieren?«, fragte Cara. »Wer stellt eine Kaution für jemanden, bei dem man Drogen und markierte Geldscheine im Auto gefunden hat?«

»Ein gewisser Richter Marshall Baine.«

Cara überlegte kurz, doch der Name sagte ihr nichts. »Kenn ich nicht.«

»Er ist mittlerweile im Ruhestand. Wie auch immer, der Kerl ist durch die Maschen des Gesetzes geschlüpft, und keiner hat etwas dagegen unternommen. Und als man in Serendipity den Braten gerochen und das FBN alarmiert hat, saß der Täter bereits woanders im Knast, weil er Kokain über die Staatsgrenze geschmuggelt hatte. Man hat ihm einen Deal angeboten, und er hat nur zu gern seine Lieferanten verpfiffen, um seinen Arsch zu retten.«

»Mit anderen Worten, das FBN hatte kein Interesse mehr an der Aufklärung eines Vorfalls, der sich irgendwo in einer Kleinstadt ereignet hat«, murmelte Cara.

»Genau. So geriet die Angelegenheit hier allmählich in Vergessenheit, und da sich keiner mehr darum gekümmert hat, liegt das Geld noch heute in Serendipity.«

»Dann reden wir eben mit dem Kerl, der damals verhaftet wurde. Mal sehen, was er noch weiß.« Cara rieb sich die Hände. Sie hatte selten die Gelegenheit, sich in einen Fall zu vertiefen, der schon so lange zurücklag, und sie fand es ziemlich spannend, auch wenn Mikes leiblicher Vater irgendwie in der Sache mit drinsteckte.

»Geht nicht. Man hat ihn kurz darauf noch mal zu fünfundzwanzig Jahren Gefängnis verurteilt, und er wurde vor fünf Jahren von einem Mithäftling erstochen.«

»Mist.«

»Du sagst es.«

»Aber es gibt da jemanden, der Licht ins Dunkel bringen könnte: der Richter, der ihn auf Kaution entlassen hat.«

»Na, dann. Ich bin dabei.«

Er nickte und schmunzelte. »Das dachte ich mir ...«

»Was ist los?«, fragte Cara, weil sie spürte, dass er noch etwas auf dem Herzen hatte.

Mike sah sie an. »Sam hat gefragt, ob er den Fall wieder übernehmen kann, nachdem er jetzt wieder fit ist.«

»Und, was hast du ihm gesagt?« Cara genoss die enge Zusammenarbeit mit Mike und hätte sie gern fortgesetzt, obwohl es ursprünglich Sams Fall gewesen war.

»Dass es mir lieber wäre, wenn er mir weiterhin den Vortritt überlässt, weil es ja irgendwie um Rex Bransom geht.«

Mikes leiblicher Vater.

Cara hatte das, was Ella Marsden ihr anvertraut hatte, bewusst aus ihrem Gedächtnis verbannt. Ihr war nach wie vor nicht wohl dabei, dass sie etwas über Rex Bransom wusste, das sie Mike verschweigen musste. Wenn das vertrauliche Gespräch mit Ella doch nie stattgefunden hätte!

Sie wandte den Blick ab, aus Angst, Mike könnte ihr ansehen, dass sie ein Geheimnis vor ihm hatte. »Und, ist das okay für ihn?«, fragte sie nur.

»Ja, solange ich ihn auf dem Laufenden halte. Er versteht es«, antwortete Mike mit leiser Stimme. »Er weiß, wie mir das alles zusetzt.«

»Was?«

Er reagierte nicht gleich, ließ sich sogar so lange Zeit, dass Cara schon annahm, er würde gar nicht antworten. »Mein Vater hat mich verlassen, bevor ich überhaupt auf der Welt war. Er wollte mich nicht.« Er hielt den Blick gesenkt, doch Cara konnte deutlich den Kummer erkennen, der sich in seinen Augen und seiner Miene widerspiegelte.

Sie schluckte, dann legte sie ihm vorsichtig eine Hand auf den Oberschenkel. »Die beiden Menschen, die dich großgezogen haben und die sich mit Fug und Recht deine Eltern nennen können, haben dich geliebt und sind nicht einfach auf und davon, wenn es mal Probleme gab. Sie sind bei dir geblieben. Und das hatte nur mit dir zu tun und mit dem Menschen, der du heute bist.«

Mike schnaubte verächtlich. »Ach, und was ist das für ein Mensch? Einer, der es nirgends lange aushält und mit diesen beiden herzensguten Leutchen rein gar nichts gemeinsam hat.«

Herrje. Wer hätte gedacht, dass Mike Marsden, der Mann mit dem großen Ego, unter einem derart angeknacksten Selbstwertgefühl litt? Und dass er es auch noch offen zugeben würde?

»Du hast sehr viel mit Ella und Simon gemeinsam, Mike. Nur weil du nicht so in deiner Heimatstadt verwurzelt bist wie sie, heißt das noch lange nicht, dass du nicht auch fürsorglich bist. Sonst wärst du doch jetzt nicht hier. Simon braucht dich, und du bist gekommen und tust dein Möglichstes, um dafür zu sorgen, dass alles reibungslos läuft, bis er wieder gesund ist. Hätte dein sogenannter richtiger Vater das auch getan?«, fragte sie, bereit, ihn so lange weiter zu bearbeiten, bis er ihr glaubte.

Er lachte, und die düstere Stimmung war auf einen Schlag verflogen. »Siehst du, genau *das* meinte ich neulich. Du tust weit mehr, als bloß ein Bedürfnis zu befriedigen.«

Sein feuriger Blick und das versteckte Kompliment sorgten dafür, dass Cara schon wieder Schmetterlinge im Bauch hatte. »Ich helfe immer gern«, erwiderte sie lächelnd.

»Übrigens, das war Faith Harrington, die da vorhin angerufen hat«, sagte Mike. Damit war das Thema Rex Bransom wohl vorerst abgehakt. »Beim Mittagessen habe ich Ethan getroffen, und er hat gefragt, ob wir nicht mal was mit ihnen unternehmen möchten. Wir sind am Samstagabend zu einem Cocktail bei ihnen eingeladen, und im Anschluss gehen wir alle zusammen essen. Du kommst doch mit, oder?«

»Was?«, hauchte Cara ungläubig. Sie musste sich wohl verhört haben.

»Wir gehen essen, mit Faith und Ethan. Du kennst doch Ethan, Dares ältesten Bruder, nicht?«

Cara nickte. Sie kannte auch Faith, aber eigentlich nur vom Sehen. Faith hatte als eines der reichen Kinder auf der Highschool einer anderen Clique angehört.

»Du wirkst irgendwie nervös.«

Cara hob das Kinn an. »Ich muss das alles erst einmal verdauen.«

»Die beiden sind echt nett«, versicherte ihr Mike. »Faith ist ganz anders als ihre arroganten Eltern.«

Jeder kannte die Geschichte der Harringtons, die früher in dem markanten Herrenhaus auf dem Hügel im Villenviertel gewohnt hatten. Doch wer hoch steigt, fällt bekanntlich tief, und die Harringtons hatten aus ihrem noblen Domizil ausziehen müssen, nachdem Faiths Vater zu einer Haftstrafe verurteilt worden war, weil er eine Menge Leute um ihr gesamtes Vermögen gebracht hatte. Das Haus war zwangsversteigert worden, und Ethan Barron, der damals gerade nach Serendipity zurückgekehrt war, hatte es sich unter den Nagel gerissen. In der Zwischenzeit hatte er nicht nur Faith geheiratet, sondern sich auch mit seinen Brüdern versöhnt, was kein leichtes Unterfangen gewesen war.

»Dare hält große Stücke auf seine Schwägerin«, sagte Cara, »und auf mich macht sie auch einen recht sympathischen Eindruck.« Vor allem, weil sie sich für Tess einsetzte, als wäre sie ihre eigene Schwester. »Aber …«

»Aber was?«

Sie beschloss, nicht lange um den heißen Brei herum zu reden. »Bist du denn bereit, dich mit mir in der Öffentlichkeit zu zeigen?« Das hatte bislang nicht zur Debatte gestanden, und sie war höchst überrascht, dass er offenbar Ambitionen in diese Richtung hegte.

»Ja«, antwortete er ohne zu zögern. »Du etwa nicht?«

Tja, das war die Frage. Cara war bereits zu dem Schluss gekommen, dass es nicht weiter schlimm war, wenn ihre Arbeitskollegen im Bilde waren. Sie sollten sie mittlerweile gut genug kennen, um zu wissen, dass sie nicht mit ihrem Chef angebandelt hatte, weil sie auf Sondervergünstigungen aus war. Außerdem war allgemein bekannt, dass Mike nur vorübergehend in Serendipity war. Er hatte es ja erst vorhin noch einmal selbst betont. Sie befürchtete nur, dass ihr der Abschied von ihm umso schwerer fallen würde, wenn erst alle Welt von ihrer Beziehung wusste.

»Cara?«, unterbrach Mike sie in ihren Überlegungen. »Ich bin gewillt, über meinen Schatten zu springen. Bist du es auch?« Sein erwartungsvoller Gesichtsausdruck verriet ihr, wie wichtig ihm ihre Antwort war.

Und sie würde ihn nicht enttäuschen. Nicht, nachdem er sich ihr geöffnet und sich gleich zweimal binnen zehn Minuten von seiner verletzlichsten Seite gezeigt hatte. »Also gut, ich komme mit«, sagte sie rasch, ehe sie kalte Füße bekommen und einen Rückzieher machen konnte.

»Gut.« Er wirkte aufrichtig erfreut. »Ich hole dich dann um sieben ab«, sagte er und beugte sich zu ihr hinunter, um ihr einen Kuss auf den Mund zu geben.

»Okay.«

Cara überlegte bereits, was sie bei ihrem Besuch in der Villa auf dem Hügel anziehen sollte – und das war noch ihr geringstes Problem. Denn wenn sie sich von Mike ganz hochoffiziell in Serendipity ausführen ließ, dann würde sie alles hier an ihn erinnern, wenn er erst fort war.

Wenn es einen Abend gab, an dem sie einmal fünfe gerade sein lassen und Spaß haben konnte, dann wohl heute. Cara hatte zwei freie Tage vor sich, und bei ihrem Besuch in Havensbridge war alles ruhig gewesen – offenbar war Daniella nicht mehr in Versuchung geraten, ihren aggressiven, besitzergreifenden Ex anzurufen. Das Date mit Mike am Samstagabend hatte sie vorerst verdrängt.

Sie hatte sich mit Sam und Alexa verabredet, und Alexa hatte noch Dare und seine Frau Liza eingeladen. Nun saßen sie zu fünft um einen Tisch bei Joe's – die Jungs auf der einen Seite und die Mädels auf der anderen, damit sie sich besser unterhalten konnten.

Cara kannte Liza noch nicht allzu lange, fand sie aber äußerst sympathisch. Liza hatte nicht allzu viele Freunde, aber Cara hatte sich mit ihr auf Anhieb gut verstanden. Im Vorjahr hatte Liza, deren Freundeskreis recht klein war, einige persönliche Probleme gehabt und sich Cara irgendwann anvertraut, als sie sich etwas näher kennengelernt hatten. Und mittlerweile gehörten Liza und Alexa zu Caras engsten Freundinnen.

Da an diesem Abend 80ies Night war, hatten sich die drei bei der Auswahl ihrer Outfits von dem Film

Flashdance inspirieren lassen: Sweatshirts mit riesigem Ausschnitt, der einem ständig über die Schulter rutschte, toupierte Mähnen, klobiger Modeschmuck und eine dicke Schicht Make-up. Aus der Jukebox dröhnten abwechselnd fröhliche Popmusik, Techno und New-Wave-Synthesizer-Klänge, und Cara, die bereits ihren zweiten Long Island Iced Tea schlürfte, hatte schon einen kleinen Schwips. Plötzlich spürte sie eine kräftige Hand auf ihrer nackten Schulter.

Sie fuhr herum und blickte geradewegs in Mikes braune Augen, und ehe sie wusste, wie ihr geschah, hatte er sie auch schon auf den Mund geküsst. Kein flüchtiger Schmatz, sondern ein richtig langer, leidenschaftlicher Begrüßungskuss, mit Zunge und allem Drum und Dran. Ein Kuss, der ihr zeigte, wie sehr er sich freute, sie zu sehen. Einer, der ihr den Atem und die Sinne raubte und bei dem sie weiche Knie bekam vor Lust.

»Ich setze mich zu den Jungs rüber«, sagte er danach, als wäre diese Art der Begrüßung völlig normal.

Es dauerte einen Moment, bis sich Cara von ihrem Schrecken erholt hatte, und kaum hatte sie sich wieder einigermaßen im Griff, da sah sie sich auch schon mit den neugierigen Blicken ihrer Freundinnen konfrontiert.

»Was war denn das?«, fragte Alexa.

»Kann es sein, dass du uns etwas verschwiegen hast?«, wollte Liza wissen.

Cara presste sich die Hände an die glühenden Wangen. Außer mit Sam hatte sie noch mit keiner Menschenseele über Mike gesprochen, auch nicht nach dem One-Night-Stand vor drei Monaten. Irgendwie war es ihnen damals gelungen, sich unbemerkt aus der Bar zu schleichen, deshalb hatte es danach keine Fragen gegeben.

Doch damit war jetzt Schluss. Cara wusste, ihre Freundinnen würden alles bis ins kleinste Detail wissen wollen, und zwar sofort. »Ich … äh … Mike und ich hatten bei seinem letzten Besuch in Serendipity einen One-Night-Stand. Wir haben nicht darüber gesprochen, als er zurückkam, und ich dachte, es wäre vorbei, aber das ist es nicht.« Sie erzählte den beiden von dem Essen mit seiner Familie, der Fahrt nach Manhattan und seiner Bitte, sie am Samstag zu begleiten.

»Ich schätze, er hat es ernst gemeint, als er sagte, er hätte kein Problem damit, sich öffentlich zu mir zu bekennen.« Cara konnte es noch immer nicht fassen.

Alexa fächelte sich mit der Hand Luft zu. »Das war echt heiß.«

»Das kannst du laut sagen.« Cara nahm einen großen Schluck von ihrem Cocktail. Den brauchte sie jetzt auch dringend.

»Hey, trink langsam, das Zeug hat es ganz schön in sich.« Lizas Bruder war Alkoholiker und hatte kürzlich drei Monate in einer Entzugsklinik verbracht. Deshalb war Liza stets gern bereit, nüchtern zu bleiben und sie hinterher nach Hause zu fahren; und wenn es sein musste, war sie auch mal die Stimme der Vernunft.

Cara konnte sie gut verstehen. Auch sie trank aus familiären Gründen eher selten einen über den Durst.

Trotzdem fand sie einen Cocktail hin und wieder durchaus angebracht, und heute war ein solcher Tag.

»Du bist ganz rot im Gesicht«, stellte Liza fest.

»Ist alles in Ordnung?«, erkundigte sich Alexa sogleich. Typisch Ärztin.

»Ich stehe noch unter Schock«, sagte Cara. »Er hat mich total überrumpelt. Ich kann mich nicht erinnern, wann ich zuletzt in der Öffentlichkeit geküsst wurde.« Was Männer anging, war sie äußerst wählerisch, und das nicht ohne Grund. Sie hatte eine längere Beziehung und mehrere Affären gehabt, und die Männer waren durch die Bank anständige Kerle gewesen, aber das mit Mike war einfach etwas anderes.

Weil er anders war.

Cara hatte noch immer heftiges Herzklopfen und schlug die Beine übereinander in der Hoffnung, damit die Auswirkungen des Kusses auf ihren Körper zu bekämpfen, aber leider erzielte sie damit nicht den gewünschten Erfolg. Im Gegenteil.

Sie unterdrückte ein wohliges Schaudern und zwang sich, mit ihrer Aufmerksamkeit zu Alexa und Liza zurückzukehren. »Aber sonst geht's mir gut.« Mike hatte gerade aller Welt demonstriert, was Sache war, und sie würde sich damit arrangieren und vor allem ihre Gefühle eisern unter Verschluss halten müssen. Keine leichte Aufgabe, aber das hatte sie von Anfang an gewusst. »Was ist mit euch beiden? Wie läuft's denn so bei dir, Liza?« Leider hatten sie nicht allzu oft die Gelegenheit, sich zu treffen, denn Liza war eine vielbeschäftigte Architektin mit eigenem Büro, und auch Alexa hatte stets alle Hände voll zu tun – entweder in der Notaufnahme der hiesigen Klinik oder in der Praxis ihres Vaters Alan, der Arzt war wie sie.

Liza strich sich den Pony aus den Augen und seufzte. »Ich bin glücklich verheiratet, und mein Bruder ist bislang trocken, aber ich lebe in der ständigen Furcht, dass jeden Moment alles den Bach runtergehen könnte.«

Cara ergriff ihre Hand und drückte sie. »Das ist doch völlig normal in Anbetracht der Umstände. Darf ich dir einen guten Rat geben? Versuch, deine Angst zu verdrängen und jede Minute zu genießen. Du hast es verdient, und Dare ebenfalls.«

»Stimmt«, pflichtete Alexa ihr bei. »Du hast genug durchgemacht, aber die schweren Zeiten hast du jetzt hinter dir. Hör auf, Probleme zu suchen, wo es gar keine gibt.«

Liza nickte. »Ja, ihr habt ja recht, alle beide.« Sie legte den Kopf schief und blickte kurz zu ihrem Mann hinüber, der mit Mike und Sam ins Gespräch vertieft war. »Was ist mit dir, Alexa?«

Die Angesprochene rührte mit dem Strohhalm in ihrem Getränk. »Arbeit, Arbeit, Arbeit. Keine Zeit für Privatvergnügen.«

»Dachte ich mir«, sagte Liza. »Die Frage ist bloß: Warum?«

Cara betrachtete ihre hübsche Freundin. Alexa war zum Studieren weggezogen, danach aber nach Serendipity zurückgekehrt, und sie war ein richtiger Workaholic. Soweit Cara wusste, hatte sie noch nie eine Beziehung gehabt, obwohl sie durchaus hin und wieder mit Männern ausging. An ihrem Aussehen konnte es nicht liegen – dank ihrer grünen Augen und der kastanienbraunen Mähne hatte sie massenhaft Verehrer. Außerdem war Alexa klug und äußerst sympathisch. Doch sie hielt die Männer konsequent auf Abstand. Der Job kam für sie stets an erster Stelle.

»Mir ist einfach noch nicht der Richtige begegnet.« Alexa zuckte unbekümmert die Achseln, als wäre das keine große Sache.

Doch Cara hatte den Verdacht, dass mehr dahintersteckte.

»Tja, der Richtige kommt oft ganz unerwartet, davon können Cara und ich ein Lied singen, nicht?«, sagte Liza grinsend.

»Oh, nein, Mike ist nicht der Richtige. Es spricht so einiges gegen ihn.« Cara schüttelte den Kopf – was keine so gute Idee war, denn plötzlich drehte sich alles um sie herum.

»Wie meinst du das?«, hakte Liza nach.

»Er ist im Gegensatz zu Dare nicht für eine Langzeitbeziehung geeignet. Das hat er mir klar und deutlich zu verstehen gegeben«, flüsterte Cara. »Er bleibt nur so lange in der Stadt, bis sein Vater genesen ist, dann zieht er wieder in seine kleine Wohnung in Manhattan.«

Hier sind keine Herzen im Spiel, hatte er gesagt, und Cara rief es sich immer wieder in Erinnerung.

»Aber man kann nie wissen, oder?«, wandte Liza optimistisch ein.

»Habt ihr etwa schon vergessen, wie es Tiffany Marks ergangen ist?«, sagte Cara leise. »Kaum hat sie begonnen, eine Zukunft mit ihm zu planen, da hat er die Stadt verlassen. Normale Menschen machen Schluss, er hat sich aus dem Staub gemacht, sobald sie angedeutet hatte, dass sie auf eine Verlobung hoffte. Dabei waren alle ganz sicher, dass die beiden mal heiraten würden.«

»Vielleicht hat Tiffany ihn ja mit ihrer übereifrigen Art vergrault«, sagte Liza. »Soweit ich mich erinnere, hat sie sich damals schon fleißig Kirchen und Hochzeits-Locations angeschaut.«

»Dabei hatte Mike ihr noch nicht einmal einen Antrag gemacht«, ergänzte Alexa. »Gut möglich, dass sie sich falsche Hoffnungen gemacht hat.«

Cara schüttelte den Kopf. »Fakt ist, er ist damals nach Atlantic City abgehauen, und jetzt hat er eine Wohnung in Manhattan. Ich weiß, wovon ich rede, ich habe sie selbst gesehen.« Sie atmete tief durch. »Und das muss ich mir immer wieder vor Augen führen, sonst bricht er mir garantiert das Herz.«

»Aber …«, protestierte Liza, doch Alexa warf ihr einen warnenden Blick zu, der Cara nicht entging.

»Okay, okay, ich hör ja schon auf«, brummelte Liza. »Ich will eben, dass du genauso glücklich bist wie ich. Und ich sage nur so viel: Der Gute kann sich gar nicht an dir satt sehen«, schloss sie, ihren guten Vorsätzen zum Trotz.

Bei ihren Worten wurde Cara heiß. Sie spähte zu Mike hinüber und ertappte ihn tatsächlich dabei, wie er sie mit unverhohlenem Begehren beobachtete. Als er ihren Blick aufschnappte, schenkte er ihr ein hypnotisierendes Lächeln und sah ihr fest in die Augen.

»Puh, da wird's einem ja richtig heiß«, stellte Alexa fest und hob ihr Glas. »Ach, Mist, leer.«

»Ich hole die nächste Runde«, sagte Cara, obwohl sie selbst im Augenblick keinen weiteren Drink wollte. Sie erhob sich, bevor eine ihrer Freundinnen Protest einlegen konnte, und schob sich durch die volle Bar zum Tresen. Obwohl so viel los war, kam sie schnell an die Reihe und hatte gleich darauf zwei neue Cocktails vor sich stehen.

Sie nahm die Gläser, drehte sich um und sah sich unvermittelt Sam gegenüber. »Hey.«

»Hey.« Er schob sich in die Lücke neben sie. »Wir sind doch Freunde, oder?«

Cara biss sich auf die Unterlippe, weil sie bereits ahnte, worauf diese kleine Unterredung hinauslaufen würde. Und sie verspürte nicht die geringste Lust darauf. »Klar.«

»Und du vertraust mir.«

Sie nickte.

»Dann sag mir, dass du weißt, was du da tust.«

Sie schluckte schwer. »Mike ist dein Bruder.«

»Ja, das ist er, und ich kenne ihn besser als sonst irgendein Mensch.«

»Und genau das spricht gegen diese Unterhaltung.« Sie machte Anstalten, sich an Sam vorbeizudrängen, doch er versperrte ihr den Weg. »Du bist mir wichtig, Cara, und sosehr ich meinen Bruder auch liebe, ich kenne ihn. Er wird dir nicht absichtlich wehtun, aber …«

»Ich *weiß*.« Cara sah ihm in die Augen in dem Versuch, ihm zu vermitteln, dass er sich keine Sorgen machen musste, obwohl ihr durchaus klar war, dass sie sich auf gefährlichem Terrain bewegte, aber das hatte sie auch schon vor seiner Warnung gewusst. »Er hat mir keinerlei Versprechungen gemacht, okay? Ich weiß, woran ich bin.«

»Mischt sich da etwa jemand in meine Angelegenheiten ein?« Das war Mike, der eben hinter Sam aufgetaucht war.

Oh-oh, das konnte Ärger geben. »Nein, alles bestens. Dein Bruder wollte mir bloß beim Tragen helfen.« Cara drückte Sam eines der Gläser in die Hand. »Stimmt's?«

»Stimmt«, brummte Sam und nahm ihr auch gleich den zweiten Cocktail aus der Hand.

Mike trat zur Seite, um ihn vorbeizulassen und sah ihm argwöhnisch nach.

»Ich habe den letzten Teil eures Gesprächs gehört. Er wollte dir mitnichten bloß beim Tragen helfen.«

»Er ist eben um mein Wohl besorgt.«

»Ach, und das gibt ihm das Recht, dir zu raten, dass du die Finger von mir lassen sollst?«

»Er wollte nur sichergehen, dass ich weiß, worauf ich mich eingelassen habe. Und das tue ich, Mike. Komm schon, dieser Kuss vorhin war doch ein öffentliches Statement. Hast du echt gedacht, dass das niemand kommentieren würde?«

Seine Pupillen weiteten sich. »Ich habe mir gar nichts gedacht. Ich habe einfach getan, worauf ich Lust hatte.«

Cara strich ihm mit der Hand über die Wange und genoss das Kitzeln, das seine Barstoppeln verursachten. »Und du bist bereit, die Konsequenzen zu tragen«, stellte sie fest.

»Ist das eine der Konsequenzen?« Er ergriff ihr Handgelenk und rieb mit dem Daumen über ihre Haut, dort, wo die Blutbahnen verliefen.

Cara schluckte. »Ganz recht.« Die erotische Berührung verursachte ihr heftiges Herzklopfen.

»Hast du das ernst gemeint, als du vorhin zu Sam gesagt hast – dass du weißt, worauf du dich eingelassen hast, meine ich?«

Sie nickte bloß. Sie hatte ihre Entscheidung getroffen. Eine Beziehung mit einem vorprogrammierten Ende war auf jeden Fall besser, als ganz auf Mike zu verzichten. Den Gedanken an das Ende verdrängte sie vorerst.

»Gut.« Er wirkte gleich viel entspannter. Es erregte sie, dass er immer noch ihr Handgelenk massierte. Ihr Atem ging schwerer, und sie spürte, wie sich ihre Brustwarzen aufstellten, spürte die Lust zwischen ihren Beinen pulsieren. »Lass uns zum Tisch zurückgehen, ja?«

Sie hatte eigentlich damit gerechnet, dass er gleich mit ihr nach oben gehen würde. »Ähm ... Okay«, sagte sie etwas enttäuscht.

Er ließ die Hand sinken und verschränkte die Finger mit den ihren. »Keine Sorge, Süße, wir gehen nachher zu mir rauf.«

»Süße?«, wiederholte sie perplex.

»Na ja, ich wollte mal einen Kosenamen verwenden, und *Baby* magst du doch nicht, oder?«

»Oh.« Er wollte einen Kosenamen verwenden. Für sie. Da blieb ihr glatt die Spucke weg. Mittlerweile war sie so scharf auf ihn, dass sie ihn am liebsten auf der Stelle aus der Bar und in seine Wohnung gezerrt hätte.

Doch er legte ihr eine Hand auf den Rücken und folgte ihr durch die Massen zu ihrem Tisch. Den Rest des Abends registrierte Cara die Stimmen ihrer Freundinnen wie durch einen Nebelschleier hindurch. Sie konnte es kaum erwarten, endlich eine Etage höher zu gehen und mit Mike allein zu sein.

Kapitel 8

Mike gefiel es, wenn Cara ihre Uniform trug, er mochte sie aber auch in Jeans und einem ausgewaschenen alten T-Shirt. Oder in diesem rosa Sweatshirt mit dem riesigen Ausschnitt, der ihr immer über die Schulter rutschte. Ihr langer Pferdeschwanz schwang im Takt mit ihren Hüften nach rechts und links. Und er liebte ihren Hintern, dachte er, während er ihr zum Tisch folgte.

Warum hatte er dann beschlossen, noch hierzubleiben, statt mit ihr nach oben zu gehen, wie sie es ganz offensichtlich erwartet hatte? Tja, weil er es viel zu sehr genoss zu beobachten, wie sie mit ihren Freundinnen lachte und scherzte.

Das konnte ja heiter werden.

Sein Bruder erwähnte die Szene an der Bar mit keinem Wort, redete aber den ganzen Abend nicht mehr mit ihm. Tja, Mike würde das Thema garantiert auch nicht aufs Tapet bringen. Was auch immer zwischen ihm und Cara lief, es ging Sam nicht das Geringste an.

Irgendwann begann Alexa zu gähnen und verkündete, sie müsse ins Bett. Liza pflichtete ihr bei, worauf Dare den Abend für beendet erklärte und seine Frau nach Hause brachte. Alexa ging mit den beiden nach draußen, und nachdem sich Sam mit knappen Worten verabschiedet hatte, waren Mike und Cara allein.

»Gehen wir?«, sagte er und streckte ihr die Hand hin.

Sie grinste und stand auf. Bei dieser Gelegenheit bemerkte Mike erfreut, dass sie nicht mehr angeschickert wirkte. Sie schwankte nicht, und ihr Blick war klar und ließ keinen Zweifel daran aufkommen, dass sie genauso scharf darauf war, mit ihm nach oben zu gehen wie er.

Zum ersten Mal schlichen sie sich nicht getrennt hinaus, sondern gingen Hand in Hand zum Hinterausgang. Mike war es völlig egal, ob es jemand bemerkte, und Cara hatte sich inzwischen offenbar ebenfalls mit dem Gedanken angefreundet, sich in der Öffentlichkeit zu ihm zu bekennen. Und morgen würden es alle wissen. Ihm war durchaus bewusst, dass er nun eine Verantwortung zu tragen hatte, und obwohl er das bisher stets zu vermeiden versucht hatte, störte ihn die Vorstellung diesmal kein bisschen. Denn hier ging es um Cara.

Nach seiner gescheiterten Beziehung in dieser Kleinstadt hatte er seine Lektion gelernt. Er war nicht für ernsthafte Beziehungen geschaffen, denn in seinen Adern floss das Blut seines leiblichen Vaters. Das war ihm damals nach der Sache mit Tiffany klar geworden. Danach hatte er keine Frau mehr wirklich an sich herangelassen, hatte dafür gesorgt, dass sie keine Erwartungen hegten und keine Ansprüche stellen konnten. Er war einfach nicht bereit gewesen, Anforderungen oder Erwartungen zu erfüllen.

Doch bei Cara war alles anders.

Es war seiner Aufmerksamkeit nicht entgangen, dass er sich für die Beziehung mit Cara ganz bewusst entschieden hatte. Wohl auch deshalb, weil sie auf das Ende vorbereitet war. Selbst falls es schon vor seiner Rückkehr nach New York vorbei sein sollte. Natürlich würde er umsichtig handeln und ihr nicht absichtlich wehtun, aber eigentlich machte er sich diesbezüglich ohnehin keine Sorgen, denn im Augenblick dachte er nicht im Traum daran, Schluss zu machen.

Ein kalter Wind wehte ihnen entgegen, sobald sie die Tür geöffnet und das warme Lokal verlassen hatten. Doch Mike kam gar nicht dazu, ihr seine Jacke anzubieten oder sie zu fragen, wo ihr Mantel war, denn sie spurtete sogleich über die Treppe hinauf. Er eilte ihr nach, den Schlüssel bereits in der Hand, und öffnete hastig die Tür, damit sie rasch eintreten konnten. Drinnen zog er die Jacke aus und hängte sie an den Haken im Flur, und kaum hatte er abgeschlossen, warf sich Cara auch schon in seine Arme und presste ihren zitternden Körper an ihn.

Es fühlte sich so gut an, so richtig, dass er sie fest an sich drückte.

»Brrr, ist das kalt«, keuchte sie mit klappernden Zähnen.

»Ich werde dir schon einheizen. Wo hast du deinen Mantel gelassen?«

»Bei Alexa im Auto. In der Bar wäre er mir nur im Weg gewesen.«

Er streckte die Arme aus und sagte: »Spring.«

Sogleich kam sie der Aufforderung nach und schlang die Beine um seine Taille.

Der Stabilität halber – und auch damit er die Hände frei hatte – drückte er sie mit dem Rücken an die Wand und begann, sie leidenschaftlich zu küssen, unterbrach den Kuss nur einmal kurz, um ihr das Oberteil über den Kopf zu ziehen, dann presste er wieder den Mund auf ihre Lippen. Nach einer Weile befreite er ihre üppigen Brüste vom BH und leckte sich über die Wange und den Hals hinunter zu ihrem Busen, wo er eine ihrer festen Brustwarzen in den Mund nahm, um sie anschließend abwechselnd zu lecken und mit den Zähnen vorsichtig daran zu knabbern. Cara rieb derweil den Unterleib an ihm und konnte es sichtlich kaum noch erwarten, ihn in sich zu spüren.

Ihm ging es genauso, und als sie die Finger in seinen Haaren vergrub und ihm unmissverständlich zu verstehen gab, dass sie sich nicht mehr länger gedulden konnte, trat er bereitwillig einen Schritt zurück, damit sie ihre Jeans ablegen konnte.

Mike entledigte sich ebenfalls seiner Hose und schob sie achtlos beiseite, dann stützte er sich mit den Händen rechts und links von ihrem Kopf ab und betrachtete sie vom Kopf bis zu den Zehen. »Du bist wunderschön.«

Sie errötete, machte aber keine Anstalten, sich zu bedecken, sondern legte ihm lediglich eine Hand auf die Wange. »Danke.«

Er küsste sie erneut, sog ihren Geruch in sich ein und genoss das Gefühl, eng aneinandergeschmiegt dazustehen, Haut an Haut, ihr Busen an seine Brust gedrückt. Er konnte keine Sekunde länger warten.

»Ich will dich. Jetzt, sofort«, knurrte er.

»Worauf wartest du dann noch?«, fragte sie grinsend, und er hob sie hoch und trug sie zum Bett, was in seiner winzigen Bude nicht allzu weit war.

Cara hatte das Gefühl, ihr Herz müsste jeden Augenblick explodieren. Mike mochte nicht sonderlich gesprächig sein, aber wenn er etwas sagte, dann zählte jedes Wort, und alles, was er heute Abend zu ihr sagte, berührte sie bis ins tiefste Innerste.

Sie ließ ihn nicht aus den Augen, betrachtete aufmerksam jede Regung in seinem attraktiven Gesicht, während sie auf der Matratze nach hinten rutschte, bis sie in der Mitte des Bettes saß.

Er verfolgte es mit begehrlichen Blicken, und seine Miene war hart und entschlossen, als er sich zu ihr gesellte. »Ich brauche dich«, sagte er, und es klang, als entsprängen die Worte seinem tiefsten Inneren, einem Ort, den er normalerweise mied und den er nur selten jemandem offenbarte.

»Ich gehöre ganz dir.«

Es entsprach der Wahrheit – und das, obwohl sie nur zu gut wusste, wie unklug es war. Sie wich seinem Blick aus, wollte in seinen Augen weder Panik noch Fragen sehen. Stattdessen griff sie nach seinem langen, heißen Schaft und dirigierte ihn dorthin, wo sie ihn haben wollte.

Erst dann gestattete sie es sich, Mike in die Augen zu sehen. Seine Pupillen waren geweitet, seine Gesichtsmuskeln angespannt, aber als er in sie eindrang, wurde seine Miene plötzlich weich, und der Schutzwall, den sie um ihr Herz errichtet hatte, fiel in sich zusammen.

Er begann, sich in ihr zu bewegen, glitt ganz langsam aus ihr heraus und wieder hinein, und ihr war, als könnte sie seine bedächtigen Stöße bis tief in ihr Herz hinein spüren. Wenn sie doch nur ihr Gehirn auf Leerlauf stellen könnte! Sie wollte nicht mehr darüber nachdenken, welche Gefühle er in ihr hervorrief, wollte nur noch spüren, was er mit ihrem Körper anstellte.

Sie schlang ein Bein um sein Bein und wälzte sich auf die Seite, sodass er das Gleichgewicht verlor und von ihr herunterrollte. »Platzwechsel«, befahl sie.

Mike ließ es zu ihrer Überraschung widerspruchslos geschehen, als sie sich rittlings auf ihn setzte. Und tatsächlich gelang es ihr auf diese Weise, eine Weile alle hinderlichen Gedanken aus ihrem Kopf zu verbannen. Jedenfalls, bis er ihre Hände ergriff und die Finger mit den ihren verschränkte. Bei der simplen Geste hatte sie prompt einen Kloß im Hals.

Auch mit ihrer Kontrolle war es wie immer nicht weit her. Schon bald hatte er sich ihrem Rhythmus angepasst und übernahm allmählich das Kommando. Sie spannte die Muskeln an, umschloss ihn noch fester, bis es sich beinahe so anfühlte, als wären ihre Körper miteinander verschmolzen. Sie hatte weniger denken, weniger fühlen wollen, doch das Gegenteil war der Fall – wieder einmal hatte er bewiesen, wie gut er sich auf die Kunst der Liebe verstand und damit nicht nur ihren Körper, sondern auch ihr Herz erobert.

Das war vorerst ihr letzter klarer Gedanke, denn nun ließ Mike eine Hand los, um nach ihrem Kitzler zu tasten und ihr mit geschickten Fingern den längsten und intensivsten Orgasmus zu bescheren, den sie je erlebt hatte. Er stieß noch einmal zu, dann kam er ebenfalls und stöhnte dabei ihren Namen.

Sie konnte gar nicht aufhören, molk ihn weiter, bis die Ekstase allmählich abklang. Nach einer gefühlten Ewigkeit brach sie schließlich schwer atmend auf ihm zusammmen und legte den Kopf auf seinem Brustkorb ab, der sich heftig hob und senkte.

Mike schob sie von sich hinunter und zog sie an sich, die Finger in ihren Haaren vergraben.

So lagen sie lange schweigend da, während Cara versuchte, ihre Gefühle zu bändigen. Damit ihr das gelang, musste sie rational denken. Sie hatte mittlerweile akzeptiert, dass sie etwas für Mike empfand. Tja, das hatte sie nun davon, dass sie nicht so oft Sex ohne Gefühle praktizierte. Wenn sie mit einem Mann schlief, dann bedeutete er ihr früher oder später etwas. Nein, falsch. Es lag eindeutig an Mike. Noch nie zuvor hatte ein Mann eine derart unwiderstehliche Wirkung auf sie ausgeübt. Wen wunderte es da, dass sie Gefühle für ihn entwickelt hatte?

Zum Glück kannte sie ihn noch nicht lange und nicht gut genug, um ihn zu lieben, und sie würde nicht zulassen, dass es je so weit kam. Wie sie das verhindern sollte, wusste sie allerdings nicht. Aber sie würde es zumindest versuchen.

Im Augenblick musste sie sich wohl oder übel damit abfinden, dass sie heute Nacht hierbleiben würde, denn wenn sie jetzt versuchte, sich hinauszuschleichen, würde sie ihn bestimmt wecken. Also verdrängte sie ihre Sorgen und beschloss zu schlafen.

***

Am nächsten Morgen frühstückten sie gemeinsam. Es gab Toast, Kaffee und Frühstücksflocken, und die Stimmung war überraschend locker und gelöst. Sie waren voll auf einer Wellenlänge, und immer noch knisterte es heftig zwischen ihnen, eine Kombination, die alles andere als selbstverständlich war, wie Cara aus Erfahrung wusste.

Sobald Cara ihre Tasse geleert hatte, fuhr Mike sie nach Hause. Er behandelte sie nicht wie einen One-Night-Stand, sondern brachte sie noch zur Tür und küsste sie zum Abschied, ehe er aufs Revier fuhr.

Cara rief in Havensbridge an und ließ Daniella ausrichten, dass sie ihr gegen neun einen Besuch abstatten würde.

Dann duschte sie, föhnte sich die Haare und band sie zu einem lässigen Pferdeschwanz zusammen. Sie schnappte sich ihren Schlüsselbund und wollte gerade aufbrechen, da klingelte ihr Handy.

Es war Mike, und sie konnte nicht leugnen, dass sie sich freute, als sie seinen Namen auf dem Display erblickte. Sie nahm den Anruf an und sagte: »Hey.«

»Hallo. Hör mal, ich weiß, du hast eigentlich frei, aber ich habe Richter Baine angerufen, der damals für unseren ungeklärten Fall zuständig war. Seine Frau meinte, wir könnten gern heute Vormittag vorbeikommen. Hast du Lust, mich zu begleiten?«

»Na, klar!« Cara war erfreut, weil er sie dabeihaben wollte, und aufgeregt in Anbetracht der Aussicht auf neue Erkenntnisse.

»Ich sollte dich vermutlich warnen. Es kann nämlich gut sein, dass das wieder eine Sackgasse ist«, sagte Mike missmutig.

»Warum denn das?«

»Laut Mrs. Baine hat er Alzheimer. Es gibt zwar hin und wieder Tage, da ist er bei klarem Verstand, allerdings ist das wohl ziemlich selten der Fall, und bis jetzt sieht es nicht danach aus, als wäre heute ein solcher Tag. Aber sie meinte, wir sollen trotzdem kommen, weil man nie wissen kann, was bei Alzheimerpatienten Erinnerungen weckt.«

»Ach, herrje, das tut mir leid.« Cara war mindestens ebenso enttäuscht, wie er sich anhörte.

»Mir auch, aber da kann man nichts machen. Wenn er uns nicht weiterhelfen kann, müssen wir uns eben wieder auf die Suche nach neuen Spuren machen.«

Da war es wieder, dieses *Wir*. Ja, sie war seine offizielle Partnerin in diesem Fall, genau genommen war es ursprünglich sogar ihr Fall gewesen, aber er war der Boss, und es war möglich, dass zwei seiner engsten Familienmitglieder involviert waren. Er hätte ihr den Fall entziehen können, wenn er es gewollt hätte, und sie hätte nichts dagegen unternehmen können. Stattdessen vermittelte er ihr das Gefühl, dass die Angelegenheit sie genauso betraf wie ihn, und das gefiel ihr. Sehr sogar.

»Cara, hörst du mich? Ich komme in einer halben Stunde vorbei und hole dich ab, okay?«

Sie blinzelte. Mist. Schon wieder war sie völlig in ihre Gedanken versunken gewesen. »Hm, ich wollte mich eigentlich gerade auf den Weg nach Havensbridge machen, um Daniella zu besuchen.«

»Ich habe heute keine Termine und könnte dich begleiten. Vorausgesetzt, du hast nichts dagegen.«

Cara war gerührt. »Ich wüsste nicht, was.«

»Gut, dann bis gleich.« Er legte auf.

Nach exakt dreißig Minuten fuhr Mike bei ihr vor, und weitere fünf Minuten später hielten sie vor einer gut erhaltenen und äußerst gepflegt wirkenden Villa im Kolonialstil. Cara hatte nicht allzu oft in diesem Teil der Stadt zu tun, aber sie wusste, dass man für die Häuser hier eine ganze Stange Geld hinblättern musste.

Sie pfiff anerkennend. »Schick.«

»Du sagst es.« Mike hob kurz die Sonnenbrille an, um das adrette Bauwerk zu betrachten, dann ließ er sie wieder auf die Nase sinken. »Dann mal los.«

Die Ehefrau des Richters, eine ältere Dame mit grauem Haar und freundlicher Miene, erwartete sie bereits an der Tür. »Guten Morgen, Chief Marsden«, sagte sie und winkte sie herein.

»Vielen Dank, dass Sie uns empfangen«, sagte Mike. »Das ist Cara Hartley.«

Cara schüttelte der Hausherrin die Hand. »Sehr erfreut.«

»Die Freude ist ganz meinerseits«, sagte die Frau. »Marshall ist im Wohnzimmer. Dort verbringt er die meiste Zeit.« Sie ging voraus.

Mike wechselte einen Blick mit Cara, zuckte die Achseln und folgte ihr. Es war offensichtlich, dass Mrs. Baine ihren Mann liebte und dass ihr sein Wohl am Herzen lag. Sie hatte die Jalousien geöffnet, sodass die Sonne in den Raum schien, und in einer Vase stand ein Blumenstrauß.

»Du hast Besuch, Marshall.«

Der Richter riss sich vom Fernseher los, wo gerade die Sendung *Glücksrad* lief. Er hatte grau gesprenkeltes Haar, wirkte ansonsten aber jünger, als seine dreiundsiebzig Jahre es hätten vermuten lassen. Wäre er nicht an Alzheimer erkrankt, hätte er seinen Beruf bestimmt noch eine Weile ausgeübt.

»Wen haben wir denn hier?«, fragte er und betrachtete Cara und Mike.

»Das sind Michael Marsden, der neue Polizeichef von Serendipity und Officer Cara Hartley. Sie wollen dir ein paar Fragen stellen«, erklärte seine Frau und strich die Decke glatt, die über den Knien ihres Mannes lag. Er drückte ihr zum Dank dafür die Hand.

»Ich bringe Ihnen eine kleine Erfrischung«, sagte sie und ging zur Tür.

»Nein, bitte machen Sie sich unseretwegen keine Umstände«, wehrte Cara ab.

»Wir werden Sie nicht lange stören«, versicherte Mike dem Richter.

Seine Frau nickte. »Geben Sie einfach Bescheid, falls

Sie Ihre Meinung doch noch ändern sollten.« Damit winkte sie und entfernte sich.

»So, dann erzählen Sie doch mal, wie ich Ihnen helfen kann«, forderte der alte Herr Mike und Cara auf, nachdem sie auf zwei Sesseln ihm gegenüber Platz genommen hatten.

»Es geht um einen Fall, der gut dreißig Jahre zurückliegt«, sagte Mike. »Genauer gesagt um einen Mann, der wegen einer Übertretung der Verkehrsregeln angehalten wurde und in dessen Wagen man bei der Überprüfung Drogen und mehrere Tausend Dollar in markierten Scheinen fand.«

Ein geschickter Schachzug von Mike, die markierten Geldnoten gleich vorneweg zu erwähnen. Dem Richter waren im Laufe der Jahre bestimmt Hunderte von Drogendelikten untergekommen, aber markierte Geldscheine, das war doch eher selten.

Richter Baine hob den Blick zur Decke, als würde er überlegen. Cara sah zu Mike, der geduldig abwartete, den alten Herrn dabei aber eingehend betrachtete.

»Das wäre dann also 1983 gewesen, richtig?«

»Richtig«, sagte Cara leise.

»Tja, nach all den Jahren, die ich Richter war, könnte ich Ihnen eine Menge Geschichten erzählen ...« Und genau das tat er dann die nächsten zwanzig Minuten lang, während im Hintergrund der Moderator Pat Sajak kalauerte. Cara hatte schon mal gehört, dass Alzheimerpatienten meist weniger Probleme mit dem Langzeitgedächtnis haben, und das konnte sie nun vollauf bestätigen.

Dass es um das Kurzzeitgedächtnis des Richters nicht so gut bestellt war, wurde klar, als er seine kleine Märchenstunde beendete und plötzlich mit einem Blick zu Cara fragte: »Verzeihung, kennen wir uns?«

»Ich … äh …«, stotterte sie verdattert, dann schaltete sich Mike ein.

»Sie ist mit mir hier, Euer Ehren«, sagte er ehrerbietig.

»Bransom! Wie oft hab ich Ihnen gesagt, Sie sollen nicht zu mir nach Hause kommen?«

Cara riss verblüfft die Augen auf, und Mike zuckte bei der Erwähnung seines leiblichen Vaters zusammen, als hätte man ihn geschlagen.

Er beugte sich im Sessel nach vorn. »Ich bin Mike. Mike Marsden, der Sohn von Simon Marsden.«

»Denken Sie daran – kein Wort zu Ihrem Partner, ja? Er darf nichts davon wissen. Der Kerl ist der Inbegriff der Gesetzestreue«, fuhr der Richter in warnendem Tonfall fort.

Cara schielte zu Mike, doch der ließ Baine nicht aus den Augen.

»Wovon darf Simon Marsden nichts erfahren?«, fragte er.

Da sah sich der alte Mann plötzlich gehetzt um. »Haben Sie das gehört? Da ist irgendjemand!«, stieß er angsterfüllt hervor. »Wir werden belauscht. Ich hab Ihnen doch gesagt, wir können hier nicht reden!«

»Das ist nur der Fernseher«, versuchte Cara ihn zu beruhigen, doch ohne Erfolg.

»Mary?«, rief der Richter laut und schob die Decke von seinem Schoß. »Mary! Wer sind diese Leute?«

Im selben Augenblick kam seine Frau angerannt und legte ihm einen Arm um die Schulter.

»Ich habe schon befürchtet, dass es so laufen wird. Konnte er Ihnen irgendwie helfen, ehe er angefangen hat, sich so aufzuregen?«

»Er hat sein Möglichstes getan«, sagte Cara, dann erhoben sie sich wie auf ein Stichwort, wohl wissend, dass der Besuch zu Ende war.

»Finden Sie allein raus?«, fragte Mrs. Baine. »Ich möchte jetzt lieber bei ihm bleiben.«

»Natürlich, Mrs. Baine, kein Problem«, versicherte Cara ihr sogleich.

Sie folgte Mike durch den Flur zur Haustür und hinaus zu seinem Wagen, wo er wortlos den Motor startete. Cara schwieg ebenfalls, weil sie spürte, dass er den Vorfall erst einmal verdauen musste. Sie bat ihn lediglich, sie nach Hause zu bringen, damit sie anschließend von dort nach Havensbridge fahren konnte. Ihr war klar, dass er sie nun doch nicht zum Frauenhaus begleiten würde.

Er sah flüchtig zu ihr. »Du willst nicht über das reden, was wir gerade erfahren haben?«

»Erst, wenn du so weit bist.« Sie wollte ihm die nötige Zeit zugestehen, sich seinen nächsten Schritt zu überlegen. Der Richter hatte Rex Bransom gekannt, so viel war klar, und die beiden hatten vor Simon ein Geheimnis gehabt.

Mike blinzelte verwundert, sagte aber nichts.

»Würdest du mich dann bitte nach Hause fahren?«, wiederholte sie.

Mike schüttelte den Kopf und lachte ungläubig. Andere Frauen hätten ihn jetzt zugetextet und mit ihm über seine Gefühle reden wollen, doch nicht so Cara. Sie schien zu spüren, dass er sich jetzt erst einmal neu sortieren musste, und ließ ihn in Ruhe.

Ja, sie war definitiv etwas Besonderes. Kein Wunder, dass sie ihm so unter die Haut ging. Seltsamerweise hatte er bei ihr plötzlich das Bedürfnis zu reden. »Ich hab mich immer bemüht, nicht an ihn zu denken«, hörte er sich sagen.

»An Rex?«, flüsterte sie.

»Ja.« Er rieb sich mit dem Handrücken die brennenden Augen, während er sich die Worte von Richter Baine noch einmal durch den Kopf gehen ließ. »Es überrascht mich nicht sonderlich, dass der Mann, der meine Mutter und mich verlassen hat, etwas auf dem Kerbholz hat. Zumindest hat er sich aus unserem Leben rausgehalten, und dafür bin ich ihm dankbar.«

Er brauchte Rex Bransom nicht. Ohne ihn war er besser dran. Ja, als Kind hatte er sich manchmal gewünscht, sein leiblicher Vater würde zurückkommen und zugeben, dass er einen Fehler gemacht oder eigentlich nie die Absicht gehabt hatte, sich zu verdünnisieren. Dann hätte Mike zwei Väter gehabt, Simon und Rex. Doch mit zunehmendem Alter war ihm klar geworden, dass nur ein Feigling vor seiner Verantwortung davonlief. Zugegeben, er war auch vor Tiffany davongelaufen. Er hatte sie verletzt, aber zumindest war sie nicht schwanger gewesen, und er war gegangen, ehe er Schlimmeres hatte anrichten können.

Doch Rex hatte Ella geschwängert, und er hatte seine Verantwortung einfach auf einen anderen abgewälzt. Mike hatte sich geschworen, nie so zu werden wie Rex, und seit er bei Tiffany so gefährlich nah an der Katastrophe vorbeigeschrammt war, hielt er die Frauen auf Abstand.

»Aber er könnte dir die nötigen Antworten liefern.« Cara brachte die Sache mal wieder auf den Punkt.

»Stimmt.« Und bei der Vorstellung, Rex nach all den Jahren aufzustöbern, drehte sich ihm förmlich der Magen um.

»Du könntest natürlich versuchen, erst mit Simon zu reden.«

Er nickte. »Das habe ich auch schon in Erwägung gezogen, aber er hat schon bei Sam auf stur geschaltet. Das bedeutet, dass er etwas über das Geld in der Asservatenkammer weiß. Oder über Rex. Etwas, das er für sich behalten möchte. Und ich will ihm während der Behandlung nicht so zusetzen.«

»Weil du ihn liebst«, stellte Cara leise fest.

Mike musste unwillkürlich lächeln. »Ja. Schließlich hat er sich meiner angenommen.« Und für Mike zählte das mehr als alles andere. »Also, fassen wir zusammen: Ich kann einem kranken Mann Löcher in den Bauch fragen oder mich auf die Suche nach meinem untergetauchten Vater machen.« Er schnaubte entnervt.

Cara legte ihm eine Hand auf die Schulter. »Du bist mit deinem Problem nicht allein.«

»Nett von dir, danke, aber doch, das bin ich.« Er war schon immer mit seinen Problemen allein gewesen, oder er hatte zumindest das Gefühl gehabt, er wäre damit allein.

»Nein, da irrst du dich. Du hast Eltern und Geschwister, die dich lieben. Für sie bist du kein Adoptivkind, sondern ein Teil der Familie. Ist dir eigentlich klar, wie glücklich du dich schätzen kannst, dass du Erin und Sam hast und Ella, die immer ein offenes Ohr für dich hat? Und Simon, der *bestimmt* wieder gesund wird?« Ihr versagte die Stimme, und erst da wurde ihm bewusst, dass sie nichts von alledem hatte. So beschissen ihm sein Leben zurzeit vorkommen mochte, sie hatte recht: Er hatte eine ganze Reihe von Menschen, die für ihn da waren, auch wenn es ihm zuweilen so vorkam, dass er das gar nicht verdiente.

Er griff nach einer ihrer langen Haarsträhnen und wand sie sich um die Finger. »Du bist ein ziemlich cleveres Mädchen.«

Sie zuckte die Achseln. »Ich weiß nicht recht. Ich weiß bloß, dass ich ehrlich bin.«

Er grinste. »Tja, jedenfalls hast du mich gerade auf eine Idee gebracht. Bevor ich mich auf die Suche nach meinem alten Herrn mache, erkundige ich mich mal bei meiner Mutter.«

»Bei deiner Mutter?«, wiederholte Cara überrascht. »Warum denn das?«

»Na, sie kannte Rex und Simon, und sie war damals in Serendipity. Vielleicht kann sie Licht in die Angelegenheit bringen. Und bei ihr weiß ich, dass sie es verkraften wird. Sie ist hart im Nehmen.« Beim Anblick von Caras weit aufgerissenen Augen kamen ihm allerdings Zweifel. »Gibt es irgendeinen Grund, warum ich nicht mit ihr reden sollte?«

Cara starrte geradeaus auf die menschenleere Straße vor ihnen. »Nein, natürlich nicht. Du hast recht, du solltest mit Ella reden. Frag sie, ob sie sich an etwas erinnert.«

»Okay.« Wenn er mit seiner Mutter sprach, konnte er die Suche nach Rex nämlich noch eine Weile hinausschieben.

»Aber bevor ich zu meinen Eltern fahre, bringe ich dich nach Hause, damit du Daniella besuchen kannst.«

»Wie, du willst sie jetzt gleich damit überfallen?«, fragte Cara.

»Klar. Wozu soll ich es auf die lange Bank schieben? Es sei denn, mein Dad ist wach, und ich kann nicht unter vier Augen mit ihr reden. Dann leiste ich einfach meinem Vater ein bisschen Gesellschaft und unterhalte mich am Montag mit ihr, während er bei der Chemo ist.«

»Wie du meinst.«

Mike lenkte den Wagen auf die Straße und schlug den Weg zu der Neubausiedlung ein, in der Cara wohnte. Die Häuserblöcke waren weder zu groß noch zu klein, und in den Grünanlagen der diversen Hinterhöfe war den Bewohnern ein gewisses Maß an Privatsphäre vergönnt. Er war froh, dass Cara ihre eigenen vier Wände hatte, weit weg von ihrem despotischen Vater.

»Ich hol dich dann morgen um sieben zum Essen mit Faith und Ethan ab«, sagte er, als er vor ihrem Wohnblock hielt.

»Ach, richtig …«

Mike zupfte an ihrem Pferdeschwanz. »Sag bloß, das hattest du vergessen.«

»Nein, das nicht«, entgegnete sie, und ein verunsichertes Lächeln huschte über ihr hübsches Gesicht. »Ich hatte bloß kurz nicht daran gedacht. Und jetzt, wo du mich daran erinnerst, fällt mir wieder ein, dass …«

»Was?«

»Dass ich noch shoppen gehen wollte, weil ich nichts anzuziehen habe.« Als er sah, wie sie nachdenklich auf ihrer Unterlippe herumkaute, hätte er am liebsten selbst ein wenig daran geknabbert.

»Mach dich deswegen nicht verrückt. Faith und Ethan sind alte Freunde von mir und keine Schickimicki-Leute. Frag Dare.«

»Na, dann bin ich ja beruhigt.« Ihre Wangen waren vor Verlegenheit gerötet. »Dann also bis morgen Abend.« Sie wandte sich ab und tastete nach dem Türgriff.

»Hey, hast du nicht was vergessen?«

»Was denn?« Sie wirbelte herum.

»Das hier.« Er beugte sich zu ihr hinüber, legte ihr eine Hand in den Nacken und zog sie näher, um sie zu küssen.

»Mmm …« Wie immer war sie gleich voll bei der Sache, und als sie die Lippen öffnete, damit ihre Zungenspitzen einander umschlängeln konnten, spürte Mike, wie die Enge in der Brust, die er seit dem Besuch bei Richter Baine verspürt hatte, etwas nachließ.

»Ich muss los«, murmelte Cara schließlich, rührte sich aber nicht vom Fleck.

»Bist du sicher?« Er leckte über ihre bereits feuchten Lippen.

Sie setzte sich aufrecht hin. »Nein. Äh, ja, doch.«

Sie bot einen reizenden Anblick mit ihren rosa Wangen, dem zerzausten Pferdeschwanz und dem vor Lust verschleierten Blick.

»Hör auf, mich so anzusehen«, rügte sie ihn und tappte erneut nach dem Türgriff.

»Ach übrigens: Wenn ich dich morgen Abend nach Hause bringe, dann bleibe ich über Nacht«, verkündete er.

»Ist das ein Versprechen?«, fragte sie mit glänzenden Augen.

Er nickte. »Und jetzt raus mit dir.«

Lachend sprang sie aus dem Wagen und hopste zur Haustür. Er sah ihr nach und fuhr erst los, als sie im Haus verschwunden war.

Kapitel 9

Mike betrat das Haus seiner Eltern mit einem mulmigen Gefühl. Einerseits brauchte er mehr Informationen, andererseits wollte er es eigentlich lieber nicht so genau wissen. Seine Mutter hatte ihn gebeten, statt am Freitag erst am Samstag zu kommen, also hatte er das Gespräch noch einen Tag aufgeschoben. Im Vorraum wurde er von Kojak mit lautem Gekläff empfangen. Er hob den kleinen Hund hoch.

»Michael!« Seine Mutter erwartete ihn an der Tür zum Wohnzimmer und begrüßte ihn mit einer Umarmung und einem Kuss auf die Wange.

»Hi, Mom«, sagte er und drückte sie an sich.

»Schön, dass du da bist.«

Er lächelte und ließ sich auf das gemütliche Sofa sinken. »Finde ich auch. Es ist schön, euch nicht bloß alle paar Monate einmal zu sehen.«

»Ach ja?«, fragte sie ungläubig.

Mike konnte nachvollziehen, warum sie an seinen Worten zweifelte. Fand er es wirklich schön, wieder hier in Serendipity zu leben statt in Manhattan?

»Es gefällt mir besser als ich angenommen hatte«, gab er zu.

»Der Job oder das Leben hier?« Seine Mutter trug einen schokobraunen Jogginganzug und wirkte so jugendlich wie eh und je, obwohl die Müdigkeit ein paar zusätzliche Falten in ihrem schönen Gesicht hinterlassen hatte.

»Beides«, antwortete er. Bislang verspürte er keinerlei Unruhe oder den Drang, die Stadt, in der er aufgewachsen war, zu verlassen.

»Das freut mich.« Seine Mutter wirkte genauso überrascht wie er selbst. Sie beugte sich nach vorn. »Hat das zufällig etwas mit Cara zu tun?« Wie alle Mütter schreckte sie nicht davor zurück, persönliche Fragen zu stellen.

Mike grinste nachsichtig. »Hab ich dir je einen Einblick in mein Liebesleben gewährt?«

Ella lachte und beschloss, seine Worte auf ihre Weise zu interpretieren. »Solange sie dich glücklich macht ...«

Damit lag sie zwar völlig richtig, aber das würde Mike ihr nicht auf die Nase binden, denn es würde nur zu weiteren Fragen führen, die zu beantworten er noch nicht bereit war. Er war ja noch nicht einmal bereit, darüber nachzudenken. Wer weiß, womöglich wachte er schon morgen auf und verspürte Sehnsucht nach der Freiheit, die einem die Anonymität der Großstadt bot.

»Mom«, sagte er in einem warnenden Tonfall.

»Ja, schon gut. Aber nur damit du Bescheid weißt: Simon und ich freuen uns, dass ihr euch gefunden habt. Nur für den Fall, dass du dich fragst, wie wir darüber denken.«

Das hatte er zwar nicht getan, noch nie, aber jetzt wurde ihm bei ihren Worten doch irgendwie warm ums Herz. Er räusperte sich und rief sich in Erinnerung, dass er nicht zum Vergnügen hier war. »Wo steckt Dad eigentlich?«, erkundigte er sich.

»Er macht ein Nickerchen. Aber es geht ihm den Umständen entsprechend gut. Sein Arzt ist sehr zuversichtlich.«

Mike atmete erleichtert auf. »Gott sei Dank.«

»Du sagst es. Es hieß auch, dass er wieder mehr Energie haben wird, wenn er erst die Chemo hinter sich hat. Ich kann nur hoffen, dass es dann tatsächlich so ist.«

»Soweit ich weiß, kann es eine Weile dauern, bis Krebspatienten wieder ganz die Alten sind. Und manchmal verändert sich ihre Persönlichkeit auch für immer«, sagte Mike sanft, nicht um ihren Optimismus zu dämpfen, sondern damit sie für alle Eventualitäten gewappnet war.

Ella schluckte und nickte. »Ich weiß, Schätzchen, aber ich muss positiv denken, damit ich das überstehe. Und dein Vater hat einen sehr ausgeprägten Überlebenswillen. Er ist wild entschlossen, wieder gesund zu werden. Es wird schon alles gut gehen.«

»Bestimmt.« Er beugte sich nach vorn, die Ellbogen auf die Knie aufgestützt. »Mom, ich muss mit dir reden.«

»Okay, und worüber?«

Mike spürte, wie ihm der Schweiß ausbrach. Er konnte sich nicht erinnern, wann er zuletzt das Thema Rex angesprochen hatte. Es stimmte zwar, was er Cara gesagt hatte – seine Mutter war hart im Nehmen, aber angenehm würde das Gespräch weder für sie noch für ihn werden.

Es war wohl das Beste, wenn er es möglichst schnell hinter sich brachte. »Ich habe ein paar Fragen zu Rex Bransom.«

Bei der Erwähnung seines leiblichen Vaters wurde sie prompt weiß wie ein Laken.

Mike sprang auf und trat neben sie. »Geht es dir gut?«

»Ja, ja. Entschuldige, das kam bloß etwas unerwartet.«

»Ich weiß. Aber ich soll einen Fall klären, der schon viele Jahre zurückliegt, und ich muss dir in diesem Zusammenhang ein paar Fragen stellen.«

Sie nickte, und die Farbe kehrte allmählich wieder in ihre Wangen zurück. »Du weißt, du kannst mich alles fragen.«

Als Mike sicher war, dass sie sich von ihrem Schrecken erholt hatte, nahm er wieder Platz. »Also, Folgendes ...« Er berichtete ihr vom Ansinnen der Bürgermeisterin, von dem Geld in der Asservatenkammer und von dem wirren Zeug, das Richter Baine geredet hatte, als Mike mit Cara bei ihm gewesen war. »Aber es muss ein Körnchen Wahrheit in dem stecken, was er gesagt hat. Er hat indirekt selbst zugegeben, dass er Rex kannte und dass sie Simon etwas verheimlicht haben. Und Dad – na ja, Sam hat versucht, ihm ein paar Informationen aus der Nase zu ziehen, aber Dad hat sich rundheraus geweigert, darüber zu reden.«

Ella erhob sich und begann, im Wohnzimmer auf und ab zu gehen.

Mike gab ihr etwas Zeit, um das Gehörte zu verarbeiten, dann fragte er: »Mom, hat Rex damals irgendwelche krummen Dinger gedreht?«

Sie drehte sich um, wich jedoch seinem Blick aus.

»Mom?«

»Hör zu, Mike, ich war damals ehrlich gesagt vollauf mit meiner Schwangerschaft und mit Rex' Reaktion darauf beschäftigt, und später dann mit der Tatsache, dass er mich hat sitzen lassen …« Sie verkramfte die Finger ineinander. »Aber ich kann dir immerhin so viel sagen: Rex hat das Risiko geliebt und sich oft am Rande des Gesetzes bewegt.«

»Genau wie ich«, sagte Mike, mehr zu sich selbst als zu ihr.

»Mit dem Unterschied, dass du auf der legalen Seite bleibst, Michael. Rex hatte seine guten Seiten, und die hast du von ihm geerbt. Sei nicht zu streng mit dir selbst.«

Er schüttelte den Kopf, war teils ihrer Meinung, teils auch nicht. »Dann stehe ich also wieder am Anfang. Entweder versuche ich mein Glück noch einmal bei Dad, was ich nicht tun werde, solange er noch von der Krankheit geschwächt ist, oder ich werde Rex etwas auf den Zahn fühlen müssen. Aber dazu muss ich ihn natürlich erst einmal finden.«

Seine Mutter schwankte, und Mike sprang fluchend auf. Mit ein, zwei Schritten war er bei ihr, legte ihr die Arme um die Hüfte und führte sie zum Sofa. »Setz dich.«

Sie tat, was er sagte.

»Warte, ich hole dir etwas zu trinken.« Er ging in die Küche und kam gleich darauf mit einem Glas Orangensaft zurück. »Hier, trink das«, befahl er und setzte sich neben sie, während sie das Glas leerte.

»Danke.«

»Gern geschehen. Tut mir leid, dass ich dir das ausgerechnet jetzt antun muss.«

Sie schüttelte den Kopf. »Du hast ein Recht darauf, mir Fragen über deinen Vater zu stellen, ob sie nun beruflicher Natur sind oder nicht.«

Sie saßen ein paar Minuten schweigend da, dann sah sie zu Mike hoch und fuhr ihm mit den Fingern durch das etwas zu lange Haar, eine mütterliche Geste, die ihn unversehens in die Kindheit zurückversetzte. »Weißt du eigentlich, dass du ihm unheimlich ähnlich siehst?«

Er wandte sich ab. Nein, das hatte er nicht gewusst, und er wusste auch nicht so recht, ob er es hören wollte.

»Es tut mir leid, dass ich keine Fotos von ihm aufgehoben habe. Das war gedankenlos von mir. Aber ich war jung und wollte Simon nicht den Eindruck vermitteln, dass ich noch an Rex hing. Verstehst du das?«

Mike nickte, obwohl er auch das alles gar nicht so genau wissen wollte.

»Du willst also mit Rex reden?«, fragte seine Mutter.

Mike schnaubte. »Wollen nicht, aber ich muss.«

»Er hat mich vor einer Weile kontaktiert.«

Er fuhr herum. Sie hatte so leise gesprochen, dass er glaubte, sich verhört zu haben. »Sag das noch mal.«

»Rex hat mich vor einer Weile kontaktiert.«

Wann? Wie? »Aber ... es hieß doch immer, keiner weiß, wo er ist«, stammelte Mike fassungslos. Er fühlte sich hintergangen.

Seine Mutter ließ den Kopf hängen. »So war es ja auch, bis er mir vor ein paar Wochen via Facebook eine Freundschaftsanfrage geschickt hat.«

»Ach, deshalb hast du dich so aufgeregt, als wir neulich beim Abendessen über Facebook und alte Flammen geredet haben.« Er schüttelte ungläubig den Kopf. »Was wollte er denn?«, fragte er gepresst.

»Er wollte wissen, was aus dir geworden ist«, flüsterte Ella.

Ihre Worte versetzten Mike einen Stich. »Das fällt ihm ja reichlich spät ein. Zu spät«, knurrte er. »Warum hast du nichts davon erzählt?«

»Das konnte ich doch nicht! Nicht, solange Simon in Behandlung ist. Kannst du dir vorstellen, wie er reagiert hätte, wenn er erfahren hätte, dass sich Rex nach seiner Familie erkundigt hat?«

»Und was ist mit mir? Warum hast du es nicht wenigstens mir gesagt?«, fragte Mike gekränkt. Seine Sinne und Gedanken waren wie benebelt vor Wut und Enttäuschung.

»Genau deswegen – weil du auf Rex nicht gut zu sprechen bist und eine derart ambivalente Einstellung zu dir selbst hast. Du hast so große Angst, du könntest so sein wie er. Ich weiß, dass du die Sache mit Tiffany auf deine Gene geschoben hast, dabei war das Mädel doch die reinste Klette. Aber jetzt bist du wieder hier, in Serendipity, und ich wollte nicht, dass du dir zu viele Gedanken machst.« Sie saß da wie ein Häufchen Elend, mit zugekniffenen Augen, und ihr war deutlich anzusehen, welch schwere seelische Last sie sich damit aufgebürdet hatte.

Er legte einen Arm um sie und zog sie an sich. »Du hättest es mir nicht verschweigen dürfen«, murmelte er, doch er konnte ihr nicht länger böse sein.

»Ich weiß. Cara war auch dieser Meinung, aber ich habe nicht auf sie gehört.«

Mike erstarrte. »Cara weiß Bescheid?«

Ella stöhnte. »Herrje, es tut mir leid. Als sie neulich hier war, haben wir uns über ihre Eltern unterhalten, und ich habe ihr gesagt, wie gut ich es verstehe, wenn man an seinen eigenen Entscheidungen zweifelt. Ich hatte nicht vor, es ihr zu sagen, aber ich schätze, ich hatte einfach das Bedürfnis, mich jemandem anzuvertrauen, und ehe ich wusste, wie mir geschah, hatte ich es auch schon ausgeplaudert. Sie war der Ansicht, dass du ein Recht darauf hast, es zu wissen. Aber ich habe ihr das Versprechen abgenommen, dass sie es für sich behalten würde.«

»So, so.«

Cara war im Bilde. Und er hatte angenommen, sie würde ihn verstehen. Er hatte gedacht, er könnte ihr vertrauen, wie er noch keiner anderen Frau vertraut hatte. Sie war mit ihm zu Richter Baine gefahren und hatte zu seinen Überlegungen, dass er seinen verhassten Vater suchen musste, kein Sterbenswörtchen gesagt, dabei hatte sie die ganze Zeit über gewusst, dass seine Mutter mit diesem Mistkerl in Verbindung stand.

Seine Mutter packte ihn an den Schultern und schüttelte ihn. »Wag es ja nicht, ihr das übel zu nehmen, Michael! Sie ist nur meinetwegen in diese Zwickmühle geraten!«

»Ja, schon möglich.« Aber er schlief mit ihr, und er hatte sich ihr mehrfach anvertraut. *Sie hätte es ihm sagen sollen.*

»Mach dir deswegen keine Gedanken«, sagte er.

»Du bist also nicht sauer auf sie?«

»Ich gehe heute Abend mit ihr essen«, erwiderte er ausweichend.

»Das ist keine Antwort auf meine Frage.« Ella hatte sich mittlerweile wieder gefasst, und ihre Stimme klang so streng und entschieden wie eh und je.

»Mehr kann ich dir im Augenblick nicht sagen.« Er stand auf. »Wo finde ich Rex?«

Ella schluckte. »Er ist in Nevada.«

»Las Vegas?«

Sie nickte.

»Das passt«, schnarrte Mike.

»Was hast du jetzt vor?«, fragte sie nervös.

Er sah ihr in die Augen. »Ich habe verflucht noch mal nicht den leisesten Schimmer.«

Sie zuckte zusammen, rügte ihn jedoch nicht, als fände sie es gerechtfertigt, dass er seinem Ärger Luft machte.

»Ich muss los.« Er gab ihr einen Kuss auf die Wange. »Bestell Dad Grüße von mir.«

»Mike, bitte beruhige dich und lass uns noch einmal über alles reden, bevor du irgendetwas unternimmst.«

Wieder konnte er ihr nichts versprechen. »Ich liebe dich«, sagte er nur und ging zur Tür.

Es war ein kalter, aber schöner Tag, doch Mike registrierte den strahlenden Sonnenschein gar nicht richtig.

Er war wie betäubt – verletzt, ernüchtert und wütend zugleich. Er musste sich irgendwie abreagieren, ehe er Cara um sieben abholte, sonst geriet der Abend mit Freunden, auf den er sich so gefreut hatte, womöglich zum Albtraum.

Cara empfand wegen dem Dinner mit Faith und Ethan mehr Vorfreude und Aufregung, als sie es sich eingestehen wollte. Aber ehe sie sich gedanklich damit auseinandersetzen konnte, galt es, ihren leeren Kühlschrank aufzufüllen und ihre Vorräte an Knabberzeug und Süßigkeiten aufzustocken. Also begab sie sich, mit ihrer Einkaufsliste bewaffnet, in den Supermarkt. Da sie sonntags oft kochte und einen Teil der Mahlzeiten einfror, damit sie während der Woche etwas zu essen hatte, benötigte sie auch allerlei Grundnahrungsmittel.

Sie schob gerade ihren Einkaufswagen durch den hintersten Gang, als sie plötzlich ihre Mutter erblickte, die mit einem kleinen Korb in der Hand dastand und die Aufschrift auf einer Packung Orangensaft studierte.

»Mom!«, rief sie ganz automatisch. Dann fiel ihr wieder ein, dass sie sich vorgenommen hatte, nicht mit ihrer Mutter zu reden.

Natalie Hartley hob den Kopf. »Cara!«, rief sie sichtlich erfreut über die Begegnung und ging auf sie zu, um sie zu umarmen.

Cara freute sich nicht minder. Sie liebte ihre Mutter und vermisste sie, wenngleich es sie zutiefst frustrierte, dass die Ärmste ein so freudloses Dasein fristete. Oft musste sie den Gedanken daran aktiv verdrängen, sonst versank sie regelrecht in Depressionen. Besonders schlimm war es an den Feiertagen, die Cara meist mit Alexa und deren Vater oder den Marsdens verbrachte statt mit ihren Eltern.

»Wie geht es dir?«, fragte sie und genoss den Blumenduft, der ihre Mutter umgab und Erinnerungen an lang zurückliegende bessere Zeiten weckte.

»Gut, und dir? Alles in Ordnung? Bist du glücklich?« Ihre Mutter spähte gehetzt nach rechts und links.

Cara schluckte den schmerzenden Kloß hinunter, der sich in ihrer Kehle gebildet hatte. »Er ist auch hier, oder?«

Nicht einmal allein einkaufen gehen durfte ihre Mutter. Im Grunde war es schon ungewöhnlich, dass er sie kurz aus den Augen gelassen hatte. »Er ist noch mal zurückgegangen, weil wir die Limo vergessen haben. Schnell, erzähl, bevor er kommt: Geht es dir gut, Schätzchen?«

Cara nickte. »Ja, alles bestens.«

»Meine Kleine, eine Polizistin. Ich bin ja so stolz auf dich«, murmelte ihre Mutter und strich ihr eine Haarsträhne hinters Ohr, worauf Cara prompt errötete.

»Mom ...«

»Nat! Kommst du?«, unterbrach ihr Vater sie mitten im Satz, dabei hatte Cara ihr gerade gestehen wollen, wie sehr sie ihr fehlte.

»Ich muss los«, murmelte Natalie mit hängenden Schultern, ohne ihrer Tochter in die Augen zu sehen. »Ich liebe dich.«

»Nur noch eine Minute. Sag ihm, dass wir uns bloß unterhalten«, flehte Cara.

»Beweg deinen Arsch, Baby. Zeit fürs Mittagessen«, befahl ihr Vater.

Cara blickte zu Greg Hartley hinüber. Er hatte sich das mittlerweile leicht angegraute Haar mit Gel aus dem Gesicht frisiert und nichts von seinem attraktiven Aussehen eingebüßt, doch aus seinen Augen sprühte der blanke Hass. Er sah von seiner Tochter zu seiner Frau, die bereits einen Schritt vor ihr zurückgewichen war.

Es fiel Cara nicht weiter schwer, ihn nicht zu begrüßen.

Und er ließ sie bewusst links liegen. Es ging ihm tierisch gegen den Strich, dass sie Polizistin geworden war, und noch mehr, dass sie längst aufgehört hatte, sich ihm unterzuordnen und ihn als ihren Vater zu betrachten, mehr noch, dass sie ihm jegliche Respektbezeugung verweigerte.

»Nat! Wird's bald?«, bellte er, und ihre Mutter zuckte zusammen und leistete seinem Befehl mit hängenden Schultern Folge.

Cara blickte der in sich zusammengesunkenen Gestalt nach.

Wie sehr sie ihn hasste! Und wie sehr es ihr widerstrebte, mit ansehen zu müssen, wie sich ihre Mutter schikanieren und herumkommandieren ließ, ohne Rücksicht auf ihre eigenen Bedürfnisse. Wenn Cara weiterhin jeglichen Kontakt zu den beiden unterbinden musste, um sich das zu ersparen, dann würde sie es tun. Selbst wenn sie sich vor Sehnsucht nach ihrer Mutter verzehrte und vor Sorge um ihr Wohlergehen halb verrückt wurde. Ihr blieb gar nichts anderes übrig, denn Natalie hatte ihr klipp und klar signalisiert, dass sie Caras Hilfe nicht wollte.

Man kann nur denen helfen, die bereit sind, sich helfen zu lassen, dachte Cara und verbannte ihren Kummer in die hinterste Ecke ihres Gehirns, dorthin, wo er hingehörte. Sie beendete ihren Einkauf, fuhr nach Hause und erledigte den Hausputz.

Bei ihrem Besuch in Havensbridge war sie länger geblieben als geplant, denn Daniella hatte ziemlich down gewirkt, nachdem sie herausgefunden hatte, dass ihr Wiedereinstieg in den Beruf nicht so rasch vonstattengehen würde wie sie gehofft hatte. Ehe sie sich um eine Stelle bewerben konnte, musste sie einen längeren Kurs absolvieren, um ihre Kenntnisse aufzufrischen, was bedeutete, dass sie gezwungen war, noch eine ganze Weile in Havensbridge zu bleiben. Sie fühlte sich einsam und zog doch tatsächlich in Erwägung, wieder nach Hause zu ziehen, sprich, zu ihrem Ex. Cara war beunruhigt und unterhielt sich ausführlich mit Belinda darüber, wie man Daniella beschäftigen und auf andere Gedanken bringen konnte, damit sie ihren Plan nicht in die Tat umsetzte.

Sie hatte schon viele Frauen kennengelernt, die hier Zuflucht gesucht hatten, aber Daniella stand ihr besonders nahe, weil sie sie mit ihren traurigen blauen Augen an ihre Mutter erinnerte.

Nach der Begegnung im Supermarkt war die Sehnsucht nach ihrer Mutter heftig aufgeflammt, doch bis zum späten Nachmittag gelang es Cara, die trübe Stimmung abzuschütteln. Dass sie ihren Kummer erfolgreich verdrängt hatte, verdankte sie nicht zuletzt einem Einkauf bei *Consign or Design*, wo sie zu einem absolut angemessenen Preis einen Minirock mit Leopardenmuster erstanden hatte – ein von der Besitzerin April Mancini höchstpersönlich gefertigtes Einzelstück, in dem sie endlich mal Bein zeigen konnte. Sonst trug sie ja meist Uniform oder Jeans. Sie kombinierte den Rock mit einem schwarzen Seidentop im Lingerie-Look, einem cremeweißen Blazer und ihren schwarzen Lacklederstiefeln und warf einen letzten Blick in den Spiegel.

Nicht übel. Jetzt war sie bereit.

Bereit für Mike.

Wie auf ein Stichwort klingelte es, und als sie zur Tür ging, um ihn hereinzulassen, gebärdeten sich die Schmetterlinge in ihrem Bauch mal wieder wie verrückt.

»Hi!« Sie begrüßte ihn mit einem strahlenden Lächeln und trat einen Schritt zurück, um ihn zu betrachten.

»Hey.« Er passierte sie, ohne eine Miene zu verziehen, mit umwölkter Stirn und einem beängstigend düsteren Blick. Cara fröstelte mit einem Mal, und das hatte nichts mit der kühlen Luft zu tun, die von draußen hereinströmte.

»Bist du fertig?«, fragte er.

»Ich brauche bloß noch meine Tasche und meine Winterjacke.«

Er vergrub die Hände in den vorderen Hosentaschen und wartete ab.

Höchst seltsam, dass er sich so wortkarg gab. So hatte sich Cara die Begrüüßung nicht vorgestellt. Sie schluckte die Enttäuschung darüber, dass er ihr Outfit bislang keines Blickes gewürdigt hatte, hinunter, doch seine verschlossene Miene verstörte sie. War das wirklich derselbe Mann, der sich gestern mit einem leidenschaftlichen Kuss von ihr verabschiedet hatte und heute die Nacht mit ihr verbringen wollte?

»Ähm … ist irgendetwas?«, erkundigte sie sich, während sie ihre kleine Handtasche holte, die auf der Couch lag.

»Was soll denn sein?«

Allmählich schlug ihr Unbehagen in Angst um. »Sag du es mir.«

Er sah auf seine Armbanduhr. »Wir kommen zu spät.«

»Das ist mir schnurzpiepegal.« Solange Mike so mies gelaunt war, würde Cara mit ihm nirgendwohin gehen. Sie pfefferte ihre Handtasche wieder auf die Couch. »Also, sprich dich aus.«

Als er sich zu ihr umwandte, war sein Blick genauso kühl wie sein Tonfall. »Ich habe heute mit meiner Mutter geredet.«

Oh-oh. »Und, was hat sie gesagt?«

Er schüttelte verärgert den Kopf. »Willst du dich ernsthaft dumm stellen? Du weißt genau, was sie gesagt hat. Dass sie mit meinem Vater via Facebook in Verbindung steht. Und dass sie dir davon erzählt hat«, fauchte er aufgebracht.

Cara straffte die Schultern, obwohl sich ihr Magen zusammenkrampfte. »Es war nicht an mir, es dir zu sagen.« Ja, sie hatte ein schlechtes Gewissen deswegen, und sie fürchtete seinen Zorn, aber sie stand zu ihrem Verhalten. Sie hatte gar keine andere Wahl gehabt. Sie schwieg, doch ihr Herz raste.

Er schüttelte bedächtig den Kopf. »Ich habe mit dir über meinen Vater geredet, dabei tue ich das normalerweise nie, mit niemandem. Nicht einmal mit meiner Familie«, sagte er mit einem vorwurfsvollen Blick.

»Ich weiß. Und ich bin froh über jedes noch so kleine Detail, das du mir eröffnet hat.« Sie trat zu ihm, wollte ihm eine Hand auf die Schulter legen, doch er wich zurück.

Seine Reaktion schmerzte sie tief. »Ich habe deine Mutter angefleht, es dir zu sagen, aber sie wollte nicht, dass du dich aufregst. Ich musste ihr versprechen, dass ich dichthalte.«

»Das ist also deine Rechtfertigung?«, höhnte er. »Du hast doch gesehen, in welcher Verfassung ich nach dem Besuch bei Richter Baine war. Du hast live miterlebt, wie hin- und hergerissen ich war. Du hast mich an der Nase herumgeführt, und du glaubst, das geht in Ordnung, weil du meiner Mutter dein Wort gegeben hast?«

Sie nickte, frustriert darüber, dass er sie nicht verstehen wollte. »Ganz recht. Wenn *ich* jemandem etwas verspreche, dann halte ich das auch. So bin ich eben.«

Er hob eine Augenbraue. »Ausnahmslos immer?«

»Jawohl. Und willst du wissen, wieso? Weil ich verdammt gut weiß, was es bedeutet, wenn man ein Versprechen bricht.«

Er musterte sie mit schmalen Augen.

»Mein Vater hat immer wieder gelobt, meine Mutter nicht mehr zu verprügeln, sie nicht mehr zu beleidigen oder herunterzumachen.« Sie dachte an die Szene vorhin im Supermarkt. »Unzählige Male hat er versprochen, dass er sie nicht mehr herumkommandieren würde, ihr nicht mehr verbieten würde, mit mir zu reden.« Ihre Stimme klang belegt, aber sie fuhr fort. »Er hat ihr jegliches Selbstwertgefühl genommen. Und er hat sein Versprechen immer wieder gebrochen, und jedes Mal wurde es noch schlimmer.«

Bei ihren Worten veränderte sich jäh die Atmosphäre im Raum. Die Kälte verflüchtigte sich, und Cara konnte förmlich spüren, wie geschockt Mike war. Aber er sollte ihr nicht aus Mitleid verzeihen, sondern begreifen, warum es ihr so wichtig war, unter allen Umständen Wort zu halten.

»Ich habe schon früh gelernt, dass es nichts Wichtigeres gibt, als Wort zu halten, wenn man jemandem etwas verspricht. Und genau das ist es auch, was mich als Menschen ausmacht. Das ist der Unterschied zwischen ihm und mir.« Jetzt versagte ihr die Stimme, aber sie riss sich am Riemen, wild entschlossen, nicht in Tränen auszubrechen. »Und deshalb habe ich es dir nicht erzählt. Weil ich deiner Mutter mein Wort gegeben hatte.« Sie wandte sich von ihm ab.

Mike trat zu ihr, stand so dicht hinter ihr, dass sie seine Körperwärme spüren konnte. »Cara.«

Sie schüttelte den Kopf. Nicht zu fassen, dass der Abend, auf den sie sich die ganze Woche gefreut hatte, derart aus dem Ruder gelaufen war. Andererseits konnte sie es Mike nicht verübeln, dass er gekränkt und enttäuscht war.

»Sieh mich an«, befahl er mit rauer Stimme. Das klang schon ganz anders als noch vor ein paar Minuten.

Sie war noch nicht bereit, aber er legte ihr die Hände auf die Schultern und zwang sie, sich umzudrehen. »Ich weiß am allerbesten, wie es ist, wenn man nicht so werden will wie sein Vater. Ich war wütend, und ich habe überreagiert und meinen Zorn an dir ausgelassen, weil ich nicht die Möglichkeit hatte, ihn an Rex auszulassen.« Sein schuldbewusstes schiefes Grinsen wirkte entwaffnend.

Sie seufzte. »Ich hätte es dir furchtbar gern gesagt, aber ich konnte nicht.«

»Das verstehe ich jetzt.«

Das tat er wirklich. Sie hatte ihn mit ihren offenen Worten völlig überrumpelt, und sein selbstgerechter Groll hatte sich auf einen Schlag in Luft aufgelöst. Wieder einmal hatte sie ihn total durcheinandergebracht und in ihm Gefühle geweckt, die ihm völlig fremd waren. Und sie hatten mehr gemeinsam, als er angenommen hatte. Beide wollten sie sich nicht nur von ihren Vätern distanzieren, sondern auch noch den Beweis dafür erbringen, dass sie anders waren.

Mike fuhr sich mit den Fingern durch die Haare. Höchste Zeit, diese Unterhaltung zu beenden. Es war alles gesagt. »Sollen wir uns dann auf den Weg machen?«, fragte er.

Cara beäugte ihn argwöhnisch. »Soll das heißen, die Sache ist damit erledigt?«

»Seh ich so aus, als wäre ich nachtragend?«

Sie schnaubte belustigt. »Ja, das tust du, wenn ich ganz ehrlich sein soll.«

Er verdrehte die Augen, und auf einen Schlag waren die Spannungen zwischen ihnen wie weggewischt. »Gehen wir.«

Sie nickte und griff nach ihrer Tasche. »Okay.« Allem Anschein nach hatte sie auch keine Lust mehr, die Diskussion fortzusetzen.

Mike atmete tief durch. Vorhin war ihm in seiner Entrüstung gar nicht aufgefallen, wie schick sie sich zurechtgemacht hatte. Das lange dunkle Haar, das normalerweise zum Pferdeschwanz zusammengebunden war, fiel ihr offen über die Schultern, der Pony hing ihr neckisch in die Stirn, und sie war stärker geschminkt als sonst. Und dann erst das sexy Outfit, das sie trug … er war hin und weg.

Das hier war nicht Cara Hartley, die Polizistin, und auch nicht das Mädchen, das in Jeans und T-Shirt verdammt heiß aussah. Sie hatte sich für ihn in eine sexy Sirene verwandelt, und statt sie gebührend zu bewundern, war er hereingekommen und hatte ihr Vorwürfe gemacht, nur weil sie ihm eine Information vorenthalten hatte.

»Ich bin ein Trottel.«

»Das hast du jetzt gesagt.«

»Du hast es bestimmt gedacht«, murmelte er. »Du siehst toll aus, und das hätte ich dir gleich am Anfang sagen sollen.«

Sie blinzelte perplex, dann lächelte sie breit. »Danke.«

»Können wir noch mal von vorne anfangen?«, bat er und hielt ihr den Arm hin, damit sie sich unterhaken konnte.

Ihm war klar, dass sie das Thema früher oder später noch einmal anschneiden würden und dass er sich überlegen musste, ob er seinen Vater aufsuchen sollte oder nicht. Aber das konnte warten.

Sie leckte sich über die glänzenden Lippen und nickte bedächtig. »Gern.«

Damit war wieder alles in Butter zwischen ihnen, und wieder einmal staunte Mike darüber, wie sehr sich Cara diesbezüglich von den anderen Frauen unterschied, mit denen er vor ihr zusammen gewesen war. Frauen, die sich nur um des Streitens willen mit ihm gestritten hatten. Vor allem Tiffany hatte gern einen kleinen Tobsuchtsanfall inszeniert, um sich durchzusetzen. Und alle hatten sie ihren Ärger in sich hineingefressen, bis sie irgendwann explodiert waren. Doch nicht so Cara – sie sprach offen aus, was in ihr vorging. Bei ihr wusste er immer, woran er war, und das gefiel ihm.

Zwanzig Minuten später bogen sie in die Auffahrt der Villa auf dem Hügel ein. Caras Augen wurden groß und größer, je näher sie dem riesigen Herrenhaus kamen, das vor ihnen in den Nachthimmel ragte. Oben angelangt konnten sie am Fuße des Hügels die Lichter der Stadt funkeln sehen.

»Ich weiß, es ist ein Wahrzeichen von Serendipity, aber der Anblick ist nach wie vor gewöhnungsbedürftig für mich.«

Mike ging es ganz ähnlich. Er entstammte wie Cara einer Familie der Arbeiterklasse, und obwohl er in einem einigermaßen schönen Viertel aufgewachsen war, hätte das Häuschen seiner Eltern mit seinen vier Schlafzimmern vermutlich locker in den Pool gepasst, der sich hinter Ethans Villa befand.

»Es ist schon ziemlich bemerkenswert, ja«, pflichtete er ihr bei.

Sie parkten und gingen zur Tür. Keine zwei Sekunden, nachdem Mike auf die Klingel gedrückt hatte, wurde auch schon die Tür aufgerissen, und ein Mädchen im Teenageralter stand vor ihnen.

»Hallo, Tess«, begrüßte Cara die Kleine.

»Wow, da hast du dir ja ein ganz heißes Exemplar geangelt«, stellte das Mädchen mit einem Blick zu Mike fest.

»Ja, das hab ich.« Cara nickte und zwinkerte ihr zu.

Mike verfolgte es verblüfft.

Er öffnete den Mund, brachte aber keinen Ton heraus.

»Mike, darf ich vorstellen: Tess, die vorlaute Halbschwester von Ethan, Dare und Nash. Tess, das ist Mike Marsden, der *Polizeichef* von Serendipity«, sagte Cara, mit besonderer Betonung seiner Position.

»Heilige Sch…« Jetzt hatte es Tess die Sprache verschlagen, und Cara prustete los.

»Was ist, lässt du uns rein oder müssen wir den ganzen Abend hier in der Kälte stehen?«, fragte sie.

»Kommt rein«, erwiderte das Mädchen missmutig.

»Tausend Dank.« Cara lachte noch immer.

Tess trat etwas beiseite und ließ die beiden herein. Im Vorbeigehen bemerkte Mike, dass sie hautenge Jeans und ein nicht minder enges Top trug. Bequem konnte das weiß Gott nicht sein, aber so kleideten sich Teenager heutzutage eben, wie er wusste.

Sie vernahmen Schritte, und dann Ethans Stimme aus dem Off. »Hast du sie reingelassen, Tess?«

»Na, was denkst du denn«, brummte sie.

Im selben Moment bog er um die Ecke und lächelte, als er seine Gäste erblickte.

Dann musterte er seine Schwester. »Was ziehst du denn für ein Gesicht?«

»Du hast nicht erwähnt, dass der Freund, den du eingeladen hast, der Polizeichef von Serendipity ist«, zischte sie ihm mit hochroten Wangen zu.

»Ich bin nicht beruflich hier«, schaltete sich Mike ein in der Hoffnung, sie damit etwas zu besänftigen.

Ethan lachte. »Das will ich hoffen. Ihre Bewährungsfrist ist schon vor geraumer Zeit abgelaufen.«

»Was?« Mike war überzeugt, dass er sich verhört haben musste.

»Ach, das ist eine lange Geschichte, die ich dir lieber ein andermal erzähle«, winkte Ethan ab.

Tess stampfte mit dem Fuß auf und funkelte ihn bitterböse an. »Das glaub ich doch einfach nicht!« Dann wirbelte sie herum und stürmte die Treppe hinauf.

»Bye, Tess«, rief Cara ihr nach.

»Bye!«

»Was war das denn?«, erkundigte sich Mike.

Ethan schüttelte lachend den Kopf. »Das war Tornado Tess. Los, kommt mit, dann erzähle ich euch alles.« Er bedeutete ihnen, ihm in das große Wohnzimmer zu folgen, das mit einer Bar und einem riesigen Flachbildfernseher ausgestattet war. »Faith kommt gleich runter, sie ist noch mit dem Baby beschäftigt.«

»Oooh, darf ich kurz zu ihr raufgehen?«, bat Cara.

Ethan grinste voller Vaterstolz. »Klar. Immer der Nase nach«, feixte er, und Mike schüttelte sich.

Nicht zu fassen, dass der Bad Boy, der Ethan in der Schule gewesen war, so mühelos den Wandel vom Rebell zum Vater geschafft hatte.

Cara stöckelte lachend von dannen, und Mike sah ihr nach, konnte sich kaum losreißen vom Anblick ihres knackigen Hinterns, der in ihrem kurzen Rock besonders gut zur Geltung kam.

»Puh, du bist ja ganz schön verknallt«, konstatierte Ethan, sobald sie außer Hörweite war.

Mist, erwischt. Mike hob lediglich eine Augenbraue. Was sollte er darauf schon entgegnen?

»Wie ist es denn so, Vater zu sein?«, erkundigte er sich, um einen Themenwechsel bemüht.

Ethan grinste. »Mich hat es weiß Gott auch völlig unvorbereitet getroffen.«

»Wie bitte? Du bist doch alt genug, um zu wissen, dass Sex zu einer Schwangerschaft führen kann«, sagte Mike und schüttelte den Kopf, worauf Ethan anfing zu lachen.

»Ich meinte eigentlich, dass mich die Liebe unvorbereitet getroffen hat, nicht die Vaterschaft.«

»Wer hat hier was von Liebe gesagt? Cara und ich haben bloß ein bisschen Spaß miteinander.«

Ethan ging zur Bar. »Na, wenigstens hast du nicht behauptet, dass es bloß um Sex geht. Scotch?«

Mike nickte. »Danke.« Zugegeben, »bloß ein bisschen Spaß« war die Untertreibung des Jahrhunderts, aber das würde er Ethan garantiert nicht auf die Nase binden.

»Also, ich finde mein Leben großartig.«

Der Mann springt zwischen den Themen hin und her wie ein Gummiball, dachte Mike, während Ethan ihnen einschenkte und ihm eines der Gläser reichte. »Was genau meinst du jetzt mit großartig, Tornado Tess oder die stinkenden Babywindeln?«, scherzte er.

»Beides.« Ethan sah ihn mit unerwartet ernster Miene an. »Als ich nach Serendipity zurückgekommen bin, dachte ich, ich wäre erwachsen, aber erst Tess hat aus mir den Mann gemacht, der ich sein wollte. Faith hat den Rest besorgt. Und dann hat sie mir unsere Tochter geschenkt.« Er hob das Glas. »Auf die Frauen«, sagte er mit dem dümmlichen Grinsen eines verliebten Mannes.

Ganz so schlimm war es um Mike zwar noch nicht bestellt, aber er musste zugeben, dass Cara völlig neue, fremde Seiten an ihm zum Vorschein brachte, mit denen er zuweilen selbst etwas überfordert war. Er stieß mit Ethan an und nahm einen großen Schluck in der Hoffnung, dass es seinen strapazierten Nerven guttun würde.

»Willst du meine Kleine mal sehen?«, fragte Ethan voller Vaterstolz.

»Wie heißt sie denn?«

»Allie, also, Alicia, nach meiner Mutter.«

Mike nickte und erklomm hinter Ethan die lange, gewundene Treppe zum Obergeschoss. Sie passierten das Zimmer von Ethans Halbschwester, aus dem laute Rockmusik ertönte, und steuerten auf eine halb geöffnete Tür etwas weiter hinten zu, aus der ein Lichtschein und leise Frauenstimmen zu ihnen in den halbdunklen Korridor drangen.

An der Schwelle zum Kinderzimmer blieben sie nebeneinander stehen und spähten hinein. Zu Mikes großen Verblüffung hielt nicht Faith, sondern Cara das winzige Bündel im Arm.

Ehe er die Zärtlichkeit, die ihn bei dem Anblick erfasste, einigermaßen einordnen konnte, beugte Cara den Kopf und schmiegte die Nase an den Kopf des Säuglings. »Ich liebe den Geruch von Babys«, flüsterte sie.

»Ja, man möchte sie am liebsten auffressen, nicht?« Faith nickte.

»Was für ein süßer Zwerg!«, seufzte Cara hingerissen. »Ich hatte vorhin bloß Angst, ich könnte ihr womöglich wehtun.«

»Quatsch«, winkte Faith ab. »Du bist ein Naturtalent, das hab ich gleich gesehen, als du sie gewickelt hast. Du bist bereit für deinen eigenen Nachwuchs.«

Mike verfolgte die Szene mit dem unguten Gefühl, dass Ethan das Gehörte zweifellos auf seine eigene Weise interpretieren würde. Dabei hatte er doch selbst keine Ahnung, was er davon halten sollte.

»Ach, wer weiß, ob ich je Kinder haben werde«, winkte Cara zu seiner Überraschung ab. »Dafür müsste ich erst einmal daran glauben, dass man auf Dauer in einer Beziehung glücklich sein kann und dass es dort draußen jemanden gibt, bei dem ich sicher sein kann, dass er mich nicht verletzen wird.«

So, wie ihre Mutter immer wieder verletzt wurde. Mike konnte das unausgesprochene Ende des Satzes förmlich hören.

Bei ihren Worten war ihm, als hätte ihm jemand in die Magengrube geboxt.

Sie glaubte nicht daran, dass man in einer Beziehung auf Dauer glücklich sein konnte, und trotzdem sehnte sie sich ganz offensichtlich nach dem, was Faith hatte – und sie hatte es auch verdient. Er war dafür nicht der Richtige, und zum ersten Mal in seinem Leben war Mike enttäuscht, weil er einer Frau nicht das geben konnte, was sie brauchte.

Nicht *einer* Frau.

Dieser Frau.

Hier sind keine Herzen im Spiel. Das waren seine Worte gewesen. Wenn es so wäre, warum verspürte er dann plötzlich diese Enge in seiner Brust?

Ethan räusperte sich, und die beiden Frauen wandten sich um. »Hi«, sagte Faith. »Kommt doch rein.«

Damit war der Bann gebrochen. Mike betrat hinter Ethan das Zimmer in dem Bewusstsein, dass ihm diese Szene noch sehr, sehr lange im Gedächtnis bleiben würde.

Sie legten das Baby schlafen, sagten Tess gute Nacht und verabschiedeten sich von Rosalita, der Haushälterin, die den Babysitter spielen würde; dann fuhren sie in ein Steakrestaurant in der Nachbarstadt.

Dort saßen sie so eng nebeneinander, dass Mike sich Caras Gegenwart überdeutlich bewusst war. Ihr neues Parfüm, ein verlockender Moschusduft, hüllte ihn ein und versetzte ihn in einen Zustand sexueller Dauererregung. Es war ein Wunder, dass er sich einigermaßen auf die Unterhaltung konzentrieren konnte, obwohl er den ganzen Abend eine Erektion hatte. Faith und Ethan fanden es großartig, zur Abwechslung mal einen Abend in der Gesellschaft erwachsener Menschen zu verbringen, und bestellten eine Flasche Wein, die sie in aller Ruhe zu viert leerten.

Danach gönnten sie sich noch ein Dessert, und als sie endlich den Nachhauseweg antraten, stellte Mike überrascht fest, dass er sich bestens amüsiert hatte. Er konnte sich nicht erinnern, wann er zuletzt mit einem anderen Pärchen ausgegangen war, und er war höchst verwundert darüber, dass er weniger denn je das Bedürfnis verspürte, nach New York zurückzukehren und sein Einsiedlerleben wiederaufzunehmen.

Er hatte nur noch eines im Sinn: Cara ins Bett zu kriegen und dafür zu sorgen, dass sie dort auch blieb.

Kapitel 10

Auch Cara hatte den Abend sehr genossen, obwohl er eine solche emotionale Achterbahnfahrt gewesen war. Sie war entzückt gewesen von Faiths Baby, dessen süßer, unschuldiger Geruch ihr allerlei ungewohnte Gefühle beschert hatte. Dann hatte sie Mike dabei erwischt, wie er sie mit undurchdringlicher Miene beobachtete, und Faith ihre Kleine auf der Stelle zurückgegeben, ehe sich irgendwelche tief in ihr vergrabenen Sehnsüchte melden konnten. Sie konnte und wollte nicht über Themen wie Kinder, Familie oder Langzeitbeziehungen nachdenken, schon gar nicht, wenn Mike in der Nähe war. Das wäre viel zu gefährlich gewesen.

Zu ihrer Erleichterung hatte Ethan bald darauf gesagt, es sei an der Zeit, sich von Tess und Rosalita zu verabschieden und aufzubrechen. Beim Essen hatte sich Cara dann wieder entspannt, nicht zuletzt weil sie mehr Wein als sonst getrunken hatte.

Selbst jetzt, als sie wieder in Serendipity waren, fühlte sie sich noch immer angenehm beschwipst.

Ehe sie wusste, wie ihr geschah, hatte Mike vor ihrem Wohnhaus geparkt und den Motor abgestellt. Er kam auf die Beifahrerseite, um ihr die Tür zu öffnen. Es musste am Wein liegen, dass sie sich so ungeschickt mit dem Sicherheitsgurt anstellte und ein für sie höchst untypisches Kichern nicht unterdrücken konnte.

»Lass mich mal.« Mike beugte sich sogleich über sie, betätigte mit einem raschen Handgriff den Schnapper, und schon war sie frei.

Sie drehte sich zur Seite, um aus dem Jeep zu klettern, doch sein warmer, muskulöser Körper war ihr im Weg, und als sie den verlockenden Geruch einatmete, den sie inzwischen unter Tausenden als den seinen hätte identifizieren können, musste sie sich sehr zusammennehmen, um sich nicht an ihn zu schmiegen. Statt zur Seite zu treten, damit sie aussteigen konnte, packte er sie mit seinen großen Händen um die Taille und hob sie aus dem Wagen, wobei er dafür sorgte, dass sie wie zufällig sein hartes bestes Stück streifte.

Da sie etwas wackelig auf den Beinen war, schlang sie ihm die Arme um den Nacken – natürlich nur um nicht hinzufallen …

Er vergrub das Gesicht in ihrer Halsbeuge und murmelte: »Wie gut du riechst! Ich habe schon den ganzen Abend einen Ständer, weil du im Restaurant so dicht neben mir gesessen hast, in diesem kurzen Rock …«

Bei seinen Worten verspürte Cara ein Ziehen im Unterleib. Sie rieb stöhnend das Becken an ihm und fuhr ihm mit den Fingern durch die Haare.

»Lass uns reingehen«, sagte er und zog sie zur Tür. »Schlüssel?«

Cara öffnete umständlich ihre Handtasche, kramte

den Schlüsselbund hervor und reichte ihn Mike, der im Handumdrehen aufgeschlossen hatte.

Die kühle Nachtluft und das Begehren, das in ihren Adern pulsierte, hatten zwar dafür gesorgt, dass sie wieder einen einigermaßen klaren Kopf hatte, aber sie überließ ihm trotzdem das Kommando – erstens, weil sie es heiß fand, und zweitens, weil sie ihm dieses Recht gerne zugestand, solange er nicht auch in anderen Bereichen ihres Lebens die Kontrolle an sich riss. Wann genau sie zu dieser Entscheidung gekommen war, wusste sie selbst nicht. Aber hey, so war er eben. Er gab im Bett gern den Ton an, und sie ließ ihn bereitwillig gewähren. Ihr fiel deswegen kein Zacken aus der Krone, und außerdem waren sie diesbezüglich schon ein eingespieltes Team.

O ja, im Bett passten sie perfekt zusammen, so viel stand fest.

Sie ließ die Jacke über die Schultern und auf den Boden im Vorraum gleiten, und als sie sich vornüber beugte, um sich die Stiefel auszuziehen, schob Mike die Hände unter ihren Rock und betastete das Spitzenhöschen von Victoria's Secret, das sie extra angezogen hatte, weil er angekündigt hatte, dass er über Nacht bleiben würde.

Ihr wurde heiß, als er begann, ihren Po zu streicheln.

»Cara, Baby«, murmelte er heiser.

Sie erstarrte und wirbelte herum. »Baby?«, wiederholte sie, und erst da wurde ihm bewusst, was er gesagt hatte.

»Okay, jetzt reicht's«, knurrte er, packte sie am Arm

und bugsierte sie ins Wohnzimmer, wo er sich auf dem Sofa niederließ und sie auf seinen Schoß zog. »Es ist mir einfach so rausgerutscht, schon wieder, und ich will endlich wissen, warum du so kratzbürstig darauf reagierst.«

»Ich will nicht darüber reden.«

»Ich aber.« Er hob ihre Hand zum Mund und drückte die Lippen an ihr Handgelenk, direkt auf die Stelle, an der ihr rasender Puls zu spüren war. »Also, erklär es mir, damit ich es verstehe und wir etwas dagegen unternehmen können«, befahl er.

Seine Miene verriet, dass er sich von seinem Vorhaben nicht abbringen lassen würde. Cara schnaubte frustriert. »Ich weiß, ich benehme mich albern.« Denn es war offensichtlich, dass Mike dieses Wort verwendete, weil er sie mit einem Kosenamen ansprechen wollte.

Dummerweise wurde Cara immer fuchsteufelswild, wenn man sie Baby nannte, sei es nun scherzhaft oder freundlich gemeint.

Sam und Dare hielten sie deshalb für eine Feministin, und sie machte sich nicht die Mühe, die beiden zu korrigieren. Aber niemand hatte bisher ihre Gründe hinterfragt.

Mike hatte die Finger mit den ihren verflochten. »Von albern habe ich nichts gesagt. Ich will einfach wissen, was dich daran so stört.«

»Also gut, meinetwegen«, sagte sie genervt. Sie fühlte sich in die Enge getrieben. »Es liegt daran, dass mein Vater meine Mutter immer Baby nennt. Baby, bring mir einen Drink. Baby, hol mir die Zeitung. Baby, hör auf, dich wie eine gottverdammte Drama Queen aufzuführen. Baby, halt endlich die Schnauze und fang an zu kochen.« Und *Baby, warum tust du nicht, was ich dir sage?*, ehe er mit den Fäusten auf sie losging.

Mike, der unwillkürlich den Kopf eingezogen hatte, straffte die Schultern. »Danke, dass du es mir gesagt hast.«

Sie spürte, dass es aufrichtig gemeint war. »Tja, wie es aussieht, bin ich noch verkorkster als du, hm?« Sie lachte, obwohl ihr eigentlich nicht danach zumute war.

»Ich glaube, das hält sich so in etwa die Waage, *Baby.*« Ehe sie reagieren konnte, hob er erneut ihr Handgelenk zum Mund und ließ die Zunge über die empfindliche Haut dort gleiten.

Sie schauderte wohlig in Anbetracht der kühlen Feuchtigkeit und verspürte ein Kribbeln tief in ihrem Inneren, sodass sie unwillkürlich die Hüfte etwas hin und her bewegte, um sich an ihm zu reiben.

»Merkst du was?«, fragte er.

»Was?« Sie bemerkte lediglich die schmerzende Leere zwischen ihren Beinen.

Er grinste. »Das nennt man Desensibilisierung. Das werde ich jetzt jedes Mal machen, wenn ich dich *Baby* nenne, bis du bei dem Wort nur noch an all die unanständigen Dinge denkst, die ich mit dir anstellen werde, und die schlimmen Erinnerungen vergisst.«

»Und du meinst, das funktioniert?«, hauchte sie gerührt.

Mike zuckte die Achseln. »Ich hoffe es. Und ich bin sicher, wir werden sehr viel Spaß beim Ausprobieren haben.«

Während er auf die feuchte Spur pustete, die er auf ihrer Haut hinterlassen hatte, setzte sich Cara rittlings auf ihn, sodass sich ihr Geschlecht direkt über seinem prallen Schaft befand.

»Siehst du?«

Sie lachte.

Er beugte den Oberkörper nach vorn und drückte ihr die Lippen auf den Mund, ganz sanft zunächst, immer wieder unterbrochen von zärtlichen Vorstößen seiner Zungenspitze. So saßen sie eine halbe Ewigkeit da, knutschten, was das Zeug hielt und befummelten einander durch die Kleidung hindurch. Diese Art von Vorspiel hatte sie schon lange nicht mehr erlebt. Ihrer Erfahrung nach kamen die Männer normalerweise ziemlich schnell zur Sache, wenn Sex das Ziel war. Doch Mike hatte es offenbar nicht eilig, sondern schien es genauso zu genießen wie sie.

Er legte die Hände auf ihre Brüste, massierte und liebkoste sie durch den BH und das Seidentop hindurch, bis die Nippel hart und fest waren. Als er den Kopf beugte und an einer ihrer Knospen zu saugen begann, wurde Cara von einer Welle der Erregung erfasst. Es fühlte sich an, als würde er ihre nackte Brust liebkosen. Sie drückte den Rücken durch, und er biss ganz vorsichtig zu, was sie nur noch mehr antörnte. Ihr Slip war schon ganz feucht, und sie zitterte am ganzen Körper.

Schließlich schob er eine Hand unter das Top und in den BH, um die Brustwarze zwischen Daumen und Zeigefinger zu rollen, während er fortfuhr, die andere

Brust mit dem Mund zu verwöhnen, daran zu saugen und zu knabbern. Er schien instinktiv zu wissen, was sie brauchte, und schon bald wand sie sich in höchster Erregung auf ihm.

Mike hob den Kopf und sah ihr in die Augen. »Ja, lass dich gehen, Baby«, murmelte er, dann machte er weiter, mit Fingern und Zähnen, bis sie weiße Lichtblitze sah und sich ihre Lust in einem plötzlichen, lang andauernden Orgasmus entlud. Sie war verloren, schaukelte selbstvergessen auf ihm vor und zurück, bis er sie bei den Hüften packte und an sich presste, um seine harte, heiße Männlichkeit an ihr zu reiben.

Hinterher stellte sie fest, dass auch Mike gekommen war. Er murmelte etwas von wegen, er fühle sich wieder wie siebzehn, und sie begaben sich lachend ins Bad, wo sie ihn gründlich wusch und dabei seinen Körper besser kennenlernte als den irgendeines anderen Mannes bisher. Er zeigte sich dafür erkenntlich, und danach fielen sie sauber, feucht und splitterfasernackt in ihr Bett.

»Bist du müde?«, fragte sie, als Mike sie an sich zog. Sie selbst sprühte förmlich vor Energie.

Statt einer Antwort drehte er sie auf den Rücken und hielt ihre Hände über ihrem Kopf fest. »Bist *du* müde?« Er sah ihr in die Augen, und sie schüttelte mit einem schelmischen Grinsen den Kopf. »Tja, dann …« Er ließ seinen Körper für sich sprechen, strich mit dem erigierten Glied an ihren Liebeslippen entlang.

»Mmmm …«, stöhnte sie, weil es sich so gut anfühlte.

»Gefällt dir das?«, fragte er und tauchte die Eichel ein klein wenig zwischen die Falten ihres Geschlechts.

»O ja.« Sie warf den Kopf in den Nacken und stöhnte lauter.

Jetzt hielt er ihre Arme nur noch mit einer Hand fest, um mit der anderen sein bestes Stück direkt über ihrer Vagina zu positionieren. »Bist du bereit für mich, Baby?«

Cara kam sich vor, als müsste sie jeden Augenblick losschnurren wie eine Katze.

Im Hinterkopf hatte sie zwar registriert, wie er sie genannt hatte, aber das Wort hatte seine negative Bedeutung verloren, seit sie ihm den Grund für ihre Abneigung erklärt hatte. Mike war nicht darauf aus, sie zu erniedrigen oder sich von ihr bedienen zu lassen, im Gegenteil: Er war im Begriff, sie nach allen Regeln der Kunst zu verwöhnen.

Sie zog die Beine an, um ihn besser in sich aufnehmen zu können und sah, wie sich seine Pupillen weiteten, ehe er tief in sie eindrang und von ihr Besitz ergriff.

»Heiliger Strohsack.« Ein Beben ging durch seinen gesamten Körper. Sie konnte es ihm nur zu gut nachfühlen. Auch sie konnte ihn überall spüren, in sich, auf sich, war ganz und gar von ihm ausgefüllt. Und dann begann er, sich in ihr zu bewegen, glitt aus ihr heraus und wieder hinein, ganz langsam und sinnlich erst, dann immer rascher und ungestümer, während er weiter ihre Handgelenke umklammert hielt. Er war so gut, dass sie schon bald auf den nächsten Höhepunkt zusteuerte, obwohl sie doch eben erst einen Orgasmus gehabt hatte.

Von Leidenschaft übermannt reckte sie ihm begierig das Becken entgegen, genoss die köstliche Reibung und die unbeschreibliche Erregung, die ihr seine pralle, heiße Erektion bei jedem Eindringen bescherte. Ihr zweiter Orgasmus begann als leises Kribbeln, doch als Mike schließlich kam und ihren Namen rief, riss er sie mit auf dem Weg zum Gipfel der Lust.

»Oh, oh, o Gott, fester, Michael!«, rief sie und erkannte ihre eigene Stimme kaum, während Welle um Welle der Lust sie schüttelte.

Er schien es gehört zu haben, denn er gehorchte, stieß noch heftiger in sie, immer wieder, bis die schwindelerregenden Empfindungen allmählich nachließen und er erschöpft über ihr zusammensank.

Cara lag regungslos da und konnte keinen Finger rühren, aber sie wollte es auch gar nicht. Mit Bedauern registrierte sie die plötzliche Leere, als er sich irgendwann von ihr herunterrollte und aus ihr herausglitt. Er drehte sich auf die Seite und zog sie an sich.

»Gute Nacht, Baby«, murmelte er und schlief ein.

Als Mike tags drauf erwachte, fühlte er sich … anders als sonst. Irgendetwas hatte sich gestern Nacht verändert, das spürte er, noch ehe er die Augen geöffnet hatte. Er lag auf dem Rücken, in seiner üblichen Schlafposition, Cara lag halb auf ihm, halb neben ihm. Ihr Kopf ruhte auf seinem Brustkorb, ein Bein hatte sie um sein Bein geschlungen. Trotzdem fühlte er sich kein bisschen eingeengt, und das, obwohl sie sich gestern Nacht so unheimlich nahe gewesen waren. Noch näher als bisher.

Wie die meisten Männer hielt sich Mike für einen Experten in Sachen Sex, und ihm war bewusst, dass das, was da zwischen ihm und Cara abging, definitiv mehr war als Sex. Wann immer sie miteinander schliefen, empfand er tief in seinem Inneren eine ... Ergriffenheit, die er nicht deuten konnte, und er hatte auch nicht vor, sich näher damit auseinanderzusetzen, denn dann würde er womöglich die Beine in die Hand nehmen.

Und dafür war er noch nicht bereit.

Nachdenklich tastete er nach einer ihrer langen rabenschwarzen Haarsträhnen und ließ sie sich durch die Finger gleiten. Cara war verschlossener, als er angenommen hatte, eine verwundete Seele. Sie forderte nicht viel von ihm und reagierte überrascht, wann immer er etwas tat, das sie freute. Anfangs hatte er das darauf zurückgeführt, dass sie, wie sie selbst sagte, nicht viel von ihm erwartete und sich mit dem begnügte, was er ihr zu geben gewillt war. Aber allmählich fragte er sich, ob sie vielleicht ganz allgemein keine großen Erwartungen an ihre Mitmenschen hegte.

Was mehr über ihr seelisches Gepäck verriet als über das seine. Je mehr sie ihm vorenthielt, desto größer wurde seine Neugier. Und je mehr er über sie in Erfahrung brachte, desto mehr reizte sie ihn. Höchst ungewöhnlich, das alles, jedenfalls für ihn.

Sie hob den Kopf, und einen Moment später blickte er in ihre blauen Augen. Es gab weiß Gott unangenehmere Arten aufzuwachen. »Guten Morgen.«

Sie lächelte. »Morgen.«

Ausgerechnet jetzt ertönte das Klingeln seines Mobiltelefons. Es klang gedämpft, weil es noch in seiner Hosentasche steckte, war aber dennoch deutlich hörbar. Er seufzte. »Ich sollte wohl besser rangehen.«

»Und ich sollte mal nachsehen, ob mich jemand angerufen hat. Gestern Abend war ich so mit dir beschäftigt, dass ich gar nicht mehr daran gedacht habe«, gestand sie mit geröteten Wangen.

Er grinste und empfand einen absurden Stolz darüber, dass er eine derartige Wirkung auf sie ausübte. »Okay, sieh nach und komm dann wieder ins Bett. Wir haben noch Zeit für einen Quickie, bevor du zur Arbeit musst.«

Cara schnaubte, doch ihre glänzenden Augen verrieten, dass sie einem morgendlichen Schäferstündchen durchaus nicht abgeneigt war.

Er erhob sich und zog das Telefon aus der Jeanstasche. »Erin«, murmelte er. »Die kann ich auch nachher noch zurückrufen.«

»Oh, nein …«

Wie es schien, hatte Cara einen wichtigen Anruf verpasst.

»Was ist los?«

»Drei Anrufe aus Havensbridge.« Sie drückte auf einen Knopf und hielt sich ihr Handy ans Ohr.

Mike versuchte, die Tatsache zu ignorieren, dass sie nackt vor ihm stand, denn sie wirkte sichtlich beunruhigt, doch es fiel ihm schwer, den Blick von ihrem durchtrainierten Körper abzuwenden, der einerseits so athletisch wirkte und dennoch so kurvig und feminin.

»Was soll das heißen, sie ist weg?«, fragte sie mit schriller Stimme.

Mike deponierte sein Handy auf dem Nachttisch und ging um das Bett herum auf ihre Seite.

»Verstehe«, sagte sie jetzt. »Ruf mich an, sobald es etwas Neues gibt, ja? Danke.« Sie beendete das Gespräch und pfefferte frustriert das Telefon aufs Bett. »Verdammter Mist!«

»Geht es um die Frau, um die du dir neulich schon Sorgen gemacht hast?«, fragte Mike.

Cara nickte mit Tränen in den Augen. »Daniella ist gestern Abend aus Havensbridge abgehauen. Sie ist einfach rausmarschiert, ohne irgendjemandem zu sagen, wohin sie will.«

»Beruhige dich.« Ihr ganzer Körper war steif vor Anspannung, dennoch ließ sie es widerstrebend geschehen, als er sie an den Oberarmen packte und sie zwang, sich zu setzen. »So, und jetzt erzähl mir, was passiert ist«, befahl er mit fester Stimme.

»Eine der anderen Frauen meinte, Daniella hätte gestern Abend versucht, mich zu erreichen, aber ich bin nicht rangegangen. Ich habe sie im Stich gelassen. Jetzt ist sie vermutlich zu ihrem Ex zurück. Sonst hat sie hier niemanden; ihre Familie wohnt weiter weg.« Inzwischen strömten ihr die Tränen über das Gesicht.

Mike hatte sich in der Gegenwart von theatralisch schluchzenden Frauen stets unbehaglich und überfordert gefühlt, doch das hier war etwas anderes. Cara war wie Erin – sie weinte nicht grundlos. Sie empfand echte Verzweiflung, und die Betroffenheit schnürte ihm die Kehle zu, als er ihr mit dem Daumen die Tränen von der Wange wischte.

»Wer weiß, vielleicht wollte sie dir nur Bescheid geben und hätte sich von dir ohnehin nicht von ihren Plänen abbringen lassen.«

Sie schluckte. »Das glaube ich nicht.« Dann holte sie zitternd Luft. »Aber danke, dass du versuchst, mich zu beruhigen.« Sie rang sich ein Lächeln ab, obwohl ihr ganz offensichtlich nicht danach zumute war.

»Tu das nicht.«

»Was?«

»Hör auf, dich vor mir zu verstellen«, sagte er und überraschte damit sowohl sich selbst als auch Cara. »Du bist aufgebracht und traurig, und ich verstehe das voll und ganz, also tu bitte nicht so, als wäre alles in bester Ordnung, ja? Nicht in meiner Gegenwart.«

Sie hickste, sodass ein Ruck durch ihren Körper ging, blieb ihm aber die Antwort schuldig. Ihr war deutlich anzusehen, dass sie krampfhaft versuchte, sich zusammenzunehmen, und aus unerfindlichen Gründen betrübte es Mike zutiefst, dass sie ihre Gefühle vor ihm verbarg, statt sich an seiner Schulter auszuweinen. Doch er fragte nur: »Was hast du jetzt vor?«

»Ich gehe zur Arbeit, was sonst? Was soll ich schon machen? Sie gilt nicht als vermisst, und ich kann sie nicht zwingen, ins Frauenhaus zurückzukehren. Wenn ich bei ihr zu Hause aufkreuze, provoziere ich damit womöglich ihren Ex. Ich muss einfach abwarten, bis sie mich kontaktiert, wenn sie Hilfe braucht. Vorausgesetzt, sie kann sich noch einmal dazu durchringen, mir zu vertrauen.« Cara schüttelte frustriert den Kopf und machte sich von ihm los. »Ich muss unter die Dusche und dann aufs Revier.«

Mike ließ sie gehen, weil er spürte, dass er im Augenblick nichts für sie tun konnte. Sie verschwand im Bad und schloss die Tür, und er blieb mit einem unguten Gefühl zurück. Er folgte ihr nicht, weil ihm klar war, dass sie jetzt ihre Ruhe haben wollte. Also ließ er sich rücklings auf das Bett plumpsen, die Hände hinter dem Kopf verschränkt und darum bemüht, das Prasseln der Dusche zu ignorieren und nicht daran zu denken, wie das Wasser über ihren Rücken, ihre nackte Haut lief.

Schließlich ging die Tür wieder auf, und Cara kam heraus, in ein flauschiges weißes Handtuch gewickelt, umgeben von Dampfschwaden und einem verlockenden Duft, der ihn nur noch mehr erregte.

»Hey«, sagte sie leise. Das feuchte Haar hing ihr über die Schultern.

»Hey.«

»Entschuldige, dass ich meinen Frust an dir ausgelassen habe«, sagte sie mit ernster Miene.

Er streckte eine Hand nach ihr aus. »Vergessen und vergeben. Komm her.«

Sie kuschelte sich an ihn und flüsterte: »Ich habe Angst. Angst, dass Daniella von ihrem Ex nicht mit offenen Armen empfangen wird, sondern mit geballten Fäusten.«

Mike schob ihr das Haar aus dem Gesicht und drückte sie an sich. »Du kannst unmöglich alle Probleme der

Welt auf deine Schultern laden, ganz gleich, wie sehr du dich dazu verpflichtet fühlst.«

Cara seufzte tief. Sie saßen noch eine ganze Weile schweigend da, und es fühlte sich … gut und richtig an.

»Danke«, murmelte sie schließlich.

»Gern geschehen.«

Sie atmete tief durch und schmiegte sich noch näher an ihn, und er hätte sie gern von ihrer Angst und ihren Schuldgefühlen befreit, aber das konnte er nicht. Er konnte lediglich für sie da sein – jetzt und später, wenn Daniella wieder auftauchte.

Seine größte Sorge war nicht, dass sie ihn als ihre seelische Stütze betrachtete, nein. Ihm graute vielmehr davor, dass *er* auf *ihre* Unterstützung angewiesen sein würde, wenn er endlich herausgefunden hatte, welches Geheimnis Rex und Simon verband.

Nach dem Anruf in Havensbridge fuhr Cara schlecht gelaunt aufs Revier, und an ihrer gedrückten Stimmung sollte sich die ganze Woche nichts ändern. Bei ihrem nächsten Besuch im Frauenhaus verursachte ihr Daniellas Abwesenheit regelrecht Magenschmerzen. Sie war halb wahnsinnig vor Sorge um sie. Mike hatte die Dienstpläne umgestellt, sodass sie nun tagsüber ohne Partner auf Streife fahren musste. Wenn alles ruhig war, gestaltete sich der Dienst zwar eintöniger, aber die Neuerung hatte auch ihr Gutes: Erstens musste sie stets hoch konzentriert und bei der Sache sein, zweitens konnte sie ihre eigenen Entscheidungen treffen.

Am Arbeitsplatz benahmen sie sich beide wie bisher – Mike schenkte ihr keine vermehrte Aufmerksamkeit, und Cara war auch nicht darauf aus. Falls sie neulich abends jemand gesehen haben sollte, so enthielt sich der Betreffende jeglichen Kommentars.

Es war also alles wie gehabt, einmal abgesehen von Sam, der es sich zur Gewohnheit gemacht hatte, Cara tagtäglich daran zu erinnern, dass Mike ein notorischer Schürzenjäger war und unter chronischer Bindungsangst litt. Cara wusste es zwar zu schätzen, dass sich Sam um ihr Wohl sorgte, aber sie hatte es satt, ständig an etwas erinnert zu werden, das sie längst wusste und akzeptiert hatte und an das sie nicht denken wollte, solange sie es vermeiden konnte.

Im Laufe der Woche war Cara mehrere Male an dem Wohnblock vorbeigefahren, in dem Daniellas Ex wohnte, in der Hoffnung, sie wenigstens einmal kurz zu erspähen, doch ohne Erfolg. Nur mit größter Mühe konnte sie sich davon abhalten, an der Tür zu klingeln. Man konnte nie wissen, wie ihr Freund auf Caras Besuch reagieren würde, ob sie nun in Uniform war oder in Zivil. Sie wusste, wie sehr sich ihr Vater darüber aufregte, wenn ihre Mutter erwähnte, dass sie die Gesellschaft anderer Menschen genoss – es führte unweigerlich dazu, dass er sie noch mehr isolierte und ihre Kontakte zur Außenwelt unterband.

Nach einer schier endlosen Arbeitswoche kam Cara schließlich nach Hause, schlüpfte in ihren Jogginganzug, goss sich ein großes Glas Cranberrysaft ein und kuschelte sich auf ihren Lieblingssessel. Zwei Tage süßes Nichtstun kamen ihr jetzt gerade recht. Sie brauchte dringend eine Pause.

Da sie Mike die ganze Woche nicht privat getroffen hatte, zog sie in Erwägung, ihn anzurufen. Würde er denken, dass sie nur Sex wollte? Oder wirkte es aufdringlich, wenn sie nicht abwartete, bis er sich meldete? Hm. Und wenn schon – sie hatte das Bedürfnis, ihn zu sehen. Was sollte schon groß passieren? Im schlimmsten Fall ließ er sie abblitzen. Was allerdigns eher unwahrscheinlich war, jedenfalls nach den begehrlichen Blicken zu urteilen, die er ihr im Büro immer wieder verstohlen zuwarf, wenn er sich unbeobachtet wähnte.

Just als sie sich auf die Suche nach ihrem Handy machen wollte, klingelte es an der Tür. Cara stellte ihr Glas auf einem Untersetzer ab und erhob sich, um nachzusehen, wer der Überraschungsgast war. Ihre Nachbarin bat sie gelegentlich, auf ihre Katze aufzupassen, wenn sie übers Wochenende verreiste, was Cara sehr gelegen kam. Sie liebte Tiere und hätte sich gern selbst einen kleinen pelzigen Gefährten gehalten, aber in Anbetracht ihrer Arbeitszeiten erschien ihr das keine gute Idee.

Nach einem Blick aus dem Fenster neben der Tür blinzelte sie überrascht: Draußen stand Mike in Jeans und Lederjacke und stützte sich mit einer Hand lässig am Türrahmen ab.

Sie öffnete ihm. »Mike!«, rief sie lächelnd und konnte die Freude über den spontanen Besuch nicht verbergen.

»Das ist ja ein Empfang nach meinem Geschmack.« Er schlang ihr einen Arm um die Taille und zog sie an sich, um ihr einen leidenschaftlichen Kuss zu geben, den sie nicht minder leidenschaftlich erwiderte.

»Mmm«, stöhnte sie. »Du hast mir gefehlt.«

»Du hast mir auch gefehlt.« Er ging um sie herum in den Vorraum.

»Was verschafft mir denn die Ehre? Hast du schon gegessen? Ich noch nicht, aber ich wollte mir gerade etwas kochen«, sagte sie mit einem Blick zur Küche.

»Ich kann nicht lange bleiben. Ich wollte mich bloß verabschieden, ehe ich losstarte.« Seine Worte trafen sie unvorbereitet und schmerzten wie ein Schlag in die Magengrube.

Cara zwang sich, tief durchzuatmen. »Wo willst du denn hin?«, erkundigte sie sich scheinbar unbekümmert.

Es musste nicht unbedingt sein, dass er auf Nimmerwiedersehen verschwand. Noch nicht. Auch wenn Sam sie ständig davor warnte, dass genau das jederzeit passieren konnte.

»Nach Las Vegas, um meinen Vater zu suchen.«

»Oh. Wow.« Gott sei Dank. Er hatte also nicht vor, seine Zelte hier endgültig abzubrechen. Er würde wiederkommen.

Aber ihre Reaktion bewies glasklar, dass sie ihn schon viel zu nah an sich herangelassen, sich viel zu sehr an seine Anwesenheit in Serendipity gewöhnt hatte.

Höchste Zeit, sich auf den Fall zu konzentrieren und ihre albernen Gefühle schleunigst wieder in die hinterste Ecke ihres Herzens zu verbannen, dorthin, wo sie hingehörten. »Ich wusste gar nicht, dass du schon so konkrete Pläne hast.«

»Ich habe mich ganz spontan dazu entschlossen. Ich hätte ihn auch erst über Facebook kontaktieren können, aber dann hätte ich ihm die Entscheidung überlassen, ob wir uns treffen oder nicht. Ich dachte, wenn ich den Überraschungseffekt nutzen kann, schaffe ich es vielleicht eher, etwas über seine Vergangenheit in Serendipity herauszufinden«, erklärte er leichthin, doch seine angespannte Miene verriet ihr, dass er sich sein Vorgehen gründlich überlegt hatte.

»Woher weißt du, wo du ihn findest?«

»Ich habe jemanden, dem ich vertraue, darum gebeten, ein paar Nachforschungen anzustellen, und dann habe ich einen Privatdetektiv engagiert. Angeblich verkehrt Rex fast jeden Abend in einer Spelunke namens Shots, die weder für ihre Klientel noch für die Qualität der ausgeschenkten Getränke berühmt ist.« Er rümpfte angewidert die Nase.

»Soll ich mitkommen?«, fragte Cara, ohne lange zu überlegen. Kaum hatte sie es ausgesprochen, hätte sie sich am liebsten auf die Zunge gebissen.

Bestimmt konnte er auf Publikum verzichten, wenn er das erste Mal in seinem Leben seinem leiblichen Vater gegenüberstand. Jenem Mann, den er abgrundtief hasste … und den er trotzdem kennenlernen wollte, wie sie annahm. Und genau deshalb sollte er diese Reise nicht allein antreten müssen.

Kapitel 11

Mike hatte nie in Erwägung gezogen, Cara zu fragen, ob sie ihn begleiten wollte. Er kümmerte sich allein um seine Angelegenheiten, vor allem, wenn sie persönlicher Natur waren. Trotzdem hatte er ja gesagt, als sie ihn gefragt hatte, ob sie mitkommen solle. Er hatte darauf bestanden, das Flugticket zu bezahlen und schaffte es sogar, ihr einen Sitzplatz neben sich zu besorgen. Sie war den ganzen Flug lang ungewöhnlich still, was ihm jedoch nicht weiter zu denken gab. Es gab genug, worüber er sich den Kopf zerbrechen konnte. Die Vorstellung, seinem Vater zu begegnen, verursachte ihm akutes Magengrimmen. Cara schien es zu ahnen, denn statt sich mit ihm zu unterhalten, vertiefte sie sich in die mitgebrachte Lektüre, einige Hochglanzmagazine und ein Roman von Patricia Cornwell.

Nach etwa einer Stunde kündigte der Pilot über Lautsprecher Turbulenzen an und ermahnte die Passagiere, sich anzuschnallen. Mike spähte auf seinen Sicherheitsgurt hinunter, Cara tat es ihm nach und überprüfte, ob er auch richtig geschlossen war, ehe sie weiterlas. Gleich darauf machte sich das erste Luftloch bemerkbar.

Cara schnappte nach Luft und krallte die Finger in Mikes Arm. »O Gott, o Gott«, stieß sie hervor und bohrte ihm die Fingernägel ins Fleisch.

Das Flugzeug sackte erneut ab, und Mike nahm ihre verkrampfte Hand, löste sie von seinem Arm und verflocht die Finger mit den ihren.

»Entschuldige«, murmelte sie, als sie die Spuren sah, die ihre Nägel hinterlassen hatten.

»Kein Problem.« Er blickte in ihr blasses Gesicht. »Bist du schon mal geflogen?«

»Zwei-, dreimal, aber ich konnte mich nie so recht damit anfreunden.« Sie lief rot an und zog verlegen den Kopf ein.

Mike war gerührt, dass sie trotzdem bereit gewesen war, ihn zu begleiten. »Warum hast du nicht erwähnt, dass du nicht gerne fliegst?«

Sie zuckte die Achseln, und er grinste.

»Ich weiß, warum. Weil du mir beweisen willst, dass du tough bist.«

Damit handelte er sich einen bösen Blick von ihr ein. »Ich *bin* tough.«

Er lachte und strich ihr eine Haarsträhne hinters Ohr. »Ja, das bist du in der Tat.«

Sie sah ihm in die Augen, sichtlich erfreut über seine ehrliche Einschätzung. Ihr Lächeln und ihre unverhohlene Dankbarkeit ließen sein Herz unvermittelt schneller schlagen.

Dann wechselte sie zu seiner Erleichterung das Thema. »Du hast mir noch gar nicht erzählt, wo wir absteigen.«

»Im Bellagio.« Ursprünglich hatte er ein Zimmer im eher bescheidenen MGM reserviert, aber nachdem sie beschlossen hatte mitzukommen, hatte er spontan umgebucht. Diesen Aufenthalt würde sie nicht so schnell vergessen.

»Ehrlich?« Sie riss die Augen auf. »Das Hotel mit den riesigen Springbrunnen aus Ocean's Eleven?«

Hm, wenn die sonst so gelassene Cara vor Begeisterung sprühte, dann hatte er wohl die richtige Entscheidung getroffen. Die Turbulenzen schien sie darüber völlig vergessen zu haben.

Er drückte ihre Hand. »Warte, bis du erst das Zimmer gesehen hast. Für morgen Abend habe ich uns übrigens einen Tisch im Delmonico Steakhouse reserviert, im Venetian.« Er wollte ihr zeigen, was Las Vegas so alles zu bieten hatte, einschließlich einer Gondelfahrt im Venetian. Er erkannte sich selbst nicht wieder.

»Also, hör mal, das ist doch bestimmt furchtbar teuer.« Sie zog die Nase kraus, wobei sich zwischen ihren Augenbrauen eine kleine Falte bildete. »Ich …«

Er unterbrach sie, indem er ihr den Zeigefinger auf die Lippen legte. Sie hob eine Augenbraue, und ehe er wusste, wie ihm geschah, knabberte sie auch schon zärtlich an seiner Fingerkuppe.

Sein bestes Stück reagierte umgehend, und Mike fluchte verhalten. »Lass das mal lieber bleiben, es sei denn, du willst, dass ich dich aufs stille Örtchen schleppe und ein Mitglied des Mile-High-Clubs aus dir mache.« Er entzog ihr seine Hand, ehe er in Versuchung geriet, sie gleich an Ort und Stelle zu vernaschen, und musste über ihr zufriedenes Grinsen lachen.

»Benimm dich«, knurrte er mit gespielter Strenge.

»Na gut, wenn's unbedingt sein muss …« Sie lehnte sich zurück und starrte mit einem unwiderstehlichen, spitzbübischen Lächeln auf die Rückenlehne des Sitzes vor ihr. »Hey, die Turbulenzen sind vorbei«, stellte sie fest. »Danke, dass du mich abgelenkt hast.« Nun war sie wieder ganz entspannt.

Ganz im Gegensatz zu Mike, für den sich der Rest des Fluges eher unerquicklich gestaltete. Er konnte es kaum erwarten, in Vegas zu landen und mit ihr ins Hotel zu fahren. Vor der Konfrontation mit seinem Vater musste er dringend noch Dampf ablassen.

Und er wusste auch schon, wie.

Von dem Augenblick, als sie aus dem Flugzeug stiegen, bis zu dem Moment, als sie ihre *Suite* – kein Zimmer, sondern eine *Suite* – betraten, war Cara völlig überwältigt. Sie hatte keine Ahnung, was Mike für all diesen Luxus hinblättern musste, und zu ihrer eigenen Überraschung hatte sie auch nicht vor, ihn danach zu fragen. Sie würde es einfach genießen.

Und das tat sie auch in vollen Zügen. Mike war so scharf auf sie, dass er sie, sobald sich der Hotelpage zurückgezogen hatte, auf das riesige Doppelbett warf, das mitten im Zimmer stand. Dort vergnügten sie sich dann bis weit nach Mitternacht – Mitternacht in Nevada, wohlgemerkt.

Den darauffolgenden Tag verbrachten sie am Roulettetisch und mit einer Besichtigung von Madame Tussaud's Wachsfigurenkabinett, ehe sie auf ihr Zimmer zurückkehrten, wo sie sich erneut liebten und duschten, ehe sie zum Abendessen aufbrachen. Beim Dinner im Delmonico verzehrte Cara das beste Steak ihres Lebens und redete mit Mike über alles Mögliche, nur nicht über den bevorstehenden Abend und die erhoffte Begegnung mit Rex Bransom.

Mikes Gegenwart versetzte sie stets in einen Zustand entspannter Erregung, und sie genoss es, Zeit mit ihm zu verbringen und sich mit ihm zu unterhalten, selbst wenn sie einmal nicht derselben Meinung waren. Sie fühlte sich unheimlich wohl in seiner Gesellschaft. Zu wohl. Immer wieder musste sie sich in Erinnerung rufen, dass sie sich nicht einlullen lassen durfte, weil das Vergnügen nicht von Dauer sein würde.

Nach dem Essen kehrten sie in ihre Suite zurück, um sich umzuziehen, ehe sie zum Shots aufbrachen. Sie waren schweigsam, im Fernsehen lief irgendein Film. Cara streifte sich ihr Top über, ein knappes Teil mit tiefem V-Ausschnitt, und registrierte erfreut, dass Mike ihr ins Dekolleté starrte. Dann schüttelte er den Kopf und wandte den Blick ab. Aber immerhin hatte sie ihn kurz von seinen Sorgen ablenken können. Vor ihrer überstürzten Abreise hatte sie nur hastig ein paar Sachen eingegepackt, aber bewusst das Outfit mitgenommen, das sie getragen hatte, als sie das erste Mal miteinander im Bett gelandet waren – einen kurzen Rock und ihre Cowboystiefel, die vor allem deshalb ihre Lieblingsschuhe waren, weil sie es ihr ermöglichten, sich ihre kleine Glock um den Knöchel zu schnallen. Die Mitnahme von Waffen im Flugzeug war kein Problem, solange sie keine Munition dabeihatten, und sie hatten sich diesbezüglich tagsüber eingedeckt, weil ihnen beiden wohler war, wenn sie gerüstet waren.

Während der Fahrt im Aufzug gab sich Mike wortkarg, und Cara ließ ihn in Ruhe. Im Foyer angekommen ergriff er ihre Hand und umklammerte sie. Die meisten anderen Hotelgäste waren bedeutend schicker angezogen als sie, viele der Frauen trugen Stöckelschuhe und kurze, mit Pailletten bestickte Kleidchen.

Doch im Shots, das sich abseits des Strip befand, fielen sie mit ihren legeren Klamotten nicht weiter auf.

In dem schäbigen Lokal herrschte, ganz anders als in Joe's Bar, eine düstere und beklemmende Atmosphäre – die Beleuchtung war dürftig, und die Gäste wirkten derart zwielichtig, dass sich selbst Cara, die erfahrene Polizistin, unwohl in ihrer Haut fühlte.

Als hätte er ihr Unbehagen gespürt, tappte Mike nach ihrer Hand und zog sie hinter sich her durch die Menge. Cara wusste nicht, was er vorhatte, und sie hatte ihn nicht danach fragen wollen, sondern beschlossen, es einfach auf sich zukommen zu lassen.

Mike sah sich in der verrauchten, schummrigen Bar um und fragte sich, ob er seinen alten Herrn wohl auf Anhieb erkennen würde. Seine Mutter hatte keine Fotos von ihm aufbewahrt. Gut, er hätte natürlich in alten Jahrbüchern der Schule oder bei Google recherchieren können, aber irgendetwas hatte ihn stets davon abgehalten. Wahrscheinlich hatte er intuitiv geahnt, dass früher oder später der Tag der Abrechnung kommen würde. Er spähte hierhin und dorthin, ließ mit gerümpfter Nase den Blick über die Anwesenden gleiten. Gerade als er sich an die Bar wenden wollte, um etwas zu trinken zu besorgen, drang aus einer Ecke das dröhnende Lachen eines Mannes an sein Ohr, und er *wusste*, dass es das seines Vaters war.

»Was ist los?«, fragte Cara.

»Wie kommst du darauf, dass irgendetwas ist?«

»Na, du zerquetschst mir fast die Finger.« Sie entzog ihm ihre Hand und schüttelte sie.

Er runzelte die Stirn. »Da drüben«, sagte er und deutete mit dem Kopf in die Richtung, aus der das Gelächter gekommen war.

Cara schnappte nach Luft. »Er sieht genauso aus wie du!«, staunte sie.

Mike nickte. Ja, so in etwa würde er wohl in gut zwanzig Jahren aussehen. Aber die Ähnlichkeit schien rein auf das Äußere beschränkt zu sein und erstreckte sich offenbar nicht auf ihre Persönlichkeit: Rex saß in der Ecke und hielt Hof – anders konnte man es nicht beschreiben. Er war von Leuten umringt, die förmlich an seinen Lippen hingen, während er mit tiefer Stimme eine Anekdote zum Besten gab. Neben ihm saß eine junge Frau, die keinen Tag älter als zweiundzwanzig war. Sie trug ein Schlauchtop, das ihren großen Brüsten herzlich wenig Halt gab. Ihre blond gefärbten Haare waren hochtoupiert, ihr Gesicht von einer dicken Schicht Make-up bedeckt. Beides diente wohl dazu, sie etwas älter wirken zu lassen, als sie tatsächlich war.

Mike steuerte wie in Trance auf seinen Vater zu, wobei er Cara hinter sich her zog – er würde sie auf gar keinen Fall hier stehen lassen, wo sie womöglich von irgendeinem Trottel angemacht wurde.

Mit jedem Schritt, den er sich ihm näherte, wurde die Stimme lauter. »Und dann hab ich gesagt: Entspann dich und überlass das mir, denn Onkel Rex ist der Profi, und der kauft dir alles, was das Herz begehrt, stimmt's, Baby?«

Mike spürte Übelkeit in sich aufsteigen. »Und dann schwängerst du sie und lässt sie einfach sitzen, stimmt's?«, spie er das Erstbeste heraus, das ihm durch den Kopf ging, dabei meldete er sich sonst nie unüberlegt zu Wort.

Rex, der eben die Flasche zum Mund geführt hatte, erstarrte mit weit aufgerissenen Augen mitten in der Bewegung und hätte sich beinahe an seinem Bier verschluckt, als er Mike erblickte. »Verzieht euch, Leute«, befahl er und wedelte mit der Hand, worauf sich sein Hofstaat murrend aus dem Staub machte. Alle bis auf die junge Blondine, die schlangengleich die Gliedmaßen um ihn geschlungen hatte.

»Du auch, Baby.«

»Ach, komm schon, Rexie!«, protestierte sie und schmiegte sich an ihn in dem Versuch, ihn umzustimmen.

Mike betrachtete seinen Vater mit unverhohlenem Abscheu.

»Geh.« Rex befreite sich aus ihrer Umarmung und erhob sich.

Die junge Frau murrte noch etwas, machte sich dann aber vom Acker. »Ich warte an der Bar auf dich!«, flötete sie ihm noch über die Schulter zu.

Rex ließ Mike nicht aus den Augen. »Mein Sohn.«

Mike warf betont lässig einen Blick über die Schulter, ehe er antwortete. »Meinst du mich? Wohl kaum; denn der einzige Mensch, der das Recht hat, mich so zu nennen, ist Simon Marsden.«

»So ist das also«, sagte Rex mit versteinerter Miene. Nur das Zucken eines Augenlides ließ darauf schließen, was in ihm vorging.

»Wie sollte es sonst sein?«

Rex nickte und musterte Mike mit einem gewissen Maß an Respekt. »Setz dich doch.« Er deutete auf einen der Stühle, die seine Lakaien freigemacht hatten.

Mike verschränkte die Arme vor der Brust und ignorierte die Aufforderung.

»Wer ist denn die hübsche Lady?«, erkundigte sich Rex und beäugte Cara eine Spur zu eingehend für Mikes Geschmack.

»Cara Hartley«, stellte sich Cara vor und machte einen Schritt nach vorn, doch Mike streckte den Arm aus, um sie daran zu hindern, dass sie weiterging oder Rex sogar die Hand schüttelte.

»Sie hat dich nicht zu interessieren«, schnarrte er.

»Du bist also nicht bloß gekommen, um deinem alten Herrn mal freundlich Hallo zu sagen. Warum verrätst du mir nicht, was dich hierherführt?«

Es war an der Zeit, mit dem wahren Grund für seine

Reise nach Vegas herauszurücken und Rex Bransom zu fragen, was er sich vor dreißig Jahren in Serendipity hatte zuschulden kommen lassen. Mike beschloss, jetzt doch Platz zu nehmen und zog einen Stuhl für Cara herbei, ehe er sich neben ihr niederließ.

»Warum zum Teufel belästigst du Ella?«, platzte er ohne es zu wollen heraus. Rex blinzelte. »Hat sie das gesagt? Dass ich sie belästige?« Es klang verwundert und auch ein klein wenig gekränkt.

»Das ist meine Interpretation.« Mike spürte ein Pochen in seiner linken Schläfe und lehnte sich zurück, als sein Vater den Oberkörper nach vorn beugte.

»Ist dir je in den Sinn gekommen, dass es mich interessieren könnte, wie es meiner Familie geht?«, fragte Rex, und es klang erstaunlicherweise sogar einigermaßen aufrichtig.

Cara stieß einen Laut der Verblüffung hervor, und Mike biss die Zähne zusammen.

»Familienmitglieder verschwinden nicht einfach neunundzwanzig Jahre lang«, fauchte er.

Zugegeben, er war neugierig auf seinen Vater gewesen, aber wie er bereits vermutet hatte, enttäuschte ihn, was er nun sah. Er beschloss, gleich zur Sache zu kommen, um die unerfreuliche Begegnung möglichst rasch hinter sich zu bringen. »Ich bin nur hier, weil ich Informationen zu einem Fall brauche, mit dem du 1983 irgendwie zu tun hattest. Es geht um zehntausend Dollar in markierten Scheinen, die seither in der Asservatenkammer von Serendipity herumliegen. Na, klingelt's da bei dir?« Er ließ sein Gegenüber nicht aus den Augen, darum bemüht, sich auch ja keine Gefühlsregung entgehen zu lassen.

Rex grunzte abschätzig, aber der Schock war ihm deutlich ins Gesicht geschrieben. »Ist in diesem gottverlassenen Nest etwa so wenig los, dass die Cops nichts Besseres zu tun haben als ein paar verstaubte alte Fälle neu aufzurollen?«

Gottverlassenes Nest? Diese Ausdrucksweise illustrierte deutlich, dass Rex es damals kaum hatte erwarten können, Serendipity und seine Bewohner zu verlassen. Und war es Mike nicht ganz ähnlich ergangen? Bloß, dass er in Atlantic City gelandet war – einer Stadt, die Vegas nicht ganz unähnlich war. Mit dem Unterschied, dass Mike eine anständige Arbeit hatte, während sich Rex den Informationen des Privatdetektivs zufolge mit Gelegenheitsjobs für die hiesige Polizei über Wasser hielt. Mit anderen Worten, er war ein Tagelöhner, der fürs Schnüffeln bezahlt wurde. Bei dem Gedanken verkrampfte sich Mikes Magen erneut.

»Und deswegen hast du den weiten Weg nach Vegas auf dich genommen?« Ehe Mike antworten konnte, rief Rex in Richtung Bar: »Sal, noch einen Scotch. Pur.«

So, so. Als es vorhin um seine »Familie« gegangen war, hatte er keinen neuen Drink benötigt, aber jetzt, da Mike auf den ungeklärten Fall zu sprechen gekommen war …

»Warum wendest du dich mit deinen Fragen nicht an den Mann, den du Dad nennst?«, fragte Rex jetzt.

Mike straffte die Schultern. »Du meinst den Mann, der für dich in die Bresche gesprungen ist, als du dich vor deinen Pflichten gedrückt hast? Den wollte ich auf gar keinen Fall damit behelligen. Nicht nach allem, was er in letzter Zeit durchgemacht hat.«

Rex zuckte zusammen, als hätte man ihn geschlagen. »Wieso, was ist denn mit Simon?«, fragte er. Es klang besorgt.

Cara rutschte unruhig auf ihrem Stuhl herum, doch Mike antwortete, ehe sie sich einschalten konnte. »Darüber brauchst du dir nicht den Kopf zu zerbrechen.« Es war nicht seine Absicht gewesen, Rex Informationen über seine Familie zu liefern. »Sag mir, was du über den Vorfall weißt, und ich gehe und lasse mich nie wieder blicken. Ich nehme mal an, das ist ganz in deinem Sinne.«

Rex verzog verärgert das Gesicht. »Du hast keinen blassen Schimmer, was in meinem Sinne ist – oder war – und was nicht.« Es folgte ein bedeutungsschwangeres Schweigen. »Manchmal tun wir eben Dinge, weil wir sie tun müssen und nicht, weil wir sie tun wollen.«

Mike verdrehte die Augen. Er war nicht quer über den Kontinent geflogen, um seinen Vater in Rätseln sprechen zu hören. Wenn er seine Zeit vergeuden wollte, konnte er das auch an den Spieltischen der Casinos tun.

Trotzdem startete er einen letzten Versuch. »Das Geld«, erinnerte er Rex. »Zehntausend Dollar in markierten Scheinen, gefunden im Kofferraum eines Wagens, den du damals wegen Überschreitung des Tempolimits angehalten hast. Kommt dir das bekannt vor?«

Rex haute mit der flachen Hand auf den Tisch, so kräftig, dass er wackelte. »Lass gut sein, *Sohn.*«

»Ich hab dir doch gesagt, du sollst mich nicht so nennen.« Allein die bloße Gegenwart von Rex Bransom verlieh Mike das Gefühl, ein unerwünschter kleiner Knirps zu sein. Zum Teufel mit diesem vermaledeiten Fall, der ihn gezwungen hatte, seinen leiblichen Vater aufzusuchen! Statt darüber nachzudenken, was dieser Mann alles nicht für ihn getan hatte, hätte er sich lieber bewusst machen sollen, was er Simon verdankte.

Wie auch immer, er hatte die Nase voll. »Das war eine totale Zeitverschwendung«, sagte er, erhob sich und drehte sich zu Cara um. »Komm, wir gehen.«

Sie nickte, und er wusste es sehr zu schätzen, dass sie die Sache ihm zuliebe nicht weiter in die Länge zog.

Zu seiner Überraschung stand Rex ebenfalls auf. »Du wirst mir das wahrscheinlich nicht glauben, aber es war schön, dich kennenzulernen.«

»Mit dieser Meinung bist du allerdings allein auf weiter Flur«, brummte Mike.

Ein Anflug von Enttäuschung huschte über das Gesicht seines Vaters, doch er hatte sich sofort wieder im Griff. »Freut mich, dass du dein Mädel mitgebracht hast. Hübsches Ding. Sieh zu, dass du nicht dieselben Fehler machst wie ich.«

»Keine Sorge. Ich wende mich nicht einfach von den Menschen ab, die mir am meisten bedeuten«, sagte Mike.

Damit packte er Cara am Arm und bugsierte sie nach draußen, ohne sich noch einmal umzusehen.

Mike bebte förmlich vor Wut und Anspannung, und Cara hatte keine Ahnung, wie sie ihn dazu bringen konnte, sich etwas zu beruhigen. Sie wusste nicht einmal so recht, ob er das überhaupt wollte. Schweigend kehrten sie in ihr Hotelzimmer zurück, wo Mike schnurstracks zur Bar ging, um sich einen Drink einzuschenken und ihn in einem Zug zu leeren.

»Mike?«

Er schüttelte den Kopf. »Nicht jetzt.«

Es gefiel ihr nicht, dass er sich vor ihr zurückzog, aber sie konnte es nachvollziehen. Nun, wenn er nicht darüber reden wollte, musste sie sich wohl oder übel damit abfinden. Sie hatte es zumindest versucht.

Wortlos zog sie eine Schublade auf, holte das Nachthemd heraus, das sie mitgebracht hatte, und ging ins Bad. Nach dem Aufenthalt in der verrauchten Bar verspürte sie das Bedürfnis, sich zu duschen, ehe sie ins Bett ging.

Sie zog sich aus und trat in die luxuriöse Duschkabine. Es dauerte eine Weile, bis sie herausgefunden hatte, welche der zahlreichen Hebel sie betätigen musste, um die Regenwalddusche in Gang zu bringen, aber schließlich hatte sie es geschafft. Das Wasser, das ihr über den Rücken strömte, wärmte sie zumindest von außen – innerlich war ihr nach Mikes Zurückweisung kalt. Sie hatte ihn nach Vegas begleitet, um ihm zu helfen, und nachdem er ihr Angebot angenommen hatte, war seine schroffe Reaktion vorhin doch etwas unerwartet gekommen, so gut sie sie auch verstehen konnte.

Während sie sich mit dem fruchtig duftenden Hotelduschgel einseifte, sann sie über die Begegnung mit Rex Bransom nach. Der Mann war sogar noch verschlossener als Mike. Einmal abgesehen von der anfänglichen Überraschung hatte er sich kein einziges Mal anmerken lassen, was in ihm vorging. Und um der Frage nach dem ungeklärten Fall auszuweichen, hatte er sich ungeniert Mikes Achillesferse zunutze gemacht, hatte den Finger in die offene Wunde gelegt und ihn Sohn genannt. Was für ein Mistkerl. Kein Wunder, dass Mike ziemlich durch den Wind war. Er tat ihr unendlich leid.

Cara legte den Kopf in den Nacken, um sich das Shampoo aus den Haaren zu spülen, und hielt dann genüsslich das Gesicht in die warmen Wasserstrahlen. *Herrlich*, dachte sie und fragte sich, ob sie sich einen solchen Duschkopf wohl auch zu Hause installieren lassen konnte. Dann musste sie über ihre banalen Überlegungen schmunzeln.

Die Tür der Duschkabine schwang quietschend auf, und Mike trat hinter sie und schlang die Arme um sie. »Entschuldige«, murmelte er, das Gesicht in ihrer Halsbeuge vergraben, und presste sein erigiertes Glied an ihren Rücken.

Sie seufzte und spürte, wie ihr Körper und ihr Herz dahinschmolzen. »Du musst dich nicht entschuldigen. Ich verstehe ja, dass du erstmal etwas Abstand brauchst.«

»Du gibst mir immer, was ich brauche, sogar, wenn es mir selbst gar nicht klar ist«, murmelte er ihr mit rauer Stimme ins Ohr.

Er wollte nicht reden, aber er war sichtlich daran interessiert, seine Sorgen zu verdrängen, indem er mit ihr schlief, und das war für Cara völlig in Ordnung.

Im Bett harmonierten sie am allerbesten. Sex war das, was sie verband, das, worauf sie sich, was Mike anging, verlassen konnte.

Er tauchte einen Finger zwischen die Falten ihres Geschlechts, und Cara schauderte wohlig und drängte sich noch näher an ihn.

»Du bist so herrlich feucht, Baby.«

Sie stöhnte auf und spürte, wie er hinter ihr erstarrte. »Verdammt. Ich kann nicht fassen, dass ich dich immer noch so nenne. Dass ich sogar versucht habe, dir einzureden, es wäre okay. Aber es klang eindeutig erniedrigend, als *er* es vorhin gesagt hat.« Trotzdem hielt Mike sie weiterhin von hinten umklammert.

Cara seufzte und lehnte den Kopf an seine Schulter. »So, wie Rex es gesagt hat, war es das auch. Die Kleine war allerhöchstens einundzwanzig, wenn sie überhaupt schon volljährig war. Und sie war ihm total egal. Es törnt ihn bloß an, von einer jungen Frau bewundert zu werden, die wie gebannt zuhört, wenn er auch nur piep sagt. Wir wissen beide, dass das bei uns anders läuft.«

Das brachte ihr ein belustigtes Grunzen ein. »Stimmt. Du tust nicht automatisch immer das, was ich dir sage.«

»Richtig, weil ich nämlich ein selbstständig denkendes Wesen bin.« Cara grinste, dann wurde sie wieder ernst.

Mike kannte keine andere Frau, die ihn in einem solchen Augenblick hätte zum Lachen bringen können – weder beim Sex noch in Anbetracht der verfahrenen Situation mit seinem Vater.

»Außerdem hast du doch bereits eine Desensibilisierungstherapie mit mir angefangen«, erinnerte sie ihn und rieb den Po an seiner Erektion.

Dann drehte sie sich um und küsste ihn auf die Brust. Ihre weichen Lippen kitzelten seine Haut, begaben sich auf eine Entdeckungsreise, die er höchst erregend fand. Er ächzte, als ihre Zunge über seine flachen Brustwarzen huschte, und als sie auch noch anfing, daran zu knabbern, hatte er das Gefühl, gleich zu explodieren.

»Moment, Moment.« Jetzt wollte er erst einmal sie verwöhnen. Er kniete sich vor sie und atmete aus, und sie schauderte, als der warme Luftstrom ihren Venushügel streifte. Dann presste er den Mund auf die feste Knospe ihrer Klitoris und begann, kräftig daran zu saugen.

Cara stöhnte erneut auf und drückte den Rücken durch, worauf er ihr die Hände auf die Hüften legte, um sie ruhigzustellen, und sie weiter bearbeitete. Er wusste intuitiv, was sie brauchte und wie sie es am liebsten hatte, sodass sie schon bald auf den Gipfel der Lust zusteuerte. Kurz bevor sie so weit war, ließ er zu ihrer Enttäuschung allerdings abrupt von ihr ab.

Sie drängte ihm ihren Unterleib entgegen, bettelte nach mehr, doch er gluckste bloß und neckte sie, indem er die Zungenspitze über ihre Liebeslippen gleiten ließ, bis Cara die Finger in seinen Haaren vergrub und daran zog. »Bitte«, flehte sie.

Als er sie mit einem Vorstoß der Zunge besänftigen wollte und spürte, wie ihre Beine nachgaben, hob er sie hoch und trug sie hinaus zum Bett, platzierte sie auf der weichen Matratze und legte sich auf sie.

»Hast du ernsthaft gedacht, ich lasse dich allein kommen?«, fragte er und hauchte ihr einen Kuss auf die Lippen.

Cara hob den Kopf. Ihr Blick war verschleiert vor Lust. »Das Denken habe ich längst eingestellt«, murmelte sie.

Er lachte und küsste sie ungestüm, schob ihr die Zunge in den Mund und genoss das Gefühl ihrer weichen, glatten Haut.

Doch sie wand sich ruhelos unter ihm. »Nun mach schon«, befahl sie und kniff ihm dabei mit beiden Händen in den Po.

»Gut zu wissen, dass du mich begehrst ... Baby.« Es kostete ihn sichtlich Überwindung, das Wort erneut zu verwenden, aber er würde nicht zulassen, dass sein Vater über das bestimmte, was er sagte oder tat, schon gar nicht, wenn es um Sex ging.

Ihr Kuss signalisierte ihm, dass sie ahnte, wie schwer es ihm gefallen war, was sein Herz prompt noch mehr für sie einnahm ... Wem versuchte er hier eigentlich, etwas vorzumachen? Es gehörte ihr doch längst. Als er das Becken nach vorn kippte und in sie eindrang, ging ein Beben durch ihren Körper, als würde sie bereits von einer Reihe kleinerer Orgasmen geschüttelt. Er machte sich diesen Umstand zunutze und stieß gleich noch einmal zu, fester diesmal.

»Michael«, ächzte sie, wie er es sich erhofft hatte.

»Ich liebe es, wenn du meinen Namen sagst, während ich in dir bin«, murmelte er, und sie schenkte ihm ein sinnliches Lächeln.

Er zog sich langsam aus ihr zurück, spürte, wie sie die inneren Muskeln anspannte, glitt wieder in sie hinein. Sie winkelte die Beine an, um ihn noch tiefer in ihre heiße Spalte aufzunehmen, und er begann, sich rhythmisch in ihr zu bewegen, vor und zurück, ganz auf die Empfindungen konzentriert, die sie bei ihm auslöste. Immer schneller, immer heftiger prallten ihre Leiber aufeinander, und sie parierte jeden Stoß und gab bei jeder Kollision ein erregendes Stöhnen von sich.

Mike liebte es, wenn sie stöhnte, liebte es zu hören, wie sich beim Sex ihre Körper aneinanderrieben, aber das hier war mehr als bloß Sex, viel mehr. Keine Herzen im Spiel? Von wegen.

Plötzlich verspürte er den unbändigen Drang, sie zu küssen und beugte den Kopf, worauf sie die Vaginalmuskeln anspannte und sein bestes Stück noch kräftiger molk. Sein Körper reagierte prompt, ein leises Kribbeln in der Leibesmitte kündete bereits vom bevorstehenden Orgasmus. Dann verkrampften sich sämtliche Muskeln, und er explodierte so heftig wie noch nie zuvor, innerlich wie äußerlich – ein Höhepunkt, der nicht nur auf die körperliche Ebene beschränkt war, sondern ihn bis ins Innerste seiner Seele erschütterte.

Ihr »Oh, Gott, oh, Gott!« drang wie aus weiter Ferne an sein Ohr und signalisierte ihm, dass auch sie gekommen war. Danach lag er erschöpft und heftig nach Luft ringend auf ihr und fragte sich, ob er wohl je wieder normal atmen können würde.

Später, nachdem sich sein Puls wieder einigermaßen normalisiert und Cara sich in seine Armbeuge gekuschelt hatte, kehrten seine Gedanken zu Rex zurück.

»Lass gut sein, *Sohn.*« Rex wusste ganz offensichtlich mehr, als er zugeben wollte, aber er hatte geschickt davon abgelenkt, indem er Mike mit einem Reizthema provoziert hatte. Und Mike war darauf hereingefallen. Doch er machte sich keine Illusionen – Rex hätte sich nicht kleinkriegen lassen, selbst wenn Mike noch so viel Druck auf ihn ausgeübt hätte.

Er war gescheitert, hatte in Vegas genauso wenig Antworten auf seine Fragen gefunden wie in Serendipity. Er sollte die Bürgermeisterin anrufen und ihr sagen, dass es sinnlos war, sich weiter mit dem Fall auseinanderzusetzen. Aber Mike konnte unerledigte Aufträge nicht ausstehen, insbesondere wenn ihn die betreffende Angelegenheit persönlich betraf.

Erstaunlicherweise konnte er es plötzlich kaum erwarten, nach Hause zurückzukehren und mit Erin und Sam zu reden. Es überraschte ihn, dass er den Drang verspürte, sich als Teil der Familie zu fühlen, von der er sich lange Zeit unbedingt hatte distanzieren wollen.

Cara drehte sich zu ihm um und sah ihn an. »Geht es dir gut?«, fragte sie ihn.

Er küsste sie. »Blendend, wie immer in deiner Gegenwart.«

Sie lächelte und kuschelte sich wieder an ihn. »Das meine ich nicht. Ich kann förmlich hören, wie es in deinen Gehirnwindungen knirscht.«

Er schnaubte belustigt, aber es überraschte ihn nicht, dass sie wusste, was in ihm vorging. »Du hast ja recht. Mir schwirrt der Kopf.«

»Möchtest du darüber reden?«, fragte sie vorsichtig.

Kein Wunder, nachdem er sie vorhin so eiskalt hatte abblitzen lassen. »Ich würde ja gern, aber es gibt eigentlich nichts zu bereden. Rex ist ein gottverdammter Hurensohn, der lieber seinen eigenen Sohn verletzt, als dass er mit Informationen herausrückt. Ich kann es nicht ändern.«

Cara atmete tief durch. »Stimmt. Aber du solltest die Gefühle, die er bei dir ausgelöst hat, auch nicht einfach unter den Teppich kehren.«

»Das Einzige, was ich fühle, ist, dass ich am liebsten sämtliche Verbindungen zu ihm ein für alle Mal kappen würde, was allerdings etwas schwierig zu bewerkstelligen sein dürfte, weil sein Blut durch meine Adern läuft.« Er schämte sich für den sarkastischen Unterton, aber es war zu spät.

»Mike …«

»Hör zu, ich weiß, du bist für mich da, und ich bin dir dankbar dafür«, unterbrach er sie, ehe sie Salz in die Wunde streuen konnte, die sein Vater aufgerissen hatte. So gut sie es auch meinte, er hielt es nicht aus. »Aber ich muss das allein bewältigen.«

»Okay.« Sie nickte. »Kann ich aus eigener Erfahrung gut nachvollziehen.«

Zum ersten Mal hatte er das Gefühl, dass sie das wirklich konnte, weil sie Ähnliches durchgemacht hatte. Seltsamerweise war ihm die Vorstellung, dass sie bei der Bewältigung ihrer Probleme auf sich gestellt gewesen war, ein Gräuel, obwohl er gerade genau dasselbe Recht für sich beansprucht hatte.

»Es wird Zeit, dass wir nach Hause fahren«, murmelte er.

»So schlimm?«, fragte sie leichthin.

»Nicht, wenn du bei mir bist.« Er drückte sie an sich. »Ich will bloß weg von hier.«

»Auch das kann ich gut verstehen. Also meinetwegen können wir jederzeit abreisen. Du hast mir die schönsten Seiten von Las Vegas ja bereits gezeigt.« Mike konnte ihr Gesicht nicht sehen, weil sie mit dem Rücken zu ihm dalag.

Er wickelte eine Strähne ihrer Haare um den Finger und hatte ein schlechtes Gewissen. Statt sich auf die kommenden vierundzwanzig Stunden mit ihr zu freuen, wollte er den Bundesstaat, in dem sein Vater lebte, lieber möglichst rasch verlassen.

Er tippte ihr auf die Schulter. »Zieh dich an und komm mit.«

»Wohin denn?«

Es gab eine Sehenswürdigkeit, die sie noch nicht besucht hatten. »Wir gehen raus und sehen uns die Light Show in der Freemont Street an.« Er selbst konnte zwar darauf verzichten, aber er erinnerte sich noch lebhaft daran, wie aufgeregt sie gewesen war, als sie darüber gesprochen hatten.

»Bist du sicher? Wir könnten auch einfach die Fluglinie anrufen und den nächsten Flieger nach Hause nehmen.«

»Erst, nachdem du die Show erlebt hast.« Er rollte sie auf den Rücken und begrub sie unter sich. »Ich kann's kaum erwarten, dein Gesicht zu sehen.«

Kapitel 12

Nach der Rückkehr aus Las Vegas wollte Mike erst einmal ordentlich ausschlafen, und er bestand darauf, dass Cara dasselbe tat. Sie nahmen sich beide ein paar Tage frei, und sobald er sich wieder einigermaßen wie ein Mensch fühlte, verabredete er sich mit Sam und Erin im Family Restaurant zum Mittagessen.

Als er – wie üblich als Letzter – eintraf, stand das Essen bereits auf dem Tisch, und seine Geschwister erwarteten ihn mit besorgter Miene.

»Also hör mal, neulich hast du uns via SMS mitgeteilt, dass du nach Vegas fliegst, um dich mit Rex Bransom zu treffen, und dann meldest du dich tagelang nicht mehr«, rügte ihn Erin. Sie klang genau wie ihre Mutter.

Mike ließ sich auf dem Platz ihr gegenüber nieder. »Tut mir leid. Ich wollte euch nicht beunruhigen.«

»Wie ich höre, hast du sogar Cara mitgeschleppt«, stellte Sam fest. Es klang vorwurfsvoll.

»Das war allein ihre Idee«, erklärte Mike gepresst.

»Lass ihn in Ruhe, Sam«, wies Erin ihren Bruder zurecht.

»Nein. Wir bringen diese Unterhaltung jetzt ein für

alle Mal hinter uns«, sagte Mike. Seit er mit Cara zusammen war, gab es Spannungen zwischen Sam und ihm, und Mike war es allmählich leid, so zu tun, als wäre alles in Butter. »Willst du Cara für dich allein? Ist es das?«, fragte er seinen Bruder.

»Nein.« Sam schob kämpferisch das Kinn nach vorn. »Ich will nur, dass du nicht auf ihren Gefühlen herumtrampelst. Weil ich nämlich genau weiß, was passieren wird. Früher oder später wirst du wieder abhauen, wie immer.«

Mike stöhnte. »Ich kann dir nur versichern, dass ich vom ersten Tag an offen und ehrlich zu ihr war.« Er ballte unter dem Tisch die Hände. »Ich will genauso wenig wie du, dass sie verletzt wird.«

Sam atmete aus. »Das glaub ich dir ja. Aber ich … Ihr Vater ist ein Schwein, und ihre Mutter lässt sich alles von ihm gefallen. Cara hatte noch keine richtig lange Beziehung, weil sie normalerweise niemanden an sich heranlässt, aus Angst, verletzt zu werden. Aber bei dir ist sie anders.« Er schüttelte den Kopf. »Und ich rieche zehn Meilen gegen den Wind, dass das noch Scherereien gibt.« Er hob hilflos die Arme. »Aber okay, ich halte mich raus, weil ich euch beide liebe.«

»Danke, Mann.« Mike wusste, wie schwer Sam diese Entscheidung gefallen sein musste. Es gab keinen loyaleren Menschen als seinen Bruder.

»Okay, nachdem ihr das geklärt habt, was ist in Vegas passiert?«, fragte Erin.

Mike holte tief Luft. »Ich habe ihn kennen gelernt.«

»Und?«, flüsterte seine Schwester.

Mike schloss die Augen, und die Erinnerungen an Rex Bransom erwachten. »Wir sehen uns ähnlich«, gab er zu. »Und wir klingen auch ähnlich. Aber er ist extrovertierter, steht im Gegensatz zu mir gern im Mittelpunkt. Ich befürchte nur, dass wir auch hier drin« – er tippte sich an die Brust, direkt über dem Herzen« – ähnlicher sind, als mir lieb ist.«

Sein Bruder drückte ihm die Schulter. »Das ist doch Quatsch«, widersprach er, und es klang derart überzeugt, dass Mike beinahe geneigt war, ihm zu glauben.

Beinahe.

»Er ist einfach gegangen. Ich auch. Er hat eine Frau sitzen lassen …«

»Hör auf«, fiel Sam ihm ins Wort. »Tiffany kann man nun wirklich nicht mit Mom vergleichen.«

Da hatte er allerdings recht.

»Mike, du bist einer der anständigsten Kerle, die ich kenne.« Erin sah ihn mit feuchten Augen an. »Und zwar deshalb, weil du nach Simon kommst und nicht nach Rex.«

Als er nichts darauf entgegnete, nahm sie seine Hand. »Hey. Das musst du mir glauben.«

Mike wusste nicht, was er empfand oder was er glauben sollte. Es war nun einmal so, dass Rex Bransoms Blut durch seine Adern floss. Und bei der Suche nach Rex hatte Mike festgestellt, dass sein Vater von einem Ort zum nächsten zog, keine engen Freundschaften pflegte und auch keine längeren Beziehungen einging. Genau wie er selbst.

»Vergiss ihn, und den ungelösten Fall gleich mit«, riet Sam ihm. »Schließ einfach damit ab.«

Doch Mike wusste nicht, ob er dazu in der Lage war. »Er hat mich Sohn genannt, und ich habe mich dabei so schmutzig gefühlt wie in meinem ganzen Leben noch nicht.«

Er wand sich unter dem mitfühlenden Blick seiner Geschwister.

»Was ist mit Mom und Dad? Wirst du es ihnen erzählen?«, wollte Sam wissen.

»Mom ist eingeweiht, und wir waren uns einig, dass wir uns, sobald Dad seine letzte Chemo hinter sich hat, mit ihm hinsetzen und ihm alles erklären werden. Auch, dass Rex sie über Facebook kontaktiert hat.« Über die Hintergründe hatte er Sam und Erin vor seiner Abreise nach Vegas noch kurz informiert.

Erin schüttelte den Kopf. »Puh, da würde ich gern Mäuschen spielen. Ein Glück, dass die beiden eine so stabile Ehe führen.«

Mike nickte. »Du sagst es.«

»Und, gibt es zur Abwechslung noch etwas Erfreuliches zu berichten?« Erin grinste schief.

»Nö. Bei mir ist alles wie immer«, brummte Sam.

Sie beendeten die Mahlzeit in Ruhe und Frieden, wofür Mike den beiden dankbar war. Er hatte sich gerade den letzten Bissen in den Mund geschoben, da klingelte sein Handy. Auf dem Display blinkte die Nummer des Reviers auf.

Er ging ran und hörte teilnahmslos zu, während einer der diensthabenden Polizisten berichtete, jemand habe einen Umschlag für ihn abgegeben. »Leg ihn mir einfach auf den Schreibtisch«, trug er ihm auf. »Ich kümmere mich darum, wenn ich morgen komme.«

»Etwas Wichtiges?«, erkundigte sich Erin, nachdem er aufgelegt hatte.

Mike schüttelte den Kopf und erzählte ihr, was man ihm soeben mitgeteilt hatte. Blieb nur zu hoffen, dass sich bis zum Wochenende nichts Nennenswertes mehr ereignen würde.

Sein Bedarf an Aufruhr und Dramen war vorerst gedeckt.

Cara brauchte dringend den Rat einer guten Freundin, musste sich aber fast eine volle Woche gedulden, bis Alexa endlich einen freien Tag hatte, damit sie sich im Cuppa Café treffen konnten. Am Samstagvormittag war es endlich so weit.

»Hier ist dein Kaffee«, sagte sie, als Alexa eintraf. »Setz dich. Ich habe dir so viel zu erzählen!«

Alexa schälte sich aus ihrer Winterjacke. »Warum hast du nicht gesagt, dass du jemanden zum Reden brauchst? Dann hätte ich mir schon etwas eher Zeit genommen.«

»Unsinn, deine Patienten gehen natürlich vor, vor allem die Notfälle. Du bist eben ein Workaholic, aber keine Sorge, ich weiß ja, dass du für mich da bist, wenn ich dich brauche. Wahrscheinlich war ich einfach selbst noch nicht so weit.«

Mit einem Anflug von Neid lauschte Alexa Caras Bericht von dem Kurztrip nach Vegas, jedenfalls bis zu der Begegnung mit Rex Bransom. Cara erzählte begeistert von der Suite im Bellagio, von dem romantischsten Abendessen, das sie je erlebt hatte und von dem Lichterspektakel in der Freemont Street, das sie, in Mikes Arme geschmiegt, sehr genossen hatte.

»Ein Traum, der Mann. Bist du sicher, dass wir von Mike Marsden reden?«, scherzte Alexa und nahm dann einen großen Schluck von ihrem Kaffee. Sie trank ihn schwarz, um einigermaßen wach bleiben zu können.

Cara nippte an ihrem süßen Latte macchiato. »Ganz sicher. Wenn er will, kann er ein richtiger Schatz sein.«

»Aber?«, hakte Alexa nach.

Cara musste sich zwingen, ihre Gedanken zu ordnen, ehe sie antworten konnte. Das »Aber« war der Grund, warum sie Alexa um dieses Treffen gebeten hatte. Cara war bewusst, dass sie im Begriff war, sich in Mike zu verlieben, und es galt, ihren wachsenden Gefühlen für ihn einen Riegel vorzuschieben. Sie brauchte jemanden, der sie daran erinnerte, dass die Sache mit Mike lediglich eine heiße Affäre war. Mehr war nicht drin, und das musste sie von einer Frau hören, nicht von Sam.

Cara schluckte schwer. »Aber wenn nicht, dann … Brrr!«

Alexa hob eine Augenbraue. »Na, und? Nobody's perfect.«

Cara schüttelte den Kopf.

»Ist doch gut.« Alexa grinste. »Es beruhigt mich, dass er ein Mensch wie du und ich ist.«

Cara seufzte. »Hör mal, wir haben doch schon vor

ein paar Wochen darüber geredet. Ich weiß, wer Mike ist und wie er tickt.«

Alexa legte den Kopf schief und betrachtete sie prüfend. »Und du liebst ihn trotzdem.«

Cara blinzelte entsetzt. »Was? Nein. Nein, das tu ich nicht.« Sie durfte ihn nicht lieben. »Ich habe dir doch gesagt, ich kann nur einen Mann lieben, dem ich vollauf vertrauen kann. Ich brauche Sicherheit und Berechenbarkeit und keinen Kerl, der unter Stimmungsschwankungen leidet und immer wieder betont, dass er nicht an einer Langzeitbeziehung interessiert ist.«

Ihr Herz zog sich schmerzhaft zusammen, doch genau das war es, weshalb sie mit Alexa hatte reden wollen. Das war die brutale Wahrheit.

Alexa schüttelte den Kopf und stellte ihren leeren Becher ab. »Nicht jeder Mann ist wie dein Vater.«

Cara spürte Übelkeit in sich aufsteigen. Okay, das war jetzt doch etwas zu brutal für ihren Geschmack gewesen. Aber Alexa hatte recht. »Stimmt. Ich behaupte ja auch nicht, dass Mike so ist wie mein Dad. Nicht im Entferntesten. Er würde weder mir noch sonst jemandem bewusst wehtun. Wie auch immer, im Grunde stellt sich die Frage, ob ich ihm mein Herz anvertrauen kann, gar nicht, denn er will es überhaupt nicht.« Sie erhob sich und pfefferte ihren Becher in den Abfalleimer. »Tja, dann … vielen Dank fürs Zuhören.«

»Moment! Du wirst dich jetzt auf der Stelle wieder hinsetzen!«, rief Alexa streng.

Cara starrte ihre sonst so ruhige, gelassene Freundin mit großen Augen an – genau wie alle anderen Anwesenden – und kam der Aufforderung hastig nach, um weiteren Aufruhr zu vermeiden. »Warum fährst du mich so an? Ich dachte, du bist meine Freundin?«

»Ganz recht, ich bin deine Freundin, und als solche habe ich die Aufgabe, dir zu sagen, dass du gefälligst nicht länger den Kopf in den Sand stecken sollst«, sagte Alexa bedeutend leiser. »Mike hat dich nach Vegas mitgenommen, zur allerersten Begegnung mit seinem Vater, der ihn noch vor der Geburt verlassen hat. Wie kommst du darauf, dass du ihm dein Herz nicht anvertrauen kannst? Und verschone mich bitte mit den gescheiterten Beziehungen, die er hatte, als er praktisch noch ein Kind war!«

»Ich brauche seine Vergangenheit gar nicht als Beweis aufzuführen. Er hat selbst gesagt, was Sache ist – ich zitiere: *Hier sind keine Herzen im Spiel*!«

Alexa runzelte die Stirn. »Am Anfang vielleicht, aber mittlerweile bist du diejenige, die ihr Herz unter Verschluss hält.«

»Ja, ganz recht. Das nennt man Selbstschutz, meine Liebe. Und jetzt entschuldige mich, ich muss nach Havensbridge. Mal sehen, ob dort jemand etwas von Daniella gehört hat.«

»Hat sie sich etwa noch immer nicht gemeldet?«, fragte Alexa besorgt.

»Nein. Seit zwei Wochen ist sie jetzt schon wie vom Erdboden verschluckt.« Cara holte tief Luft. »Hör zu, ich weiß, du willst nur mein Bestes, aber was Mike angeht, ist mir längst sonnenklar, worauf ich mich eingelassen habe. Und ich habe dich heute hergebeten, weil ich … Gefahr laufe, mich in ihn zu verlieben und weil ich jemanden gebraucht habe, der mir vor Augen führt, warum das eine schlechte Idee ist.«

Alexa schüttelte bedauernd den Kopf. »Da hab ich wohl auf der ganzen Linie versagt, tut mir leid. Ich klammere mich eben an die Vorstellung, dass es dort draußen auch ein paar Frauen gibt, die den Richtigen gefunden haben.«

Du müsstest bloß ein bisschen weniger arbeiten und endlich mal die Augen aufmachen, dachte Cara, aber sie hütete ihre Zunge, denn sie hatten diese Diskussion schon hundertmal geführt.

»Schon gut«, winkte sie stattdessen ab. »Selbst ist die Frau.«

Alexa stand auf und trat zu ihr, um sie zu umarmen. »Ich will doch bloß, dass du glücklich bist, und mal ganz im Ernst, seit du mit Mike zusammen bist, wirkst du glücklicher denn je.«

Zu schade, dass das nicht von Dauer sein konnte. Doch auch das behielt Cara wohlweislich für sich.

»Was machst du eigentlich heute Abend?«, fragte Alexa. »Ich habe frei. Wir könnten essen gehen und danach ins Kino.«

Cara nickte. »Klingt super.« Es war schon eine halbe Ewigkeit her, dass sich Alexa ein bisschen Entspannung gegönnt hatte, und Cara fand die Aussicht, noch etwas mehr Zeit mit ihr zu verbringen, sehr verlockend. Sie vereinbarten Zeit und Ort, dann machte sich Cara auf den Weg nach Havensbridge.

Dort hatte niemand von Daniella gehört. Cara unterhielt sich mit einer Frau, die während ihres Aufenthaltes in Las Vegas neu dazugekommen war und bestärkte sie in ihrem Entschluss, einen Selbstverteidigungskurs zu belegen. Doch Daniellas Abwesenheit war für sie in jeder Ecke des Hauses zu spüren.

Gegen Abend setzte heftiger Schneefall ein, weshalb Alexa und Cara gezwungen waren, ihre Pläne zu ändern. Sie trafen sich bei Cara, bestellten sich etwas zu essen und sahen sich den Film *Freunde mit gewissen Vorzügen* an. Hinterher echauffierte sich Cara über das romantische Happy End.

»Wie oft kommt es schon vor, dass eine Frau ihren Märchenprinzen findet? Einen, der sogar einen Flashmob organisiert, um ihr zu imponieren?« Sie verdrehte die Augen, dabei hatte ihr die Geschichte eigentlich ganz gut gefallen.

Alexa lachte. »Es ist ein *Film*. Versuch einfach, ihn zu genießen, ohne ihn zu Tode zu analysieren, ja?«

Cara lachte, doch sie wusste, wenn ein Mann von vornherein sagte, dass er nicht für eine dauerhafte Beziehung zur Verfügung stand, dann tat frau gut daran, seine Warnung ernst zu nehmen.

Alexa fuhr nach Hause, ehe das Schneegestöber noch schlimmer werden konnte, und Cara machte es sich auf der Couch gemütlich und beobachtete die dicken Flocken, die vor ihrem Fenster zu Boden schwebten.

Sie musste kurz eingedöst sein, denn sie schrak hoch, als aus dem Schlafzimmer das Klingeln ihres Mobiltelefons an ihr Ohr drang.

Hastig rappelte sie sich auf und spurtete los, damit der Anrufer nicht auflegen konnte, ehe sie rangegangen war. »Hallo?«

»Cara?«, tönte es leise aus der Leitung, aber sie erkannte die Stimme sogleich.

»Daniella?« Cara umklammerte mit zitternden Händen das Telefon.

»Ich weiß nicht, was ich tun soll«, gestand ihr Daniella in kläglichem Tonfall.

»Geht es dir gut?«

Schweigen.

Cara sank auf das Bett. »Daniella? Ich habe nicht vor, dich zu kritisieren oder dir Vorwürfe zu machen. Ich möchte nur wissen, ob alles in Ordnung ist.«

»Es geht mir gut. Aber ich muss mit dir reden.«

Sie wollte reden! Das war gut. Cara kniff die Augen zu und schickte ein kurzes Dankesgebet gen Himmel. »Wo bist du?«

»Ähm ...«

»Fühl dich nicht unter Druck gesetzt. Wir unterhalten uns einfach, und danach kannst du wieder deiner Wege gehen, wenn es das ist, was du willst.« Cara wartete ab. Die Gesprächspause zog sich hin, in ihren Ohren rauschte das Blut.

»Ich bin im McDonald's an der Route 80«. Klick. Aufgelegt.

Mit heftig pochendem Herzen sah Cara an sich hinunter. Rosa Jogginghose, T-Shirt. Egal. Das Risiko, dass Daniella womöglich nicht mehr da war, nur weil sie sich noch schnell umgezogen hatte, war ihr zu groß.

Hastig schnallte sie sich den Pistolenhalfter mit ihrer Waffe um, schlüpfte in ihre Jacke und eilte nach draußen zu ihrem Wagen.

Normalerweise hätte die Fahrt keine Viertelstunde gedauert, doch der Schneepflug war noch nicht gefahren, und auf den Straßen lag eine dicke Schneeschicht, weshalb Cara doppelt so lang unterwegs war. Dreißig lange Minuten, in denen ihr alle möglichen Gedanken durch den Kopf schwirrten. Ihr erster Impuls war gewesen, Mike anzurufen und ihm zu sagen, dass sich Daniella endlich gemeldet hatte, doch das kam nicht infrage.

Nach Vegas … nein, eigentlich schon vorher, als sie die Panik überwältigt hatte, weil Mike plötzlich bei ihr auf der Matte gestanden und verkündet hatte, dass er im Begriff war, die Stadt zu verlassen – da war ihr klar gewesen, dass sie sich zu sehr auf ihn verließ. Höchste Zeit, die Notbremse zu ziehen und sich wieder daran zu gewöhnen, dass das hier ihr Leben war. Vor Mike war sie hervorragend allein zurechtgekommen, und wenn er nach New York zurückkehrte, war sie auch wieder auf sich gestellt.

Am besten verhielt sie sich deshalb so, als wäre er schon weg.

Endlich kam das große gelbe *M* in Sicht, und gleich darauf fuhr Cara vom Highway ab und bog in den Parkplatz vor dem Fastfoodrestaurant ein. Auch hier lag bereits eine dicke Schneedecke. In diesem McDonald's tummelten sich keine Familien mit Kindern, sondern überwiegend Trucker und Durchreisende, die eine

Kleinigkeit zu essen oder einen Kaffee brauchten. Heute war der schlecht beleuchtete Parkplatz fast leer.

Als Cara das Restaurant betrat, erblickte sie hinter dem Tresen zu ihrer Überraschung Daniella. Da keine Kunden warteten, ging sie schnurstracks auf sie zu. »Hi«, sagte sie leise.

»Hi.« Die junge Frau lächelte matt.

Cara fragte sich, ob sie Daniella je wirklich glücklich erleben würde. Sie konnte es nur aus ganzem Herzen hoffen. »Du hast ja einen Job!«

»Bob hat gesagt, ich muss mir meinen Lebensunterhalt jetzt selbst verdienen, weil ich abgehauen bin. Aber er ist immer in der Nähe«, gestand Daniella mit vor Verlegenheit geröteten Wangen.

Cara hielt sich an ihr Versprechen, keine Kritik zu üben, auch wenn sie sich sehr zusammennehmen musste. »Wenigstens kommst du so mal unter Leute.«

Daniella nickte mit Tränen in den Augen und biss sich auf die Unterlippe, um nicht loszuweinen.

Cara hätte sie am liebsten ins Auto gepackt und nach Hause mitgenommen, aber das war auch keine Lösung. Sie konnte nicht jede Frau, die sie in Havensbridge kennenlernte, bei sich beherbergen, so gern sie es getan hätte.

»Bekomme ich einen Kaffee?«, fragte sie, in der Hoffnung, Daniella damit auf andere Gedanken zu bringen.

»Natürlich. Ich hole nur schnell meine Chefin aus der Küche. Sie ist sehr nett – sie hat mir erlaubt, Pause zu machen, wenn du da bist. Sie springt so lange für mich ein.«

Cara nickte.

Ein paar Minuten später saßen sie sich an einem kleinen Tisch gegenüber, und eine stämmige, schon etwas ältere Frau brachte ihnen zwei Becher Kaffee. »Der geht aufs Haus. Nehmt euch ruhig alle Zeit der Welt«, sagte sie.

»Danke, Bev.«

»Danke«, sagte auch Cara.

»Gern geschehen.« Die Frau nickte ihr zu, dann begab sie sich wieder hinter den Tresen.

»Sie wirkt sympathisch«, bemerkte Cara.

»Sie ist sehr nett zu mir«, berichtete Daniella. Es klang überrascht, als hätte sie im Leben noch nicht allzu viel Freundlichkeit erfahren.

»Wie lange arbeitest du schon hier?«

»Eine gute Woche.« Daniella stierte in ihren Becher.

Cara betrachtete sie prüfend. Der schon etwas verblasste blaue Fleck an ihrem Kinn war ihr nicht entgangen. Sie streckte, ohne es zu wollen, den Arm aus und berührte die Stelle vorsichtig.

»Ich bin hingef…«

»Nein«, flüsterte Cara. »Nicht mit mir, okay?«

Jetzt konnte Daniella die Tränen nicht mehr zurückhalten.

»Daniella, ich weiß, ich habe versprochen, keinen Druck auf dich auszuüben, aber du musst ihn verlassen. Komm zurück nach Havensbridge und …«

Die junge Frau verkrampfte die Finger ineinander. »Ich will ihn ja verlassen, ehrlich. Deshalb habe ich dich angerufen. Aber ich arbeite gern hier. Es ist nicht dasselbe wie in einer Kanzlei, aber es ist schön, jeden Tag herzukommen. Es gibt mir ein gutes Gefühl, und ich kann halbtags arbeiten und ein bisschen Geld verdienen, während ich einen Kurs mache, um meine beruflichen Qualifikationen aufzufrischen.«

Cara nickte. Es freute sie, dass Daniella die Entscheidung getroffen hatte, wieder arbeiten zu gehen, und sich offenbar einen Plan zurechtgelegt hatte. »Hervorragend. Ich bin sicher, Belinda kann das für dich einfädeln. Du brauchst lediglich jemanden, der dich fährt, richtig?«

»Stimmt. Leider weiß Bob, dass ich hier arbeite.« Sie schüttelte frustriert den Kopf. »Er taucht zu allen möglichen oder unmöglichen Zeiten hier auf, um mich zu kontrollieren.«

Das überraschte Cara nicht.

»Ja, da hast du verdammt recht. Ich weiß immer, wo du dich rumtreibst.« Ein Schatten fiel auf ihren Tisch. Cara hob den Kopf und blickte in das Gesicht eines ziemlich wütend wirkenden Mannes, der obendrein eine Fahne hatte, wenn sie sich nicht irrte. »Ich fahre dich hierher, und ich hole dich wieder ab, weil du nämlich bewiesen hast, dass man dir nicht über den Weg trauen kann.«

Daniella sank auf ihrer Sitzbank in sich zusammen.

Cara atmete tief durch, straffte die Schultern und sah dem Mann in die Augen. Sie konnte ihre Waffe spüren, die im Pistolenhalfter steckte. Er wollte sie wohl einschüchtern, aber da war er an die Falsche geraten.

»Verzeihung, kennen wir uns?« Ihre Stimme troff vor Verachtung.

»Ich bin Bob Francone. Und mit wem hab ich das Vergnügen?« Er stützte sich mit beiden Armen auf der Tischplatte ab und maß sie mit einem drohenden Blick.

Doch bei Cara biss er damit auf Granit. »Ich bin Daniellas Freundin. Cara Hartley, Polizistin.« Damit hielt sie ihm ihre Dienstmarke unter die Nase.

»Du dämliche Schlampe!«, fauchte Bob Daniella an, worauf sie ein erschrockenes Wimmern von sich gab.

Höchste Zeit einzugreifen, dachte Cara. Sie rutschte ans Ende der Sitzbank, um aufzustehen, doch Bob versperrte ihr den Weg. »Darf ich mal …?«

Bob ignorierte sie. »Jetzt bist du schon mit *Bullen* befreundet?«, bellte er Daniella an.

»Bitte mach keine Szene«, flehte Daniella.

»So, so, ich soll also keine Szene machen.« Er lachte verächtlich. »Du bestellst verdammt noch mal die Cops hierher, und *ich* soll keine Szene machen?«

»Ganz recht. Wenn Sie mich jetzt bitte rauslassen würden, ich möchte aufstehen.«

»Und ich möchte, dass Sie sich verdammt nochmal aus Daniellas Leben raushalten«, stieß er hervor.

»Das ist nicht deine Entscheidung«, meldete sich Daniella zu Wort, und Cara blieb vor Überraschung der Mund offen stehen. Am liebsten hätte sie ihr applaudiert.

»Schnauze!« Bob verpasste Daniella eine schallende Ohrfeige, sodass sie in die hinterste Ecke der Sitzbank segelte.

Jetzt zückte Cara ihre Waffe. »Zurück. Sofort«, befahl sie und zielte mit ihrer Waffe auf Bob.

Daniella rappelte sich in Panik auf, den Blick auf Caras Glock geheftet. »Bob …«

»Ich habe alles unter Kontrolle, Daniella.« Cara ließ den Mann nicht aus den Augen.

Bob sah argwöhnisch von der Waffe zu Cara.

»Hören Sie, Bob, Sie haben sich bereits strafbar gemacht, indem Sie Daniella tätlich angegriffen haben, und ich habe Sie jetzt schon zweimal gebeten, mich aufstehen zu lassen. Sie wollen doch bestimmt nicht auch noch wegen Behinderung der Staatsgewalt belangt werden.«

In diesem Moment ertönte draußen das rasch lauter werdende Heulen einer Sirene. Bev musste die Polizei alarmiert haben.

Bob riss erschrocken die Augen auf, und ehe Cara wusste, wie ihr geschah, hatte er Daniella auch schon bei den Haaren gepackt, hinter dem Tisch hervorgezerrt und einen seiner kräftigen Unterarme um ihren Hals gelegt. Cara sprang auf, während Daniella verzweifelt versuchte, sich aus seiner Umklammerung zu befreien.

»Lassen Sie sie los«, befahl Cara ruhig, die Waffe auf Bob gerichtet. Daniella war bereits ganz rot im Gesicht.

»Den Teufel werde ich tun! Sie gehört mir!«, rief er mit einem irren Blick in den Augen.

»Sie gehört gar niemandem, Bob. Und jetzt lassen Sie sie gehen, okay?«

Aus dem Augenwinkel verfolgte Cara, wie sich Sam

und Ted, einer ihrer neueren Kollegen, von hinten an Bob anschlichen. Die beiden waren offenbar durch den Hintereingang hereingekommen. Ein Glück, dass Bob sie nicht gesehen hatte, sonst wäre er vermutlich erneut ausgeflippt. Bis jetzt hatte er keine Waffe gezogen, aber man konnte nie wissen. Blieb nur zu hoffen, dass es Sam gelingen würde, ihn zu überwältigen.

»Bob, wenn Sie Daniella lieben, dann wollen Sie doch sicher nicht, dass ihr etwas passiert. Damit wären wir schon zwei. Also, lassen Sie sie los«, sagte Cara, dann nickte sie Sam unauffällig zu, und er trat hinter den Mann und bohrte ihm seine Dienstwaffe in die Seite. »Es ist vorbei«, sagte er.

Und damit hatte der Spuk ein Ende. Bob sank ohne Vorwarnung auf die Knie, greinend wie ein Baby, und ließ sich von Sam widerstandslos die Arme auf den Rücken drehen.

Cara schnappte sich Daniella und zog sie von ihm fort.

»Du weißt doch, Dani, ich würde dir niemals wehtun«, sagte Bob weinerlich, während Sam ihm Handschellen anlegte und ihn über seine Rechte aufklärte.

Bev legte Daniella einen Arm um die Schulter und tröstete sie wie eine Mutter ihr Kind.

Cara war froh, dass die Angelegenheit so glimpflich verlaufen war. »Es war klug von Ihnen, die Polizei zu rufen, Bev. Vielen Dank.«

Die Angesprochene zuckte bloß die Achseln und tippte sich an die Stirn. »Gesunder Menschenverstand, mehr nicht. Er kommt jeden Tag her, zu den unterschiedlichsten Zeiten, und er beobachtet und bedroht Daniella. Die Sorte Mann kenne ich.« Sie runzelte missbilligend die Stirn und tätschelte Daniella den Rücken.

»Es tut mir leid«, murmelte diese.

Cara schüttelte lächelnd den Kopf. »Du weißt doch, es gibt keinen Grund, dich für das Verhalten eines anderen Menschen zu entschuldigen.«

Daniella nickte.

»Es wäre gut, wenn wir gleich alle zusammen aufs Revier fahren und eine Aussage machen würden. Daniella, wirst du ihn anzeigen? Und eine einstweilige Verfügung beantragen?«, fragte Cara. »Ich helfe dir dabei.«

Wieder nickte Daniella.

Cara machte sich zwar keine Illusionen, dass das Bob auf lange Sicht davon abhalten würde, Daniella zu schikanieren, aber jetzt war er zumindest schon mal aktenkundig, und vielleicht würde ihn die Verhaftung ein wenig zur Vernunft bringen.

»Ich bin stolz auf dich«, sagte sie und drückte Daniella die Hand.

»Ich komme dann nach«, sagte Bev. »Ich muss nur noch meinen Sohn anrufen, damit er hier übernimmt. Ihm gehört der Laden nämlich.«

Cara nickte. »Gut. Dann fahre ich schon mal mit Daniella vor. Einen kleinen Moment brauche ich noch, um mich mit meinen Kollegen zu besprechen.«

Cara ging zu Sam, der Bob soeben hinaus zum Streifenwagen hatte bringen wollen. Er übergab den Mann an Ted und sagte: »Ich bin gleich so weit.«

Ted übernahm und bugsierte Bob zur Tür. »Es tut mir leid, Dani«, rief Bob noch über die Schulter, doch Daniella wandte sich wortlos ab.

Cara schüttelte angewidert den Kopf. »Sie wird ihn anzeigen.«

»Sehr gut«, sagte Sam.

»Ich fahre schon mal mit ihr los. Bev kommt nach, sobald sie hier alles geregelt hat. Wir werden alle eine Aussage machen.« Auch Cara, denn sie war ja nicht dienstlich hergekommen, sondern privat.

»Alles okay mit ihr?«, erkundigte sich Sam mit einer Kopfbewegung in Richtung Daniella.

Cara nickte. »Ja. Ich hoffe nur, sie überlegt es sich nicht noch einmal.« Sie hatte es schon zu oft miterlebt, dass Frauen – darunter auch ihre eigene Mutter – ihre Meinung änderten und am Ende doch nicht gegen ihren gewalttätigen Mann oder Freund aussagen wollten.

»Was ist mit dir? Alles okay?« Sam beäugte sie prüfend, wie immer nach einem Einsatz.

»Klar. Alles easy«, antwortete Cara grinsend.

Sam schüttelte den Kopf. »Dann bis nachher auf dem Revier, Großmaul«, brummte er.

Den Rest des Abends war Cara damit beschäftigt, Formulare auszufüllen und sicherzustellen, dass Daniella versorgt war. Bev bestand darauf, die junge Frau vorübergehend bei sich aufzunehmen, und Daniella willigte ein. Solange sie in Sicherheit war, bestand nicht das Risiko, dass sie in die Wohnung zurückkehren würde, in der sie mit Bob gelebt hatte. Heute Abend saß der Mistkerl hinter schwedischen Gardinen, aber es war nicht ausgeschlossen, dass er nach der Verlesung der Anklageschrift morgen auf Kaution freikam. Es war hoch an der Zeit, dass Daniella einige kluge und hoffentlich langfristig gültige Entscheidungen traf.

***

Am Sonntagmorgen war es nach dem Schneesturm am Vortag sonnig, aber kalt. Mike war den ganzen Samstag auf dem Revier mit dem liegen gebliebenen Papierkram beschäftigt gewesen, der sich nach wie vor auf seinem Schreibtisch türmte, und er hatte sich mit dem Techniker über die diversen Möglichkeiten der elektronischen Datenerfassung unterhalten. Abends hatte er mit Ethan und einigen weiteren ehemaligen Mitschülern Poker gespielt und ein hübsches Sümmchen gewonnen. Es war ganz nett gewesen, die alten Kumpels mal wieder zu treffen. Fast so gut wie ein Samstagabend im Bett mit Cara.

Sie hatten sich seit ihrer Rückkehr aus Vegas kaum gesehen, was teils an ihrem Dienstplan lag, teils daran, dass Mike so beschäftigt war. Trotzdem hatte er oft an sie gedacht. Allmählich gewöhnte er sich sogar daran, aber neu war, dass es ihm tatsächlich fehlte, sie um sich zu haben und die Ablage im Bad oder die Schubladen im Schlafzimmer mit ihr zu teilen. Das hatte es noch nie gegeben, dass es ihn störte, von einer Frau getrennt zu sein. Er hatte sie wieder zum traditionellen Sonntagabendessen mit seiner Familie eingeladen, aber sie hatte dankend abgelehnt mit dem Argument, sie sei zu erschöpft. Er hatte nicht an ihren Worten gezweifelt, denn sie hatte noch geschlafen, als er sie um elf Uhr vormittags angerufen hatte.

Am Sonntagnachmittag fuhr er zu seinen Eltern, um einiges zu erledigen, um das sich sonst sein Vater kümmerte: Der Weg durch den Vorgarten musste freigeschaufelt und die Einfahrt mit Streusalz enteist werden. Sam und Erin leisteten ebenfalls ihren Beitrag, damit das Leben für Simon und Ella weitgehend seinen gewohnten Gang gehen konnte, bis dieser Albtraum vorüber war.

Kein Wunder, dass die meisten Menschen sich scheuten, das Wort *Krebs* laut auszusprechen. Diese verdammte Krankheit war eine Belastung für sämtliche Angehörigen des Betroffenen. Wenigstens erweckte Simon den Eindruck, als würde er zusehends zu Kräften kommen. Bei Mikes Ankunft vorhin hatte er diesmal zur Abwechslung einmal nicht geschlafen.

Mike streifte die Schuhe ab und deponierte sie nebst Jacke und Handschuhe in der Waschküche zum Trocknen. Das Essen gestaltete sich wie immer, es wurde gescherzt und gelacht, und zum ersten Mal seit einer ganzen Weile beteiligte sich auch Simon daran. Das Bewusstsein, dieser Familie anzugehören, bescherte Mike ein Glücksgefühl, das er viel zu lange nicht mehr empfunden hatte, vielleicht sogar überhaupt noch nie. Es war, als hätte er das, was er hier in Serendipity hatte, nach der Begegnung mit Rex erst so richtig schätzen gelernt.

»Wo ist Cara denn heute Abend?«, erkundigte sich Ella beim Dessert.

Mike, der sich soeben einen Löffel ihres leckeren süßen Auflaufs in den Mund schieben wollte, hielt mitten in der Bewegung inne. »Zu Hause. Sie lässt sich entschuldigen, sie war zu müde.«

»Und du hast natürlich prompt vergessen, uns das auszurichten«, zog Erin ihn auf. »Kein Wunder, dass sie etwas neben sich steht nach der ganzen Aufregung gestern Abend ...«

Mike legte alarmiert den Löffel ab. »Wieso, was war denn gestern?«

»Ah, da hat wohl jemand seine Pflichten vernachlässigt!«, stellte sein Vater schmunzelnd fest. »Kann ich gut nachvollziehen. Ich wollte auch nicht jeden Sonntag wissen, was sich so in der Stadt getan hatte. Mein Motto war immer: Falls die Welt untergeht, wird mir schon jemand Bescheid sagen. Wofür gibt es denn den Hilfssheriff?«

»Ich hatte gestern Bereitschaftdienst in der Bezirksstaatsanwaltschaft«, sagte Erin.

Mike hatte plötzlich einen ganz trockenen Mund. »Was ist passiert?«, fragte er seinen Bruder, von dem er wusste, dass er ebenfalls eingeteilt gewesen war.

»Hat Cara das nicht erwähnt?«, wunderte sich Sam.

Mike schüttelte den Kopf.

»Ach, herrje«, brummte Sam. »Das konnte ich ja nicht ahnen, sonst hätte ich es dir schon eher erzählt.«

»Dann erzähl es mir jetzt«, forderte Mike ihn auf.

Sam räusperte sich. »Eine der Angestellten im McDonald's an der Route 80 hat angerufen, weil ein Betrunkener ihre Kollegin bedroht hat. Ich hab mich gleich mit Ted Shaeffer auf den Weg gemacht. Als wir hinkamen, hatte der Typ seine Freundin im Würgegriff, und Cara hielt ihn mit einer Waffe in Schach.«

Mike wurde flau im Magen. Cara hatte gestern Abend frei gehabt, aber wenn sie auch vor Ort gewesen war, konnte das nur eines bedeuten.

»Hieß die Frau zufällig Daniella?«, fragte er.

Sam nickte. »Cara war nicht im Dienst, als Daniella sie angerufen und um ein Treffen gebeten hat. Und dann ist plötzlich ihr Freund aufgetaucht … Irgend so ein gewalttätiges Arschloch«, fügte er hinzu und wurde von seiner Mutter ausnahmsweise nicht für seine Ausdrucksweise gerügt. »Die Situation war nicht ungefährlich, aber es ist uns gelungen, sie ohne Blutvergießen zu entschärfen.«

Das überraschte Mike nicht. Er wusste, dass Cara auf sich aufpassen konnte, und er würde ihr bei Bedarf blind vertrauten, wenn sie ihm Rückendeckung gab. Was ihn jedoch schockierte, war die Tatsache, dass sie von Daniella gehört und ihn nicht darüber informiert hatte. Sie hatte ihn weder gestern Abend angerufen, noch hatte sie es heute am Telefon erwähnt.

»Wer ist denn diese Daniella?«, wollte Simon wissen.

»Eine junge Frau aus Havensbridge, die Cara unter ihre Fittiche genommen hat. Sie hat das Frauenhaus vor zwei Wochen verlassen und war seither spurlos verschwunden. Ich habe sogar schon in einigen Krankenhäusern in der Gegend nach ihr gefragt, weil Cara so in Sorge um sie war.« Und trotzdem hatte ihm Cara nicht Bescheid gesagt, als Daniella wieder aufgetaucht war.

»Daniella war bereit, ihn anzuzeigen und gegen ihn auszusagen. Sie hat sich mutigerweise sogar dazu durchgerungen, eine einstweilige Verfügung gegen ihn zu erwirken«, berichtete Sam.

»Das arme Ding.« Seine Mutter schüttelte den Kopf. »So was sollte keine Frau durchmachen«, sagte sie mit betrübter Miene.

»Und Cara ist nichts passiert?«, fragte Mike.

Sam schüttelte den Kopf. »Nein, es ging ihr gut. Tut mir echt leid, Mann. Ich dachte, du wüsstest es.« Zumindest schien er sich inzwischen mit dem Gedanken angefreundet zu haben, dass Mike nun mit Cara zusammen war.

»Schon gut«, sagte Mike.

»Sie hat ihre Aussage zu Protokoll gegeben, und nachdem sie sicher sein konnte, dass sich jemand um Daniella kümmert, ist sie nach Hause gefahren.«

Allein, dachte Mike. Der Zwischenfall musste ein emotionales Horrorszenario für sie gewesen sein. Bestimmt hatte er allerlei schmerzliche Erinnerungen geweckt und die Angst um ihre Mutter aufs Neue geschürt. Und trotzdem hatte sie ihn nicht angerufen. Weil sie so ein verfluchter Dickschädel war und stets darauf bedacht, alles allein zu bewältigen. Er erhob sich.

»Wo willst du hin, Mike?«, fragte seine Mutter.

Simon legte ihr eine Hand auf den Arm. »Lass ihn nur. Er muss sich jetzt um sein Mädel kümmern.«

Mike lächelte ihn an. *Hätte ich mir ja denken können, dass er mich versteht*, dachte er. »Danke für das leckere Essen.«

»Geh nur, ich mache hier Klarschiff«, sagte Erin und wedelte mit der Hand, doch ihr vielsagendes Grinsen ließ keinen Zweifel daran aufkommen, dass er ihr einen Gefallen schuldete.

»Hey, sei nicht zu streng mit Cara, ja?«, ermahnte Sam ihn.

Manches würde sich wohl nie ändern. Mike hätte seinem Bruder gern gesagt, dass es allein seine Sache war, wie er mit seiner Freundin umging, aber er ließ es bleiben, wohl wissend, dass er damit eine längere Diskussion auslösen würde, und dafür fehlten ihm jetzt die Zeit und die Geduld.

Im Augenblick verspürte er nämlich vor allem eines: den Drang, Cara so lange zu schütteln, bis sie zur Vernunft gekommen war.

Kapitel 13

Cara brummte der Schädel. Sie war gestern Abend nach Hause gekommen und sofort ins Bett gefallen, aber sie hatte sich die halbe Nacht unruhig hin und her gewälzt. Normalerweise schlief sie nach derart aufregenden Einsätzen wie ein Murmeltier, doch diesmal hatte es sich nicht angefühlt wie ein rein beruflicher Zwischenfall. Dafür stand ihr Daniella viel zu nah.

Immer wieder sah sie vor sich, wie die junge Frau zusammengezuckt war, als Bob sie angebrüllt hatte; wie sie immer tiefer auf der Bank zusammengesunken war, als wollte sie sich unsichtbar machen. Und wie sie auf die Ohrfeige reagiert hatte: als wäre sie nicht der Rede wert. All das erinnerte Cara an das Verhalten und die Körpersprache ihrer Mutter und verursachte ihr rasende Kopfschmerzen.

Sie nahm zwei Kopfschmerztabletten und wollte sich eben wieder auf die Couch legen, wo sie den Großteil des Tages verbracht hatte, als es klingelte.

Barfuß tappte sie zur Tür und spähte durch das kleine Fenster im Flur. Ihr Herz schlug unwillkürlich schneller, als sie draußen Mike in seiner Lederjacke erblickte.

Sie öffnete ihm. »Hi! Das ist ja eine angenehme Überraschung.«

»Hi.« Er musterte sie mit ernster Miene, dann trat er ein und drehte sich zu ihr um. Er stand so dicht vor ihr, dass es sie in den Fingern juckte, den Arm auszustrecken und die Falten glattzustreichen, die seine Stirn durchzogen. Aber erst musste sie herausfinden, was ihm durch den Kopf ging.

»Was ist denn los?«, fragte sie.

»Ich dachte, wir führen eine Beziehung.« Sein finsterer Blick verhieß nichts Gutes.

Er war sauer, und sie hatte keine Ahnung, warum. »Ähm, tun wir doch, oder?«

»Bist du sicher?«, presste er hervor.

»Na klar bin ich sicher! Was mich allerdings etwas verunsichert ist deine Laune. Wie wär's, wenn du mir verrätst, welche Laus dir über die Leber gelaufen ist?«

»Dazu komme ich gleich. Wir haben also eine Beziehung, ja?«

Sie nickte und spürte, wie ihr der kalte Schweiß ausbrach.

»Und trotzdem musste ich erst von meinen Geschwistern erfahren, dass du gestern einen Anruf von Daniella erhalten, dich mit ihr getroffen und ihren Freund mit einer Waffe in Schach gehalten hast!«, stellte er mit erhobener Stimme fest.

Seiner spürbaren Verärgerung zum Trotz empfand Cara keine Angst, denn sie wusste, so wütend er auch war, er würde niemals die Hand gegen sie erheben. Sie fragte sich bloß, welchem Umstand sie diese »Wir haben eine Beziehung«-Anwandlung verdankte.

»Du warst also gestern Abend nicht im Dienst und hast es erst heute von Sam und Erin gehört?«, hakte sie nach, um sicherzugehen, dass sie ihn richtig verstanden hatte.

»Ganz recht. Beim Essen mit meinen Eltern. Warum hast du es mir nicht erzählt, als ich dich heute Vormittag angerufen habe?«

»Weil du mich da aus dem Schlaf gerissen hast und ich noch nicht geradeaus denken konnte.«

»Das kann ich ja noch nachvollziehen, aber danach? Du hast gesagt, du bist erschöpft – ganz offensichtlich, weil dir der Vorfall ziemlich an die Nieren gegangen ist –, und du hast es den ganzen Tag nicht der Mühe wert gefunden, mich zu informieren oder dich von mir trösten zu lassen?«

»Moment mal. Du bist gekränkt, weil ich mich nicht bei dir gemeldet habe, nachdem ich endlich von Daniella gehört hatte?« Das war so untypisch für ihn, dass sie nicht wusste, was sie dazu sagen sollte.

»Hallo? Natürlich bin ich gekränkt! Wärst du das nicht auch, wenn sich mein Vater bei mir gemeldet hätte und ich dir nichts davon erzählen würde?« Inzwischen hatte er sich wieder etwas beruhigt, aber seine betrübte Miene rührte sie zutiefst.

Sie schluckte schwer. »Ich habe überlegt, ob ich dich anrufen soll. Als ich auf dem Weg zu Daniella war.«

Er hob eine Augenbraue. »Und warum hast du es nicht getan?«

Puh, das würde ein harter Brocken werden. Aber das war die Wahrheit ja oft. Und er hatte es verdient, dass sie ehrlich zu ihm war. »Sollen wir uns nicht setzen?«

Er verschränkte die Arme und legte den Kopf schief, rührte sich aber nicht vom Fleck.

»Gut, dann eben nicht. Also: Ich *wollte* dich anrufen, und genau deshalb habe ich es bleiben lassen.«

»Das ergibt doch keinen Sinn.«

»Für dich vielleicht nicht. Aber als das hier losging« – sie deutete auf ihn und dann auf sich selbst –, »habe ich prophezeit, dass du mir das Herz brechen wirst, erinnerst du dich?«

Er nickte und wartete mit argwöhnischem Blick ab.

»Weißt du auch noch, was du darauf geantwortet hast?«

Sie konnte förmlich zusehen, wie bei ihm der Groschen fiel.

»Ich habe gesagt: ›*Hier sind keine Herzen im Spiel*‹«, murmelte er heiser.

Seine raue Stimme war wie Schleifpapier für ihr bereits malträtiertes Herz. »Ich wusste, wenn ich mich mit dir einlasse, dann muss ich mich emotional abschotten, aber du machst es mir ganz schön schwer. Das, was sich zwischen uns entwickelt hat, macht es mir ganz schön schwer.«

Er schnaubte. »Erzähl mir was Neues.«

Sie lächelte. »Tja, wie gesagt, der Schutzwall, den ich um mein Herz errichtet habe, bröckelt in deiner Gegenwart leider ziemlich heftig. Aber ich weiß, du wirst irgendwann gehen, wann immer das auch sein mag, und wenn ich das überstehen will, dann darf ich mich nicht zu sehr an dich gewöhnen.«

Er breitete verständnislos die Arme aus. »Und indem du mich darüber auf dem Laufenden hältst, was bei dir so los ist, gewöhnst du dich zu sehr an mich?«

»Richtig.« Ihre Wohnung kam ihr ja schon jetzt leer vor, wenn er nicht da war. »Ich darf mir nicht angewöhnen, dich anzurufen, um dir von den kleinen Ereignissen in meinem Leben zu erzählen, wenn du womöglich schon bald nicht mehr da bist und ich wieder allein bin.« Sie fröstelte schon bei der bloßen Vorstellung.

»So einfach ist das also für dich, ja?«, fragte er, als wäre er der Leidtragende.

»Machst du Witze? Mit dir zusammen zu sein ist weiß Gott alles andere als einfach!« Sie hätte ihm ihr Herz auf einem Silbertablett serviert, aber er wollte es ja nicht. Und es tat so schon genug weh, auch ohne ihn allzu nahe an sich heranzulassen.

Er schlang die Arme um sie und zog sie an sich. »Willkommen im Club, Baby.«

Sie musste wider Willen lachen, als er den Kosenamen verwendete. Dann lehnte sie seufzend die Stirn an seine Brust und genoss seinen angenehm maskulinen Geruch, bei dem ihre Sinne immer verrückt spielten.

»Ich wünschte, du hättest mich angerufen«, murmelte er in ihr Haar.

»Und ich wünschte, du würdest mir nicht so viel bedeuten, aber wir bekommen eben nicht immer das, was wir wollen.« Sie machte sich von ihm los, weil sie dringend etwas Abstand brauchte.

Nicht weil sie wütend auf ihn war oder enttäuscht, sondern weil sie sich ihm am liebsten an den Hals geworfen und sich ihm mit Haut und Haaren, mit Körper und Seele hingegeben hätte. Aber das konnte sie sich schlicht und ergreifend nicht erlauben. Sie dachte an ihre Mutter, die sich einem Mann geopfert hatte, der ihr nicht geben konnte, was sie brauchte. Mike war zwar nicht gewalttätig wie ihr Vater, aber auch er konnte ihr nicht geben, was sie verdiente.

»Cara.« Er packte ihren Arm und drehte sie herum, sodass sie gezwungen war, ihn anzusehen. Er konnte nicht verhehlen, dass er genauso unglücklich über die Situation war wie sie. »Ich empfinde auch mehr für dich, als ich eigentlich will.« Er strich ihr mit der Hand über die Wange.

»Aber das ändert nichts, oder?«

Er biss sich verlegen auf die Unterlippe, und das genügte ihr als Antwort. Die Erkenntnis schmerzte, obwohl sie bereits damit gerechnet hatte. »Ich bin am Verhungern«, sagte sie, um sich auf etwas zu konzentrieren, worauf sie einen Einfluss hatte. »Ich werde mir jetzt eine Portion Lasagne aufwärmen. Willst du auch etwas?«

Er schüttelte den Kopf. »Ich habe bei meinen Eltern gegessen.«

Cara tappte barfuß in die Küche. Sie trug eine viel zu große dunkelblaue Jogginghose mit dem SPD-Logo und ein abgeschnittenes T-Shirt, dazwischen lugte ein Streifen nackter Haut hervor. Ihr Pferdeschwanz schwang beim Gehen hin und her. Sie hatte noch nie so appetitlich ausgesehen. Mike stöhnte leise und folgte ihr.

Er musste ihr auf der ganzen Linie recht geben. Änderten seine Gefühle für sie etwas an seinen Plänen für die Zukunft? Er wusste es nicht. Seit er wieder in Serendipity war, hatte er viele unerwartete Wendungen erlebt, angefangen von seinen außergewöhnlich tiefen Gefühlen für Cara bis hin zu der Tatsache, dass er ausnahmsweise mal nicht das dringende Bedürfnis verspürte, alles liegen und stehen zu lassen und nach New York zurückzukehren. Doch Simon war auf dem Weg der Besserung. Wenn er seinen Posten wieder übernahm, war Mike arbeitslos.

Konnte er als Polizist oder Kriminalbeamter in Serendipity bleiben? Wollte er das überhaupt? Auch diese Frage konnte er nicht beantworten, und solange er das nicht konnte, durfte er ihr keine falschen Hoffnungen machen.

Er wartete, bis sie ihr Essen in die Mikrowelle gestellt hatte, dann drängte er sie an die Kante der Arbeitsplatte, und sie sah mit ihren allwissenden blauen Augen zu ihm hoch.

»Weißt du, was ich am meisten an dir mag?«, fragte sie.

Er hob überrascht eine Augenbraue. »Mein umwerfendes Aussehen?«, witzelte er.

»Davon mal ganz abgesehen.« Sie schlang ihm die Arme um die Taille.

»Meinen Charme?«

Jetzt musste sie lachen. »Den auch. Nein, ich meine, dass du immer offen und ehrlich zu mir warst. Zu wissen, woran man ist, macht es erträglicher, was auch immer passiert.«

Er lächelte über das Kompliment, und zugleich hatte er tief drin das Gefühl, dass dieser Umstand eigentlich kein Grund war, stolz auf sich zu sein.

Er leistete ihr Gesellschaft, während sie aß, und fragte sie, ob sie über den Vorfall am vorangegangenen Abend reden wollte. Sie wollte nicht, weil sie sich schon den ganzen Tag über damit beschäftigt hatte, also sprachen sie über das Computersystem auf dem Revier und die bevorstehende Hochzeit von Annie und Joe. Danach sahen sie sich eine Folge von *Law & Order* an. Cara liebte die Serie, Mike fand sie albern, also konzentrierte er sich stattdessen auf Cara, die einen großen Becher Eis von Ben & Jerry's verdrückte und bei jedem Cookie-Stückchen, das sie erwischte, »Mmm!« machte.

Nachdem er ihr eine Weile dabei zugesehen hatte, wie sie ein ums andere Mal genüsslich den Löffel ableckte, war er nahe daran, sie hochzuheben und ins Schlafzimmer zu bringen. Sie hätte bestimmt nichts dagegen einzuwenden gehabt. Cara war nicht nachtragend. Sie hatte kein Wort mehr über ihr Gespräch vorhin verloren, und sie ließ ihn weder ihre Enttäuschung noch ihren Unmut spüren, um ihn zu bestrafen.

Im Gegenteil, sie unterhielt sich mit ihm über dies und jenes und erweckte dabei einen durchaus zufriedenen Eindruck, während er immer gereizter wurde, was seine Laune nur noch zusätzlich trübte. Er hatte eine Frau gefunden, die ihn so akzeptierte, wie er war, und keinerlei Forderungen stellte. Er hätte sich glücklich schätzen, hätte sich auf sie stürzen und sich all das nehmen sollen, was sie ihm zu geben bereit war. Doch sie hatte ein anstrengendes Wochenende hinter sich, und obwohl er wusste, dass Sex als vorübergehende Ablenkung hervorragend funktioniert hätte, wurde er das Gefühl nicht los, dass es nicht fair gewesen wäre, jetzt mit ihr zu schlafen, wo sie emotional so mitgenommen war.

Sie grinste ihn über ihren Löffel hinweg an.

Okay, vielleicht war sie emotional gar nicht so schlimm mitgenommen. Aber er war nach dem Gespräch vorhin unruhig und verunsichert und beinahe … unglücklich darüber, dass er bekam, was er sich von einer Beziehung erwartete. Und deshalb blieb er nicht, sondern küsste sie, wünschte ihr eine gute Nacht und fuhr nach Hause.

Am Montagmorgen kam es Mike so vor, als wäre der Stapel Unterlagen auf seinem Schreibtisch übers Wochenende erneut angewachsen. Zum Glück hatte er Rachel, eine fünfundfünfzig Jahre alte Sekretärin, die halbtags für ihn arbeitete und ihn und seine Untergebenen gern bemutterte. Als sie mit zwei Tassen Kaffee hereinkam, nahm er seine dankbar entgegen und machte sich mit ihr ans Werk.

Bei der Durchsicht des Stapels notierte sich Rachel gelegentlich etwas, brachte Mikes Kalender auf den neuesten Stand und sortierte die Unterlagen schon mal vor, damit sie sie später besser ablegen konnte.

Eine Stunde später hatten sie schon fast alles erledigt. Jetzt war Mikes Terminkalender für die Woche zwar voll, aber dafür hatte er eine bessere Übersicht, was ein effizienteres Arbeiten ermöglichte.

»Was würde ich nur ohne dich tun?«, sagte er zu Rachel.

»Das hat dein Vater auch immer gesagt. Tja, wenn ich unentbehrlich bin, dann habe ich wohl alles richtig gemacht.« Wenn sie wie jetzt lächelte, wirkte sie trotz ihrer silbergrauen Haare um Jahre jünger.

»Mein Vater ist ein kluger Mann.« Mike lächelte. Die Vorstellung, dass Simon sonst auf demselben Stuhl saß wie er gerade, gefiel ihm.

»Und du bist ihm sehr ähnlich. Du verlangst deinen Leuten den gleichen Respekt ab wie er, du lässt dir auch von Bürgermeisterin Flynn nichts gefallen, und du übst die gleiche Wirkung auf Frauen aus wie er …« Sie lachte. »Nicht dass du dir diese Tatsache irgendwie zunutze machen würdest. Aber auch diesbezüglich kommst du nach Simon.«

»Ach ja?« Mike war noch gar nicht aufgefallen, dass er bei den Damen so hoch in der Gunst stand.

»Ja. Und dein Daddy hatte nur Augen für deine Mama. Er ließ sich von keiner anderen Frau ablenken.«

Mike wusste nicht, auf welchen Teil dieser Aussage er zuerst eingehen sollte und entschied sich für den einfacheren. »Was du nicht sagst. Dad war also von Anfang an in Mum verschossen?« Er wollte gern mehr erfahren, wollte wissen, was genau geschehen war, nachdem sich Rex dünngemacht hatte.

Er hatte sich nämlich oft gefragt, ob sich Simon seiner Mutter bloß aus Pflichtgefühl angenommen und sich erst später in sie verliebt hatte. Oder war er schon immer in Ella verliebt gewesen und erst zum Zug gekommen, nachdem Rex getürmt war? Und hatte seine Mutter Simon bloß aus Verzweiflung geheiratet, oder hatte sie tatsächlich Zuneigung zu ihm empfunden? Er zweifelte nicht daran, dass sich die beiden jetzt liebten, aber was die Anfänge anging … Mike schauderte bei der Vorstellung, dass die Schwangerschaft seine Mutter zu einer Entscheidung gezwungen hatte, die sie sonst womöglich nicht getroffen hätte.

Als er Rachels fragenden Blick aufschnappte, wurde er jäh aus seinen Gedanken gerissen. »Hörst du mir noch zu?«, wollte sie wissen.

»Entschuldige, ich war kurz abgelenkt.«

»Ich sagte gerade, dass Simon deine Mutter schon geliebt hat, als sie noch mit Rex, diesem Hallodri, zusammen war … Oh!« Sie schlug sich die Hand vor den Mund. »Tut mir leid. Das war gedankenlos.«

Mike schüttelte den Kopf. »Du brauchst dich nicht zu entschuldigen. Es ist die reine Wahrheit.« Offenbar wusste jeder in der Stadt, dass Rex Bransom ein Taugenichts gewesen war.

Rachel wandte sich mit hochrotem Kopf zu Mikes Schreibtisch um und zog einen braunen Umschlag, auf dem sein Name stand, aus dem Fach mit den Posteingängen. »So, jetzt haben wir alles durchgeackert bis auf den hier«, sagte sie und reichte ihm den dicken Umschlag, wobei sie seinem Blick noch immer auswich.

»Bitte mach dir keine Vorwürfe, Rachel, ehrlich.«

Sie nickte. »Danke. Ich erledige dann mal die Ablage.«

Damit schnappte sie sich ein paar Unterlagen und eilte von dannen.

Mike lehnte sich stöhnend auf seinem Stuhl zurück, das Päckchen in der Hand. Die Handschrift kam ihm nicht bekannt vor. Das musste der Umschlag sein, den jemand vor einer Woche für ihn abgegeben hatte. Mike hatte ihn völlig vergessen, weil er ganz unten in seinem Posteingangsfach gelegen hatte.

Der Umschlag enthielt ein schwarzes Kassenbuch und ein Schreiben, verfasst von der Ehefrau von Richter Baine, wie Mike feststellte, als er die Zeilen kurz überflog.

Mein Mann hat mir in einem lichten Moment aufgetragen, Ihnen dieses Buch zukommen zu lassen. Alte Fehler, für die er mit seinen Schuldgefühlen längst bezahlt hat und immer noch bezahlt, wenn er mal kurz bei klarem Verstand ist. Wie vielfach bereits vermutet wurde, war das Winkler-Motel in der Tat ein Bordell, das von zahlreichen prominenten und im Grunde ihres Herzens guten Menschen bis zu dem von Ihnen erwähnten Zeitpunkt am Laufen gehalten wurde. Tun Sie mit den hier enthaltenen Informationen, was Sie tun müssen. Mein Mann hat bereits gebührend für seine Sünden gebüßt, jedenfalls was mich angeht, und inzwischen weiß er ohnehin die meiste Zeit nicht mehr, was um ihn herum vorgeht. Doch es war ihm ein großes Anliegen, sein Gewissen zu erleichtern, und ich habe mich seinem Wunsch gefügt.

Mike hob den Blick zur Decke. »Endlich. Eine Spur und ein paar Antworten. Dem Himmel sei Dank.«

Er sprang auf und ging nach draußen. Cara saß an ihrem Platz und tippte Berichte ab. Bald schon würde das veraltete EDV-System gegen ein neueres ausgetauscht werden. Auf diese Weise würde er hier Spuren hinterlassen, auch wenn er längst wieder weg war.

Mit einem Mal wurde Mike klar, dass ihm das wichtig war – dieses schmuddelige kleine Polizeirevier mit der Klimaanlage, die dringend erneuert gehörte, war ihm wichtig. Die Leute, die hier arbeiteten, waren ihm wichtig.

»Hi!« Cara sah von ihrem Schreibtisch hoch, und kaum ruhten ihre schönen blauen Augen auf ihm, war er gleich besser aufgelegt. »Hi! Hast du kurz Zeit?«

»Äh, klar. Lass mich das hier nur schnell abspeichern …« Sie drückte eine Taste und schob ihren Stuhl zurück. »So. Was gibt's?«

Mike ließ den Blick über ihre Uniform gleiten, in der sie wie üblich kompetent und zugleich unglaublich sexy wirkte. »Jemand hat mir etwas zugespielt, das Aufschluss über die Geldscheine in der Asservatenkammer geben könnte. Zumindest habe ich hier eine Liste mit Namen und Informationen, über die ich jetzt lieber nicht sprechen möchte. Ich sage dir mehr, sobald wir unter vier Augen sind.«

»Dann lass uns gehen.«

Sie ließ seinetwegen alles stehen und liegen? »Hast du nicht noch zu tun?«

»Das kann ich auch später erledigen.«

»Gut. Können wir zu dir fahren?«

»Meinetwegen, aber zu dir wäre es näher.«

Mike zögerte. »Aber bei dir ist es wärmer.« Und damit meinte er nicht die Temperaturen. Wenn er sich schon allerlei unerfreuliche Details über seinen leiblichen Vater zu Gemüte führen musste, dann tat er das lieber in Caras gemütlichen vier Wänden als in dem sterilen Apartment über Joe's Bar.

***

Sie fuhren also zu Cara nach Hause, wo sich Mike mit Stift und Notizblock bewaffnet in der Küche niederließ und das schwarze Buch von Richter Baine aufschlug, während Cara zwei mit Käse überbackene Sandwichs zubereitete. Sie spähte vom Herd aus zum Küchentisch. »Sieht aus wie ein Kassenbuch«, bemerkte sie.

»Ist es auch, aber es wurde nicht als solches verwendet. Jedenfalls nicht nur. Hier ist eine ganze Reihe prominenter Geschäftsleute aufgelistet, und unter den Namen stehen irgendwelche Initialen.«

Cara schob den Pfannenwender unter die Sandwichs, drehte sie um und legte sie schließlich auf zwei Teller.

»Und was steht sonst noch drin?«, fragte sie und trat mit den Tellern in der Hand zu ihm.

Er blätterte in dem Buch. »Hier sind viele leere Seiten.«

»Weiterblättern«, befahl sie und biss in ihr Sandwich. »Und fang an zu essen, bevor es kalt wird, sonst hab ich mir die ganze Mühe umsonst gemacht.«

Mike grinste und leistete ihrem Befehl sogleich Folge. »Mmm! Lecker. Das ist aber kein normales Käsesandwich.«

Cara freute sich über sein Kompliment. »Mein Geheimrezept wird nicht verraten. Nicht dass ich davon ausgehe, dass du dir je selbst ein Käsesandwich grillen würdest. Wenn dir mal wieder der Sinn danach steht, musst du schon zu mir kommen und es dir verdienen.«

»Mit Vergnügen.« Er streckte den Arm nach ihr aus, doch sie verpasste ihm einen Klaps auf die Finger.

»Erst die Arbeit«, ermahnte sie ihn und tippte auf das Buch.

»Und dann das Vergnügen?« Bei seinem lüsternen Blick schlug ihr Herz unwillkürlich schneller.

Cara war enttäuscht gewesen, als er sie gestern geküsst hatte und nach Hause gefahren war, obwohl sie seine Entscheidung eigentlich hatte verstehen können. Sie hatten beide zugegeben, dass sie mehr füreinander empfanden als geplant, da wäre es zweifellos eine schlechte Idee gewesen, miteinander zu schlafen. Zu viele Gefühle im Spiel. Heute Nachmittag befand sie sich wieder auf einigermaßen sicherem Boden, hatte ihre Emotionen besser im Griff.

»Mal sehen«, erwiderte sie keck. »Und jetzt such weiter.«

Er blätterte in dem Buch, bis er schließlich erneut auf

ein paar beschriebene Seiten stieß. »Bingo. Hier stehen Frauennamen.«

»Ich wette, die passen zu den Initialen, die vorn unter den Männernamen standen.«

Er sah nach. Sie hatte recht. »Okay, die Initialen gehören eindeutig zu den Frauennamen.«

»Ein Rätsel weniger also. Jetzt zu den Männernamen. Kommen dir da welche bekannt vor?«

»Mal abgesehen von Richter Baine? Fast alle«, brummte Mike. »Richter, Politiker, Männer mit Familie, Männer mit Geld, Männer aus der Arbeiterklasse ...« Er schüttelte missbilligend den Kopf.

»Steht da irgendwo auch Simons Name?«, fragte Cara sanft.

Er überflog die Seiten noch einmal, dann blickte er hoch. »Nein.« Die Erleichterung war ihm deutlich anzusehen. »Gott sei Dank nicht.«

Gut. Was auch immer Simon wusste, er war zumindest nicht fremdgegangen.

»Was ist mit ...«

»Rex? Ja, der wird mehrfach erwähnt. Und zwar nicht nur als Kunde, sondern auch als Geldgeber. Sieht ganz danach aus, als hätte er den Laden mitfinanziert. Hier stehen mehrere Summen neben diversen Namen, unter anderem Rex und ... Ach du Scheiße.«

»Was?« Sie beugte sich über den Tisch.

»Martin Harrington, Ethans Schwiegervater.« Mike klappte das Buch zu. »Dieses Buch ist eine Art Kinsey-Report über das Sexualverhalten der Männer von Serendipity.«

»Puh.«

»Fassen wir mal zusammen«, sagte Mike. »Was wissen wir bis jetzt?«

Cara verzehrte den letzten Happen, schob den Teller von sich und genehmigte sich einen großen Schluck Wasser. »Wir wissen jetzt zwei Dinge mit Sicherheit: Das Winkler-Motel war tatsächlich ein Bordell, und einige der angeblich so ehrenwerten Bürger der Stadt haben dafür gesorgt, dass der Betrieb aufrechterhalten werden konnte.«

Mike steckte sich ebenfalls den letzten Bissen in den Mund und stapelte anschließend die Teller übereinander. »Was ist mit dem Geld in der Asservatenkammer?«

»Wir wissen, dass die markierten Geldscheine teils aus dem Kofferraum des angehaltenen Wagens stammen. Es gibt also eine Verbindung zum Winkler-Motel. Wir wissen außerdem, dass viele prominente Männer aus Serendipity in die Sache involviert waren und dass das alles schon Jahre zurück liegt, was auch immer damals genau gelaufen ist.«

»Wir haben jetzt also mehr Informationen als vorher, aber viel weiter sind wir trotzdem noch nicht. Wir könnten natürlich jeden Einzelnen der hier aufgelisteten Leute befragen, aber damit würden wir eine Menge Staub aufwirbeln. Und unsere einzigen beiden Informanten haben ja auf stur geschaltet.«

Cara erhob sich und ging zu ihm, um ihm durch das Hemd hindurch den Nacken zu massieren. Während sie mit den Fingerspitzen seine verkrampften Muskeln bearbeitete, dachte sie angestrengt nach. »Dann können wir also nur abwarten, bis du das Gefühl hast, dass Simon wieder fit genug ist, um noch einmal einem Verhör unterzogen zu werden.«

Was bedeutete, dass sie vorerst zum Nichtstun verurteilt waren.

»Felicia Flynn hat heute Vormittag eine Nachricht für mich hinterlassen. Letzte Woche hat sie auch schon angerufen. So eine Nervensäge.«

»Sag ihr doch einfach, dass wir im Moment nicht weiterkommen. Das ist keine Lüge.«

»Es ist aber auch nicht die Wahrheit.«

Cara ließ die Hände sinken und schmiegte die Wange an sein Gesicht. »Wir sind auf keine Details gestoßen, die dringend enthüllt werden müssen.«

Er nickte. »Ich schrecke nicht davor zurück, auch mal ein paar Vorschriften zu umgehen, wenn es mir in den Kram passt, und genau das ist jetzt der Fall. Ich muss einfach Gewissheit haben.«

»Das verstehe ich.« Sie küsste ihn auf die Wange und genoss das Kitzeln seiner Bartstoppeln auf ihren Lippen.

»Mmm.« Kaum hatte er seine Begeisterung kundgetan, da klingelte sein Handy. »Mist.« Er fischte das Gerät aus der Tasche. »Hallo?« Nachdem er kurz gelauscht hatte, sagte er: »Danke, Erin. Ich werds ihr ausrichten.« Dann legte er auf.

»Was wirst du mir ausrichten?«

»Bob Francone ist auf Kaution draußen.«

Cara schnappte entsetzt nach Luft. »Und ich hatte schon gehofft, sie würden ihn eine Weile drinbehalten, schließlich war es nicht das erste Mal. Tja, ich bin Polizistin, ich hätte es besser wissen müssen.« Sie trat nach dem Nächstbesten, das ihr vor die Füße kam – nach einem Stuhlbein. Dummerweise saß Mike noch auf dem Stuhl. »Autsch! Verfluchte Scheiße!«

»Hey!« Mike hob sie hoch und trug sie aus der Küche, ehe sie sich noch weiter selbst verletzte. Das hätte er schon viel früher machen sollen.

»He, lass mich runter! Ich muss Daniella Bescheid geben.«

»Das hat Erin bereits übernommen. Das ist nämlich ihr Job, wie du weißt.«

»Daniella braucht jemanden, der sie vor Bob beschützt.«

»Wir können sie nicht beschützen. Sie arbeitet in einem Fastfoodrestaurant an der Autobahn, und sie wohnt bei einer Frau außerhalb von Serendipity. Außerdem hat sie eine einstweilige Verfü…«

»Das bedeutet gar nichts, und das weißt du genau.« Sie versuchte, sich freizukämpfen, doch so schnell ließ er sie nicht los. Dafür hielt er sie viel zu gern in den Armen. »Hör auf rumzuzappeln.« Er presste den Mund an ihren Hals und leckte ihr über die Haut.

Sie seufzte leise. »Wenn ich aufhöre, kann ich dann Daniella anrufen?«

Eine interessante Reaktion. Mike schloss die Augen. »Du kannst dich nicht um jeden Einzelnen deiner Mitmenschen kümmern, Cara. Du hast nicht in der Hand, was passiert. Manchmal muss man den Dingen einfach ihren Lauf lassen.«

Sie schmiegte sich an ihn mit einem Blick, der eher vertrauensvoll als lüstern wirkte und sein Herz dahinschmelzen ließ. »Mike?«

»Ja, Baby?«

»Kann ich sie jetzt anrufen?«

Mike erwiderte das Erstbeste, das ihm in den Sinn kam. »Wenn ich Ja sage, gehst du dann danach mit mir ins Bett?«

Kapitel 14

Den Rest der Woche war Cara mit Arbeit eingedeckt, aber sie musste immer wieder an den Montagnachmittag mit Mike denken. Der Sex war einfach unglaublich gewesen. Er hatte sie zurück in die Küche getragen, wo ihr Handy noch auf der Anrichte gelegen hatte, und dann war er mit ihr ins Schlafzimmer marschiert und hatte geduldig abgewartet, bis sie Daniella angerufen und ihr eine Nachricht auf die Mailbox gesprochen hatte. Und kaum hatte sie aufgelegt, war er auch schon über sie hergefallen. Sie hatten kaum die Finger voneinander lassen können. Sobald sie nackt gewesen waren, hatte er sich auf sie gelegt, am ganzen Körper bebend, hatte stöhnend ihren Duft in sich eingesogen. Und dann hatte er sie geliebt.

Der Unterschied zu sonst war deutlich zu spüren gewesen, zumindest für Cara, auch wenn es ihm selbst vermutlich gar nicht bewusst gewesen war. Er hatte zwar wie üblich das Kommando übernommen, aber seine Liebkosungen hatten sich anders angefühlt als sonst. Seine zärtlichen Berührungen hatten fast schon etwas Ehrfürchtiges an sich gehabt, und er hatte ihr tief in die Augen gesehen, als er in sie eingedrungen war.

Noch am Freitag, ihrem freien Tag, konnte sie kaum einen klaren Gedanken fassen. Aber sie war mit Alexa zum Shoppen verabredet, denn sie wollten sich nach Kleidern für die bevorstehende Hochzeit von Annie und Joe umsehen. Cara war nicht besonders erpicht auf lange Einkaufstouren, im Gegensatz zu Alexa, die dafür jedoch leider viel zu selten die Zeit und die Gelegenheit hatte. Sie fuhren in das nächstgelegene Einkaufszentrum, das ungefähr zwanzig Autominuten entfernt war. Dort wählte Alexa sogleich eine ganze Reihe von Kreationen in den verschiedensten Längen, Farben und Schnitten für sie beide aus. Cara schnappte sich vorsichtshalber noch ein, zwei schwarze Kleider, da sie kein großer Fan von kräftigen Farben war.

Der Vormittag zog sich ewig hin. Schließlich schlüpfte Cara in ein asymmetrisch geschnittenes Kleid aus einem seidigen schwarzen Stoff, das genau an den richtigen Stellen gerafft war und in dem sie sich überaus wohl fühlte.

»Komm raus und lass dich sehen!«, ertönte Alexas Stimme von nebenan.

Cara trat barfuß aus der Ankleidekabine und betrachtete ihre Freundin, die ein kurzes, mit goldenen Pailletten besetztes Kleid trug. »Wow! Du siehst fantastisch aus!«

»Mir gefällt es auch. Ich glaube, das nehm ich. Ich hoffe nur, ich finde auch Schuhe und eine Tasche dazu.«

Cara stöhnte. »Ich dachte, nach diesem Laden wären wir fertig!?« Dann spähte sie über Alexas Schulter, um sich in einem der großen Spiegel zu betrachten. Ihr gefiel, was sie sah.

»Irrtum. Erst brauchen wir noch die Accessoires.« Alexa stemmte die Hände in die Seiten. »Was hast du denn da an?«

»Na, was wohl. Ein Kleid.« Cara verdrehte die Augen.

»Willst du etwa auf eine Beerdigung?«

»Hey, das ist nicht fair. Das ist ein Cocktailkleid, und das weißt du auch.«

»Es ist ein langweiliges kleines Schwarzes, in dem deine Vorzüge kein bisschen zur Geltung kommen.« Nach dieser entmutigenden Aussage umrundete Alexa ihre Freundin einmal, nickte und fuhr fort: »Es ist echt nichts Besonderes. Hast du das rote schon anprobiert?«

Hatte sie nicht, weil Rot viel zu auffällig war für eine Hochzeit. »Das hätte ich in Vegas gut brauchen können, aber für einen Hochzeitsempfang in Joe's Bar ist das doch total unpassend.«

»Ach, aber mein Kleid findest du passend?« Alexa deutete auf ihren Glitzerfummel.

»Du bist in Sachen Mode eben mutiger als ich.«

»Und du bist eine feige Nuss. Was hast du denn davon, wenn du als Mauerblümchen auf dieser Hochzeit rumstehst? Du hast einen heißen Körper und einen heißen Freund, der diesen Körper gern sehen möchte. Los, los, zieh es an. Ich will dich in dem roten Kleid sehen.«

Cara begab sich seufzend wieder in die Kabine, wohl wissend, dass es keinen Sinn hatte, Alexa umstimmen zu wollen, wenn sie eine derart resolute Miene aufgesetzt hatte. »Dazu finde ich doch nie und nimmer passende Schuhe!«, wandte sie ein, während sie sich in das enge Teil zwängte.

»Papperlapapp. Silber passt zu allem. Und jetzt komm raus und lass dich ansehen.«

»Hat dir schon mal jemand gesagt, dass du eine richtige Tyrannin bist?«, brummte Cara in der Kabine und zupfte am Saum herum.

»Nur meine Medizinalassistenten, meine Kollegen, meine Patienten und meine Freunde.«

Cara öffnete die Lamellentür und trat heraus.

»Oh, wow. Hammermäßig. Dreh dich um!« Alexa bedeutete ihr, sich im Kreis zu drehen, und Cara kam der Aufforderung gehorsam nach. »Perfekt!«

»Guck dir mal diesen Ausschnitt an!«

Alexa grinste. »Genau! Hammermäßig. Elegant und doch kess. Lass uns zur Kasse gehen und zahlen. Nächste Station: Schuhladen.«

Cara kehrte seufzend in die Kabine zurück. Ehe sie sich auszog, betrachtete sie sich noch einmal im Spiegel und musste zugeben, dass das Kleid ihren Kurven schmeichelte. Allerdings hätte sie selbst niemals eine derart auffällige Farbe gewählt.

»Denk gar nicht daran, es dir noch einmal anders zu überlegen«, rief Alexa von draußen. »Man lebt nur einmal!«

Cara lachte und kam zu dem Schluss, dass ihre Freundin recht hatte. Sie würde das Kleid kaufen und bei der Hochzeit alle Blicke auf sich ziehen. Sie bezahlten und begaben sich in den Schuhladen, der sich eine Etage tiefer befand.

»Kommst du eigentlich in Begleitung zu der Hochzeit?«, fragte Cara.

Alexa schüttelte den Kopf. »Wer käme da schon infrage? Einer meiner Patienten aus der Notaufnahme oder der Praxis meines Vaters?«

»Es wundert mich gar nicht, dass du keine Männer kennenlernst, obwohl es in Serendipity so einige attraktive alleinstehende Kandidaten gäbe! Du arbeitest zu viel, und das weißt du auch.«

»Ich will nicht darüber reden, okay?«, sagte Alexa streng.

Cara musterte sie mit schmalen Augen. »Eines Tages werde ich noch herausfinden, warum du dich immer so bedeckt hältst, wenn es um das starke Geschlecht geht. Dabei hast du keine Skrupel, mit mir über *mein* Liebesleben zu reden.«

»Du hast es verdient, eine glückliche Beziehung zu führen, Cara.«

»Du doch auch«, erinnerte Cara sie.

»Tja, das Leben ist eben kein Wunschkonzert«, sagte Alexa leise.

Cara nickte bloß. Wahre Worte.

Am Freitagabend wollte Mike mit Cara ins Kino gehen. Sie hatten sich eben auf den Weg zu einem etwa zwanzig Minuten entfernten Multiplex gemacht, da klingelte sein Handy. Er schaltete die Freisprechanlage ein. Es war seine Mutter, die darum bat, er möge vorbeikommen.

»Ich bin mit Cara unterwegs«, wandte er ein.

»Dann bring sie doch einfach mit!«, sagte Ella ohne zu zögern.

Cara verspürte ein Ziehen in der Brust, als sie das hörte. Die Marsdens behandelten sie stets wie eine von ihnen. Zuweilen hatte sie sogar das Gefühl, eher zu ihnen zu gehören als zu ihrer eigenen Familie.

»Macht es dir etwas aus?«, fragte Mike so leise, dass seine Mutter es nicht hören konnte.

»Natürlich nicht.« Sie lächelte, um ihre Worte zu unterstreichen.

Eine halbe Stunde später waren sie alle im Wohnzimmer seiner Eltern versammelt – Erin, Sam, Mike und Cara. Ella und Simon waren noch oben.

»Habt ihr eine Ahnung, warum sie uns herbestellt haben?«, fragte Mike seine Geschwister.

Erin schüttelte den Kopf. »Es hieß nur, dass sie uns etwas zu sagen haben. Aber keine Panik, angeblich ist es nichts Schlimmes.« Sie runzelte nachdenklich die Stirn.

»Dann seid ihr also genauso ahnungslos wie ich.«

»Zumindest riecht es so, als würde es gleich etwas zu futtern geben«, stellte Sam grinsend fest.

Erin verdrehte die Augen. »Kannst du auch mal an etwas anderes denken als an deinen ewig leeren Magen?«

Der Duft von Kaffee lag in der Luft, doch Cara behielt wohlweislich für sich, dass sie ebenfalls auf ein Stück Kuchen hoffte. Sie wechselte einen Blick mit Sam, worauf sie beide anfingen zu lachen.

Mike hatte ihr einen Arm um die Schulter gelegt und

zog sie nun noch etwas näher an sich. Cara versuchte, sich nicht zu sehr über die unnötig besitzergreifende Geste zu freuen und konzentrierte sich stattdessen auf Kojak, der es sich auf ihrem Schoß gemütlich gemacht hatte. Zu schade, dass sie sich keinen eigenen Hund zulegen konnte, dachte sie, während sie ihm den flauschigen weißen Kopf kraulte.

»Was ist das denn für ein wehmütiger Blick?«, wollte Mike wissen.

Cara schmunzelte. Ihm entging aber auch gar nichts. »Ach, Kojak ist einfach süß. Ich hätte auch gern einen Hund, aber bei meinen langen Schichten ... Es wäre einfach nicht fair, ein Tier so lange allein zu lassen.«

Er musterte sie mit einer Miene, die sie nicht zu deuten wusste. Doch ehe sie nachhaken konnte, kamen Ella und Simon Arm in Arm herein. Ihre Eintracht war keine Show – jeder, der in Serendipity aufgewachsen war, wusste von den unzähligen Festen und Veranstaltungen, bei denen Simon als Polizeichef mit seiner Familie zugegen gewesen war, dass die beiden eine echte, beständige Zuneigung zueinander verband, die infolge der Krankheit nur noch stärker geworden war. Selbst jetzt, da es Simon nicht so gut ging, beneidete Cara sie um das Leben, das die beiden miteinander führten, und sie hätte alles für eine ähnlich dauerhafte Liebe gegeben.

Sam beugte sich auf dem Stuhl nach vorn. »Was ist los?«

Auch Erin sah ihren Eltern mit großen Augen und neugieriger Miene entgegen.

Mike gab sich gelassen, doch Cara merkte an seiner Haltung, dass er auf das, was Ella und Simon ihnen zu verkünden hatten, genauso gespannt war wie seine Geschwister.

Einige Augenblicke herrschte Stille, wobei nicht klar war, ob die beiden alten Leutchen ihre Kinder absichtlich auf die Folter spannten oder nicht.

Schließlich lächelten sie erst einander und dann jedes ihrer Kinder an, sodass sich Cara nun doch wie eine Außenseiterin vorkam. »Ich sollte gehen, damit ihr euch in Ruhe unterhalten könnt«, sagte sie, weil sie sich unwohl in ihrer Haut fühlte.

Sie wollte aufstehen, doch Mike hinderte sie daran, und Simon trat einen Schritt nach vorn. »Unsinn. Wenn jemand das Recht hat, dabei zu sein, dann du.« Er schenkte ihr ein warmherziges Lächeln, worauf sie sich einigermaßen beruhigt wieder zurücklehnte.

»Danke«, murmelte sie.

»Gern geschehen.« Er grinste, und erst da fiel ihr auf, dass Simon bedeutend fröhlicher wirkte als in den letzten Wochen und Monaten. Er war zwar nach wie vor von der Chemotherapie gezeichnet, doch dieses Funkeln in seinen Augen war neu.

»Jetzt macht es doch nicht gar so spannend«, beklagte sich Sam.

»Der Tumor hat sich zurückgebildet!«, platzte Ella, die es offenbar nicht mehr aushielt, heraus.

Ihre Worte lösten einen regelrechten Sturm der Begeisterung unter den Anwesenden aus. Alle, auch Cara, fielen einander in die Arme, küssten und herzten sich und vergossen Freudentränen. Simon war ein wunderbarer Mensch, der nicht nur für seine Frau und seine Kinder, die ihn allesamt vergötterten, immer da war, sondern auch für die Stadt, die er so liebte. Seit Cara denken konnte, war er der Polizeichef von Serendipity, und vor seiner Krankheit war er ein großartiger Boss gewesen …

Ihre Gedanken schweiften ab, als ihr bewusst wurde, was das bedeutete: Wenn es Simon wieder gut ging, würde er wohl bald wieder anfangen zu arbeiten. Und dann wurde Mike in Serendipity nicht mehr benötigt. Dann hielt ihn nichts mehr hier, und er würde nach Manhattan zurückkehren, zu seiner kleinen Wohnung, seiner Arbeit und seinen Frauen. Wie Lauren.

Bei der Vorstellung blieb Cara plötzlich die Luft weg. So ungefähr musste sich eine Herzattacke anfühlen.

Während die anderen noch durcheinanderredeten, nahm sie Kojak wieder auf den Schoß und schmiegte das Gesicht in sein weiches Fell. Ein tröstliches Gefühl. Vielleicht sollte sie sich doch einen Hund zulegen, wenn Mike sie verließ.

Was war sie nur für ein Mensch, dass sie auf einer Freudenfeier derartige Gedanken hegte? Sie sollte sich schämen. Entschlossen schluckte sie den schmerzenden Kloß in ihrer Kehle hinunter und nahm sich vor, sich zusammenzureißen. Solange sie in diesem Haus war, würde sie lächeln und fröhlich sein. Im Selbstmitleid suhlen konnte sie sich später, wenn sie allein war.

Lange würde es bis dahin nicht mehr dauern.

»Hey!« Mike ließ sich wieder neben ihr auf der

Couch nieder und registrierte besorgt ihren bekümmerten Gesichtsausdruck. »Ist alles okay?« Vorhin hatte Cara versucht, sich vor der Verkündung der guten Nachricht zu verdrücken, und jetzt war sie plötzlich so ungewöhnlich still.

Sie nickte mit Tränen in den Augen. »Das sind wirklich tolle Neuigkeiten. Ich bin total überwältigt.«

»Ja, und es kam so unerwartet. Ich hatte keine Ahnung, dass er eine entsprechende Untersuchung hatte.«

»Wahrscheinlich wollte er euch nicht beunruhigen oder euch falsche Hoffnungen machen, falls sich sein Zustand nicht gebessert hätte.«

Mike nickte und ergriff ihre freie Hand. »Ich bin so froh, dass du hier bist, um das mit uns zu feiern.« Er lächelte, hellauf begeistert von der Tatsache, dass sein Vater die verdammte Krankheit besiegt hatte.

Sie lächelte zurück, wirkte aber irgendwie bedrückt.

Er hätte sie am liebsten auf der Stelle nach draußen bugsiert, um sie zu fragen, was los war, musste sich jedoch noch etwas gedulden, denn in diesem Augenblick verkündete Ella, die Kaffeetafel sei gedeckt, worauf Sam begeistert juchzte.

»Auf meinen Jüngsten und seinen Magen ist eben Verlass«, sagte seine Mutter lachend.

»Sogar ich habe jetzt Lust auf ein Stück von Ellas Schokoladenkuchen«, sagte Simon.

Mike zog Cara vom Sofa hoch, nachdem sie den Hund auf dem Boden abgesetzt hatte, und sie begaben sich Hand in Hand in die Küche. Wieder hatte er das deutliche Gefühl, dass etwas nicht in Ordnung war, aber es ergab sich keine Gelegenheit, sie zu fragen, was ihr durch den Kopf ging. Bei Kaffee und Kuchen ging es hoch her, immer wieder stießen sie mit ihren Tassen an und gaben Trinksprüche auf Simon aus.

Schließlich räusperte sich Sam, hob sein Wasserglas und prostete seinem Vater damit zu. »Auf dich und darauf, dass du meinen großen Bruder bald vom Thron stürzt und wieder deinen rechtmäßigen Platz auf dem Revier einnimmst.«

Und da fiel es Mike wie Schuppen von den Augen. Es erstaunte ihn, dass er nicht eher darauf gekommen war. Nun, die gute Neuigkeit über die Gesundung seines Vaters hatte eben alle anderen Gedanken verdrängt. Doch jetzt, da er erkannt hatte, was Cara so bedrückte, zog sich sein Magen schmerzhaft zusammen.

Er tastete unter dem Tisch nach ihrer Hand und drückte sie. Sie reagierte nicht, und er konnte es ihr nicht verdenken, zumal er nicht wusste, was er sonst tun oder sagen sollte.

Da klingelte es zum Glück an der Tür. Mike war erleichtert, denn es lenkte ihn von dem Druck ab, den er in seiner Brust verspürte und von dem er nicht wusste, woher er rührte. Lag es daran, dass sein Abschied von Serendipity plötzlich in greifbarer Nähe lag? Oder daran, dass er eigentlich gar nicht mehr hier wegwollte?

»Ich geh schon«, sagte Simon, und weil er zum ersten Mal seit Monaten einen lebhaften Eindruck erweckte bei dem Gedanken, einen Besucher empfangen, ließen sie ihn gewähren.

»Erin, erzähl doch mal von …«

»Was zum Teufel suchst du denn hier?«, tönte Simons Stimme in diesem Moment von draußen herein, sodass Ella verstummte und sogar Mike erschrocken zusammenzuckte.

»Den Tonfall habe ich zuletzt gehört, als ich mir mit fünfzehn euren Wagen ›geborgt‹ hab.« Mike erhob sich und eilte, gefolgt von den anderen, hinaus, um nachzusehen, wer oder was Simon derart erbost hatte.

»Du bist hier nicht willkommen«, sagte dieser gerade, und da hatte Mike bereits eine Vermutung, wer der unerwartete Besucher war.

Und tatsächlich, an der Schwelle stand Rex und musterte Simon prüfend. »Was ist denn das für eine Art, einen alten Freund zu begrüßen?«

»Rex!« Ella war sichtlich genauso empört wie Simon.

»Hallo, meine Schöne. In natura siehst du ja noch jünger aus als online.«

Cara trat zu Mike und ergriff seine Hand, doch Mike hatte das Gefühl, dass es vielmehr Ella war, die eine seelische Stütze benötigte.

»Du hast sie online gesehen?«, fragte Simon und blickte argwöhnisch von seiner Frau zu seinem ehemals besten Freund.

Mike atmete tief durch. »Lasst uns das doch drinnen klären«, schlug er vor. Er konnte darauf verzichten, dass die Nachbarn dieses Spektakel miterlebten.

»Ich gebe dir fünf Minuten«, knurrte Simon und wich einen Schritt zurück, damit Rex eintreten konnte.

Mike spürte, wie die Blicke seiner Geschwister auf

der Suche nach Ähnlichkeiten zwischen ihm und seinem leiblichen Vater hin und her wechselten. Bei dem Gedanken, dass sie vermutlich so einige entdecken würden, stieg Übelkeit in ihm hoch.

»Können wir uns unter vier Augen unterhalten?«, erdreistete sich Rex zu fragen.

»Nein. Das ist mein Haus«, erwiderte Simon mit fester Stimme. »Meine Frau, meine Kinder ... Mein Sohn«, fügte er pointiert hinzu. »Du platzt mitten in eine Familienfeier hinein, wir wären dir also dankbar, wenn du es kurz machen und uns dann in Ruhe lassen würdest.«

Rex lief rot an. »Mir ist zu Ohren gekommen, dass du Krebs hast, und da wollte ich mich davon überzeugen, dass es dir gut geht.« Er trat von einem Fuß auf den anderen und schien ehrlich überrascht darüber, dass man ihn nicht mit offenen Armen willkommen hieß.

Offenbar hatte er allen Ernstes angenommen, dass sich Ella und Simon darüber freuen würden, ihn nach all den Jahren wiederzusehen. Diese narzisstische Ader war Mike bislang verborgen geblieben.

»Woher zum Teufel weißt du, dass ich Krebs habe?«, wollte Simon wissen, und Mikes Herz setzte einen Takt aus. Weder er noch seine Mutter hatten Simon davon in Kenntnis gesetzt, dass sie mit Rex in Verbindung standen. Sie hatten warten wollen, bis er geheilt war, doch Rex hatte mit seinem Timing ihre Pläne durchkreuzt.

Ella legte Simon eine Hand auf den Arm. »Er hat sich vor ein paar Wochen über Facebook bei mir gemeldet.«

»Und ich habe mich mit ihm in Las Vegas getroffen, um eine Spur zu verfolgen. Es ging um den ungeklärten ›Problemfall‹, zu dem dich Sam schon mal befragt hatte«, fügte Mike hinzu, weil er nicht wollte, dass seine Mutter die ganze Schuld auf sich nahm. »Ich habe Rex gegenüber erwähnt, dass ich dich nicht unnötig aufregen wollte, weil du auch so schon genug durchgemacht hast in letzter Zeit.«

»Daraufhin hat Rex mich gefragt, was mit dir los ist, und ich habe es ihm erzählt, Simon«, ergänzte Ella. »Mike und ich sind übereingekommen, dass wir dich erst von all dem in Kenntnis setzen, wenn wir wissen, dass es dir wieder gut geht. Dass Rex nach all den Jahren unangemeldet hier aufkreuzt, damit habe ich natürlich nicht gerechnet.« Sie funkelte Rex bitterböse an.

Mike tat es ihr nach. »Tja, jetzt ist er uns zuvorgekommen.«

Simon musterte Ella mit schmalen Augen. »Du hattest also mit Rex Kontakt«, fasste er zusammen. »Und du« – er drehte sich zu Mike um – »hast dich sogar mit ihm getroffen.«

Sein teils gekränkter, teils enttäuschter Gesichtsausdruck machte Mike schwer zu schaffen.

»Simon ...«

»Keine Sorge, Ella, wir reden später.« Zu Mikes großer Erleichterung klang Simon nicht so, als wäre er sauer auf seine Frau. »Und wir auch, mein Sohn.« Er bedachte Mike mit einem verständnisvollen Blick.

So war Simon eben – großmütig bis dorthinaus, auch

wenn man ihn mal verärgerte. Mike wünschte sich mehr denn je, so zu sein wie er.

»Und nun zu *dir.*« Damit war Rex gemeint. »Wie kommst du darauf, dass du hier willkommen bist nach all dieser Zeit? Ella sagt, sie hat nicht damit gerechnet, dass du hier auftauchst. Mike, hast du ihn eingeladen?«, fragte er in neutralem Tonfall.

»Nein, hab ich nicht.« Mike verschränkte die Arme vor der Brust. »Ich habe ihm ein paar Fragen gestellt und ihm dann zu verstehen gegeben, dass ich nichts weiter mit ihm zu schaffen haben will.«

»Tja, ich schätze, damit ist alles gesagt. Die beiden Menschen, die das hier etwas angeht, haben ihre Meinung kundgetan. Ich weiß es zu schätzen, dass du den langen Weg hierher auf dich genommen hast, aber du hast hier nichts zu suchen. Nicht nach der Entscheidung, die du vor fast dreißig Jahren getroffen hast.«

Rex schüttelte den Kopf, und ihm war anzusehen, dass er wirklich davon ausgegangen war, dass man ihn mit offenen Armen willkommen heißen würde. »Ich bin hier, weil wir alte Freunde sind, die vieles verbindet, und weil du Krebs hast.«

»Tja, der Tumor hat sich zurückgebildet, und du wirst jetzt ebenfalls wieder dahin zurückgehen, wo du hergekommen bist.« Simon ging zur Tür.

»Ich an deiner Stelle würde nicht so große Töne spucken«, fauchte Rex. Von seiner Jovialiät war inzwischen nicht mehr viel übrig. »Dein so genannter Sohn will wissen, was es mit dem Geld in der Asservatenkammer auf sich hat. Was wirst du machen, wenn er herausfindet, was du getan hast?« Seine Worte klangen wie eine Drohung, und genau so waren sie zweifellos auch gemeint.

Alle sahen zu Simon.

»Ich werde meiner Familie alles erklären und bin bereit, die Verantwortung dafür zu übernehmen. Aber sie werden es nicht von *dir* erfahren.« Damit öffnete Simon die Tür. »Du bist hier nicht mehr willkommen seit dem Tag, an dem du Serendipity verlassen hast.«

Rex straffte die Schultern. »Soweit ich mich erinnere, hast du mich dazu aufgefordert«, konterte er, bebend vor Wut.

»Was?« Mike sah zu seiner Mutter.

In ihren Augen glänzten Tränen, doch sie wirkte unerwartet gefasst. Die Angelegenheit war offenbar verwickelter, als bisher gedacht.

»Dad?« Sam trat einen Schritt nach vorn, doch Simon hob die Hand.

»Ich werde euch alles erklären, sobald er weg ist.« Er deutete auf Rex.

»Das werdet ihr noch bereuen. Ihr hattet jetzt dreißig Jahre Ruhe. Wollt ihr wirklich diese alten Geschichten noch einmal ausgraben?«

Jetzt hatte Mike endgültig die Nase voll. »Es sieht mir ganz danach aus, als wärst du derjenige, der hier alte Geschichten ausgräbt.« Er packte Rex am Arm und bugsierte ihn nach draußen.

»He, ich bin dein Vater«, erinnerte Rex ihn.

»Simon ist mein Vater.«

»Aber mein Blut fließt durch deine Adern.«

Mike versuchte verzweifelt, bei diesem Gedanken nicht in Panik auszubrechen. Da drin warteten vier Menschen, die ihn liebten und auf die er sich stützen konnte.

Fünf, wenn er Cara mitrechnete.

Mike wandte sich abrupt ab, ging ins Haus zurück und knallte die Tür hinter sich zu. Simon wurde bereits im Wohnzimmer von Erin und Sam, die sich gegenseitig zu übertönen versuchten, mit Fragen bombardiert.

»Nun wartet doch mal, bis Mike da ist. Ich will nicht alles zweimal erzählen müssen.«

Mike musterte Simon voller Stolz, Bewunderung und Liebe.

Er sah ihn nun in einem völlig neuen Licht.

Simon hatte sich in aller Nachdrücklichkeit zu Mike bekannt – gegenüber keinem Geringeren als Rex, Mikes leiblichem Vater, und das, obwohl er dafür in Kauf nehmen musste, dass Rex womöglich seinen Ruf schädigen würde.

Simon hatte ihn großgezogen. Er hatte ihn zu jedem sportlichen Wettbewerb, zu jedem Schulball, zu jeder Abschlussfeier begleitet. Und er hatte sich kein einziges Mal so verhalten, als würde ihm Mike weniger bedeuten als seine eigenen Kinder. Trotzdem hatte sich Mike stets weniger wichtig gefühlt, hatte das Gefühl gehabt, weniger wert zu sein als Sam und Erin. Und das alles nur, weil er wusste, dass sein leiblicher Vater ihn verlassen hatte. Irgendwie hatte Mike tief drin stets die Befürchtung gehegt, dass Simon ihn genauso wenig haben wollte wie Rex.

Wie hatte er nur so falsch liegen können? Mike schämte sich dafür, dass er Simon so wenig Vertrauen geschenkt hatte. Was auch immer damals geschehen war, es war Mike egal. Er würde Simon mit Zähnen und Klauen verteidigen.

Er trat zu ihm und umarmte ihn, dann gesellte er sich zu Cara, die auf einem großen Fauteuil saß.

»Geht's dir gut?«, fragte sie besorgt.

Er nickte, und zum ersten Mal war das die reine Wahrheit.

»Ich sollte jetzt gehen, damit du dich ungestört mit Simon unterhalten kannst«, flüsterte sie.

Er schlang ihr einen Arm um die Taille und hielt sie fest. »Es ist auch dein Fall, und jetzt bekommen wir endlich die Antworten, auf die wir schon die ganze Zeit warten.« Außerdem war es ihm ein persönliches Anliegen, dass sie noch blieb und alles erfuhr.

»Erzähl es ihnen, Simon«, sagte Ella mit fester Stimme.

Und da wurde Mike klar, dass sie alles wusste. Sie hätte ihnen schon die ganze Zeit die nötigen Antworten liefern können. Natürlich. Ella und Simon hielten zusammen wie Pech und Schwefel. Sie hatten keine Geheimnisse voreinander. Mike schüttelte den Kopf. Er hatte seine Mutter unterschätzt.

Simon baute sich in der Mitte des Wohnzimmers auf und blickte seinen Kindern ins Gesicht. »Es ist wahr, was man so munkelt. Das Winkler-Motel hat seine Zimmer stundenweise vermietet. Die Mädchen wurden aus Manhattan importiert, die Preise haben die Kunden vor Ort bestimmt. Die Winkler Boys, wie sie genannt wurden, haben für ein Syndikat aus Manhattan gearbeitet und nur Bargeld akzeptiert, und die Prostitution war neben ihren Drogengeschäften eine wichtige Einnahmequelle für sie.«

Mike sah zu Sam. Einen Augenblick herrschte Schweigen. Alle warteten darauf, dass Simon fortfuhr.

»Eine Menge Leute, unter anderem auch ich, haben die Schließung des Bordells angestrebt, aber es hatten zu viele Männer in hohen Positionen die Finger im Spiel.«

»Männer wie Richter Baine«, ergänzte Mike. Dieser Kleinstadtskandal zog ganz schön weite Kreise.

Simon nickte. »Genau, Marshall Baine und der alte Ferber, unser ehemaliger Bürgermeister. Natürlich gab es gelegentlich Aufruhr, ein paar Mütter haben eine Unterschriftenaktion initiiert, und dann wurde der Laden eine Weile dichtgemacht, nur um wieder eröffnet zu werden, sobald sich die Wogen etwas geglättet hatten.«

»Welche Rolle hat Rex gespielt?«, wollte Mike wissen.

»Wie ich erst später erfahren habe, war er einer der Nutznießer«, sagte Simon. »Mein Vorgänger war ebenfalls involviert, und er hat Rex, der damals noch recht neu war, den Auftrag erteilt, sich um die Beschwerden zu kümmern, die wegen dem Winkler-Motel hereinkamen. Rex hat dafür gesorgt, dass die Beweise verschwanden und alles ruhig blieb, und er wurde für seine Dienste fürstlich entlohnt, genau wie Richter Baine.«

»Und wie ist die ganze Sache schließlich aufgeflogen?« Sam beugte sich gespannt nach vorn.

»Durch einen dummen Zufall, wie das oft der Fall ist. Das FBN war dem Syndikat in New York bereits auf der Spur. Es brachte die markierten Geldscheine ins Spiel, um herauszufinden, wo das Drogengeld gewaschen wurde. Die FBN-Leute hatten jemanden in das Kartell eingeschleust, der dafür gesorgt hat, dass die Banknoten in jedem ihrer Etablissements in Umlauf kamen, auch bei den Winklers. Eines Tages verschafften sich Demonstranten Zugang zu dem Motel. Es gab mächtig Ärger, die Polizei wurde eingeschaltet, doch dummerweise war Rex an dem Tag anderweitig beschäftigt und schaffte es nicht, seinen Kollegen zuvorzukommen, um die Beweise zu beseitigen. Ich habe mehr Bargeld vorgefunden, als in einem Motel normalerweise vorhanden sein sollte, und die Scheine waren allesamt markiert.«

Mike lauschte ihm wie gebannt. Endlich passten alle Puzzleteile zusammen.

»Den Leuten war natürlich klar, dass es nur eine Frage der Zeit war, bis die Cops hinter den Zusammenhang zwischen dem Motel und dem Drogenkartell in der City kamen.« Simon schob die Hände in die Taschen seiner Jogginghose. »Bevor das passieren konnte, wurde der Kerl von Richter Baine auf Bewährung auf freien Fuß gesetzt.«

»Und dann?«, wollte Erin wissen, die genauso gefesselt war wie die anderen.

»Ein paar Wochen später wurde einer der Drogenkuriere aus Manhattan in Serendipity angehalten, weil er zu schnell unterwegs war. In seinem Kofferraum fand man große Mengen Rauschgift sowie Geld, das er in die Stadt zurückverfrachten sollte. Die Banknoten waren markiert, genau wie die, die wir im Winkler-Motel gefunden hatten«, fuhr Simon fort. »Wir haben natürlich die Leute vom FBN informiert, aber die hatten ungefähr zur selben Zeit die Drahtzieher in Manhattan geschnappt, und dann interessierte sich kein Mensch mehr für den kleinen Fisch, den wir in Serendipity verhaftet hatten. Und damit war der Fall erledigt.«

»Und ist mit der Zeit in Vergessenheit geraten. Und die Schuldigen hier in der Stadt sind ungeschoren davongekommen.« Sam stieß einen Pfiff hervor.

Sein Vater nickte. »Nachdem das FBN dem Kartell in Manhattan das Handwerk gelegt hatten, blieben die Mädchen und die Drogen aus, sowohl in Serendipity als auch in den diversen anderen illegalen Bordellen, die sie betrieben hatten. Das Winkler-Motel wurde zur Legende, und das war's dann.«

Mike räusperte sich. »Und was ist mit dem Geld in der Asservatenkammer? Das Geld, das durch ältere Scheine ausgetauscht wurde?« Er wirkte angespannt – kein Wunder, jetzt kamen Rex und Simon ins Spiel.

Cara legte ihm eine Hand auf den Rücken, und er war noch nie so froh über ihre Unterstützung gewesen wie jetzt. Was auch immer nun kam, mit ihr zusammen fühlte er sich der Situation besser gewachsen.

»Rex war zudem ein notorischer Spieler.« Simon fuhr sich mit der Hand über den Kopf. »Er hatte Geld aus der Asservatenkammer entwendet. Ich hab ihn zwar nicht in flagranti erwischt, aber es war offensichtlich, und er hat es nicht geleugnet, als ich ihn zur Rede gestellt habe.« Er fing an, in dem kleinen Raum auf und ab zu gehen. »Er hat natürlich erwartet, dass ich den Mund halte.«

Mike und seine Geschwister warteten schweigend ab, bis er weitersprach.

»Damals war Ella bereits schwanger, und Rex geriet in Panik. Er hat sich an sämtlichen Fronten überfordert gefühlt und war nicht in der Lage, Ella irgendetwas zu versprechen. In dieser Situation gab es in meinen Augen nur eine für alle Beteiligten zufriedenstellende Lösung.«

Ella erhob sich von der Couch und stellte sich neben Simon. »Wir waren alle gute Freunde. Ich war eine Weile mit Rex zusammen gewesen, und ich dachte, ich würde ihn lieben. Aber er war nicht der Mann, für den ich ihn gehalten habe. Als ich gemerkt habe, dass ich schwanger bin, war die rosarote Brille bereits Vergangenheit«, sagte sie mit einen verbitterten Lachen.

Mike hatte einen Kloß im Hals, brachte jedoch kein Wort heraus.

»Ich war schwanger und hatte Angst, aber eines kann ich dir versichern, Mike: Ich wollte dich.« So, wie sie ihn ansah, mit diesem festen Blick und Tränen in den Augen, konnte Mike gar nicht anders, als ihr zu glauben.

Ihm war, als müsste sein Herz jeden Moment den Brustkorb sprengen, und er war vollauf davon überzeugt, dass seine Mutter die Wahrheit sagte.

»Und ich habe Ella schon immer geliebt«, sagte Simon. »Wenn Rex sie geheiratet hätte, dann hätte ich mich zurückgehalten, aber er hat diesbezüglich keine Anstalten gemacht, und sie hatte etwas Besseres verdient als diesen Hurensohn, der nur Probleme gemacht hat.«

Ella tätschelte ihm den Rücken und bedeutete ihm fortzufahren.

»Ich besaß eine alte Taschenuhr, ein Erbstück von meinem Großvater, und etwas Schmuck, den mir meine Mutter für meine Zukünftige gegeben hatte, und ...«

»Er hat es alles versetzt«, beendete Ella seinen Satz an seiner Stelle. »Um mir zu helfen und um das ganze Kuddelmuddel in Ordnung zu bringen, hat er sein Familienerbe verkauft.« Ihr versagte die Stimme.

»Ich habe Rex einen Deal vorgeschlagen. Wenn er gewillt war, die Stadt zu verlassen, würde ich das Geld ersetzen, das er gestohlen hatte. Wenn er blieb, würde ich ihn anzeigen – wegen Diebstahls, fahrlässigen Umgangs mit Beweismitteln und diversen anderen Delikten, mit denen der damalige Bezirksstaatsanwalt so hätte aufwarten können.«

»Und wie hat sich Rex entschieden?«, fragte Erin.

»Er hat die Beine in die Hand genommen, der Feigling«, erwiderte Ella. »Dann hat mir Simon einen Antrag gemacht. Er hat gesagt, dass er mich vom ersten Augenblick an geliebt hat, und er hat versprochen, mein Baby aufzuziehen, als wäre es sein eigen Fleisch und Blut. Da habe ich erfahren, was wahre Liebe ist – nämlich mehr als bloß ein paar Lippenbekenntnisse in der Hitze des Gefechts. Wahre Liebe ist zuverlässig und beständig.«

Sie drückte Simons Hand, dann stellte sie sich auf die Zehenspitzen und drückte ihm einen Kuss auf die Wange. »Und er hat mir seither jeden Tag einen Beweis für diese Liebe geliefert.«

Simon gab ihr seinerseits einen Kuss, dann wandte er sich zu seinen Kindern um. »Gibt's dazu noch Fragen?«, bellte er. Das war nicht mehr der gebrechliche Krebspatient, der hier sprach, sondern der Simon, den Mike kannte.

»Im Augenblick nicht«, sagte Erin sichtlich geplättet.

»Kommentare?«, fragte Simon.

Sam schüttelte den Kopf.

»Zweifel?«

Mike schluckte, als sich ihre Blicke kreuzten. »Ich muss dass alles erst einmal verdauen. Im Moment fühle ich mich etwas ... benommen«, brummte er.

Simon nickte. »Verständlich. Du kannst dich jederzeit an mich wenden, wenn du reden willst.«

»Oder an mich«, fügte Ella hinzu, und Mike war klar, sie meinte, wenn er etwas über ihre Beziehung zu Rex Bransom wissen wollte.

»Und jetzt gehe ich mit eurer Mutter nach oben und versuche herauszufinden, warum sie es nicht gewagt hat, mir zu sagen, dass sich Rex bei ihr gemeldet hat«, sagte Simon in einem Tonfall, der deutlich machte, dass er keinen Widerspruch duldete. »Und komm mir bloß nicht mit: *Weil du Krebs hattest.*«

Sam schnaubte belustigt, und selbst Mike musste lachen. Auf einen Schlag war die Stimmung gekippt, und sie konnten wieder miteinander scherzen und lachen.

Doch Mike wusste, es würde noch eine ganze Weile dauern, bis er die Ereignisse des heutigen Abends einigermaßen verarbeitet hatte.

Kapitel 15

Nach der Aufregung im Hause Marsden wäre Cara am liebsten stante pede mit Mike nach Hause gefahren, um mit ihm zu reden, doch sie hatte einem Kollegen versprochen, für ihn einzuspringen. Aber vielleicht war das ohnehin ganz gut so – Mike erweckte den Eindruck, als würde er etwas Abstand benötigen. Außerdem hatte sie noch keine Lust, darüber zu sprechen, wann er Serendipity denn nun verlassen würde. Zu wissen, dass seine Rückkehr nach New York unmittelbar bevorstand, war schon schlimm genug. Jetzt galt es, sich emotional zu rüsten. Durch eine ausführliche Diskussion wurde das Unausweichliche auch nicht leichter zu ertragen.

Sie war mit Dare eingeteilt, weil es bereits Abend war, und sie genoss es, mit ihm zu scherzen und über Tess und den Nachwuchs seiner Brüder zu reden. Ihre Probleme waren zwar nicht vergessen, doch Dare und die Arbeit boten ihr eine willkommene Ablenkung.

Als das Revier via Funk mitteilte, es sei ein Anruf aus der Elm Street 111 eingegangen, schrillten bei Cara sämtliche Alarmglocken. Das war die Adresse von Richter Marshall Baine.

»Hier Wagen sieben. Alles klar, sind schon unterwegs«, sagte Dare, aktivierte Blaulicht und Sirene und düste los.

Cara hätte ihn gern eingeweiht, wollte aber keine Familengeheimnisse der Marsdens ausplaudern, für den Fall, dass der ungebetene Besucher doch nicht Rex Bransom war.

Blieb nur zu hoffen, dass sie sich irrte.

Wie sich herausstellte, lag sie mit ihrer Vermutung leider richtig. Als sie beim Haus des Richters eintrafen, stand Mrs. Baine im Bademantel auf dem Rasen vor dem Haus und disputierte mit Rex, während der Richter hinter ihr im Vorgarten auf und ab lief und vor sich hin murmelte.

Cara stieg kopfschüttelnd aus. »Gibt es hier ein Problem?«, fragte sie Mrs. Baine.

»Dieser Mann belästigt meinen Ehemann«, antwortete Mrs. Baine. »Wie Sie wissen, ist Marshall krank und sollte sich nach Möglichkeit nicht aufregen.« Sie warf Cara einen Hilfe suchenden Blick zu.

»Sie haben es gehört«, sagte Dare zu Rex. »Man hat Sie gebeten zu gehen.«

»Ich gehe nicht, bevor ich das habe, wegen dem ich gekommen bin. Ich muss wissen, ob er etwas hat, das mir gehört. Etwas, das auf keinen Fall in die falschen Hände gelangen darf«, sagte Rex und musterte Cara misstrauisch.

Sie seufzte. »Ich fürchte, Sie werden sich damit abfinden müssen, dass Sie in Serendipity nicht willkommen sind, Mr. Bransom. Was auch immer in der Vergangenheit geschehen ist, Sie sind derjenige, der hier Unruhe stiftet. Die ganze Angelegenheit ist doch längst vergessen, also lassen Sie die Sache auf sich beruhen. Sie handeln sich doch bloß selbst Schwierigkeiten ein.«

»Du kennst den Kerl?«, fragte Dare.

»Das ist Rex Bransom, Mikes leiblicher Vater.«

Dare blinzelte verdattert. »Weiß Mike, dass er in der Stadt ist?«

»Ja, leider.«

Dare drehte sich zur Frau des Richters um. »Mrs. Baine, wollen Sie diesen Mann anzeigen?«

Sie verschränkte die Arme vor der Brust. »Mein Mann hat der Polizei alles gesagt, was er weiß. Es liegt in der Hand von Chief Marsden, was nun geschieht. Falls uns Mr. Bransom jetzt in Ruhe lässt, werde ich so tun, als wäre nichts passiert.«

»Es darf niemand davon erfahren!«, rief Richter Baine plötzlich und spurtete auf Rex zu.

»Er greift mich an!« Rex hob die Arme, um sich zu schützen, doch Dare trat zwischen die beiden Männer, um Richter Baine so sanft wie nur irgend möglich zu überwältigen.

»Lassen Sie's gut sein«, zischte Cara Rex zu. »Sie haben hier eine Menge Aufruhr verursacht. Gehen Sie freiwillig, oder ich muss Sie verhaften.«

»Ich geh ja schon«, knurrte Rex mit finsterer Miene. »Aber ich habe eine Nachricht an meinen Sohn: Er sollte das Buch lieber verschwinden lassen, wenn er weiß, was gut für seinen *Vater* ist.«

Cara runzelte die Stirn. Drohte er schon wieder damit,

Simons Ruf zu ruinieren, weil man ihn hier nicht haben wollte? »Haben Sie noch nicht erkannt, dass Mike anders ist als Sie? Er wird das Richtige tun, selbst wenn es jemandem schaden könnte, der ihm nahesteht.«

»Ach ja, selbst dem heiligen Simon?«, höhnte Rex, dann schlenderte er betont gelassen zu seinem Mietwagen.

Tja, er wusste genauso gut wie Cara, dass die Verjährungsfrist für den fahrlässigen Umgang mit Beweismitteln zehn Jahre betrug, und die waren längst verstrichen. Dasselbe traf vermutlich auch auf die meisten anderen Verbrechen zu, die er hier begangen hatte. Man konnte ihm also nichts anhaben, es sei denn, er hätte ein Menschenleben auf dem Gewissen. Niemand in Serendipity wollte noch mit ihm zu tun haben, und auch was sein Ansehen anging, hatte er nichts mehr zu verlieren. Simons Ruf dagegen war bislang unbescholten, und diesen Umstand wollte sich Rex nun zunutze machen, wie es schien.

Der Kerl stellte ein akutes Risiko für die Marsdens und ihr Leben in Serendipity dar, vor allem für Simon, den Mann, der Ellas Ehre gerettet hatte und Mike ein guter Vater gewesen war. Den Mann, der Cara in seiner Funktion als ihr Chef stets Respekt eingeflößt hatte.

Sie sah Rex mit gemischten Gefühlen nach, bis er in den Wagen gestiegen und davongefahren war.

»Vielleicht sollte man Ihrem Mann ein Beruhigungsmittel verabreichen, Mrs. Baine«, hörte sie Dare hinter sich sagen und wandte sich zu den beiden um. »Soll ich den Notarzt rufen?«

Sie schüttelte den Kopf. »Ich werde Dr. Collins bitten herzukommen.« Damit war Alexas Vater gemeint. »Er wird mir sagen, was zu tun ist.«

»Okay.« Dare nickte. »Brauchen Sie Hilfe, um ihn zurück ins Haus zu bringen?«

Wieder verneinte Mrs. Baine. »Wenn erst alle weg sind, wird er sich schon beruhigen und reingehen.«

Cara schluckte. »Sie melden sich doch, falls wir noch etwas für Sie tun können?« Mrs. Baine tat ihr leid. Das Leben gestaltete sich bestimmt nicht einfach für sie, auch wenn sie ihren Mann sichtlich liebte.

»Mach ich, danke.« Mrs. Baine legte ihrem Mann einen Arm um die Schulter und murmelte ein paar beruhigende Worte.

»Möchtest du mir vielleicht verraten, was hier los ist?«, fragte Dare, als sie sich zum Streifenwagen begaben.

Cara biss sich auf die Unterlippe. »Ähm, eigentlich nicht. Das müssen schon Sam und Mike übernehmen.«

»Schon klar. Wobei wir Barron-Brüder so viele Leichen im Keller hatten, dass ich mir sicher kein Urteil anmaßen werde.«

»Danke«, sagte sie mit einem grimmigen Lächeln.

»Meinst du, Bransom wird die Stadt tatsächlich verlassen?«

Cara zuckte die Achseln und seufzte. »Keine Ahnung. Er wird hier überall angefeindet. Ich hätte ja Mitleid mit ihm, wenn er nicht selbst schuld daran wäre, dass alle mit ihm auf Kriegsfuß stehen. Und sein Benehmen ist auch nicht gerade dazu angetan, die Leute zum Umdenken zu bewegen, oder?«

Dare nickte und ließ den Motor an. »Als Ethan nach Serendipity zurückkam, hat er ebenfalls versucht, Schadenswiedergutmachung zu betreiben. Nash und ich wollten nichts davon wissen, aber er hat sich sehr ins Zeug gelegt, und sein Verhalten hat uns gezeigt, dass er sich geändert hatte, auch wenn es eine Weile gedauert hat, bis wir das eingesehen haben.«

»Als Rex vorhin bei den Marsdens auf der Matte stand, hat er erst behauptet, er wäre nur gekommen, weil er gehört hatte, dass Simon krank ist, aber nachdem Simon und Mike ihm die kalte Schulter gezeigt haben, hat er plötzlich allerlei unterschwellige Drohungen vom Stapel gelassen.«

Dare fluchte verhalten. »Und, wie hat Simons Familie reagiert?«

Cara starrte auf die lange, gerade Straße, die im Dunkel vor ihnen lag. »Die stand wie ein Mann hinter Simon. Es war echt bemerkenswert.«

Selbst sie hatte die »Unsere Familie gegen den Rest der Welt«-Vibes gespürt, die Simon ausgestrahlt hatte. Er hatte gegenüber Rex unmissverständlich klargestellt, wie er zu seinem Adoptivsohn stand, und Cara war ihm überaus dankbar dafür, wusste sie doch, wie dringend Mike eine Bestätigung für seine Zugehörigkeit zu seiner Familie benötigte. Simon hatte sie ihm geliefert.

Wenn er die Stadt nun verließ, dann in der Gewissheit, dass er hier Rückhalt finden würde, wann immer er nach Serendiptiy kam. *Genau das hat er auch ver-*

dient, dachte Cara, wohl wissend, dass er sich dessen bislang nicht so sicher gewesen war.

Sobald ihre Schicht zu Ende war, fuhr Cara nach Hause und schlief sechs Stunden wie ein Murmeltier. Als der Wecker klingelte, wartete eine Nachricht von Daniella auf ihrem Anrufbeantworter. Sie rief sie zurück und erfuhr, dass die junge Frau mittlerweile offiziell bei Bev eingezogen war und sich von ihr bereitwillig bemuttern ließ, denn ihre eigene Mutter lebte zu weit weg. Und Bev freute sich darüber, dass sie nun einen Ersatz für ihre Tochter hatte, die mit ihrem Mann an der Westküste der USA lebte. Es war eine perfekte Symbiose. Daniella arbeitete weiterhin bei McDonald's und hatte sich mit Bevs Hilfe für einen Onlinekurs angemeldet. Und Bob hatte sich einstweilen nicht mehr blicken lassen. Wie es aussah, zeigte die einstweilige Verfügung doch Wirkung.

Obwohl es schon Nachmittag war, verspürte Cara das Bedürfnis nach Kaffee und einem Frühstück. Die Nachtschichten brachten ihren Biorhythmus stets gehörig durcheinander. Sie begab sich ins Cuppa Café, wo sie Joes Verlobte Annie Kane und Nash Barrons Ehefrau Kelly traf, deren Zwillinge in einem Doppelkinderwagen schlummerten. Cara plauderte ein wenig mit den beiden und registrierte überrascht, dass sie einen Anflug von Neid verspürte, während sie Annies Bericht über die Hochzeitsvorbereitungen lauschte.

Dabei waren ihr Eifersucht und Neid sonst fremd, jedenfalls solange sie sich Mike nicht mit einer anderen Frau vorstellte. Doch sosehr sie sich auch für Annie und Kelly freute, sehnte sie sich doch danach, ebenfalls einen verlässlichen Partner zu haben. Zu schade, dass ihr Mike nicht diese Art von Partner sein konnte. Sie schluckte die Enttäuschung darüber hinunter und bemühte sich, weiterhin an den richtigen Stellen der Unterhaltung zu lächeln, bis sich die Gelegenheit ergab, einen Abgang zu machen.

Dann fuhr sie zum Revier, wohl wissend, dass Mike Näheres über den Vorfall mit Rex Bransom und Richter Baine wissen wollen würde. Von den wenigen anwesenden Kollegen waren die meisten an ihren Schreibtischen beschäftigt, also marschierte Cara schnurstracks nach hinten zu seinem Büro.

Sie klopfte, wartete ab, bis er sie hereinbat, und musste wieder einmal schmunzeln in Anbetracht der förmlichen Höflichkeit, mit der sie einander beruflich begegneten, obwohl sie eine Beziehung hatten.

»Herein«, rief er, und sie trat ein und schloss die Tür hinter sich. Wenn er erst fort war, würde dieses Büro schrecklich leer wirken ohne ihn.

Er sah hoch und hob überrascht eine Augenbraue, als er sie erblickte, schien sich jedoch über ihren Besuch zu freuen, denn er lächelte.

»Du bist schon auf?«, fragte er.

»Ich hab ein paar Stunden geschlafen, aber ich dachte, du willst bestimmt wissen, was da gestern bei Richter Baine los war.« Cara hatte in ihrem Bericht nur das Nötigste über die Konfrontation zwischen Rex und den Baines erwähnt und fand, dass er ein Recht darauf hatte, mehr zu erfahren.

Bei der Erwähnung seines leiblichen Vaters schob Mike das Kinn nach vorn, und die Atmosphäre im Raum kühlte sich merklich ab. »Ich habe den Bericht gelesen.«

»Ich dachte, du bist vielleicht trotzdem an den Details interessiert.«

Mike nickte, ohne sich von seinem Platz hinter dem Schreibtisch zu erheben. »Danke, dass du nicht erwähnt hast, was Rex wirklich von Richter Baine wollte.«

Sie zuckte die Achseln. »Es war irrelevant. Rex hat die Baines belästigt, sie haben beschlossen, keine rechtlichen Schritte gegen ihn einzuleiten, und das war's, fanden jedenfalls Dare und ich.« Cara suchte in seiner Miene vergeblich nach Anzeichen für Verdruss oder Verärgerung. Er verhielt sich vollkommen neutral und professionell.

»Was weiß Dare?«, fragte er jetzt.

»Dass sich Rex mit deiner Familie angelegt hat, sonst nichts. Er respektiert deine Privatsphäre«, sagte sie leise. »Dare weiß, wie es ist, wenn einen die Vergangenheit einholt.«

Mike nickte. »Okay. Hat Rex erwähnt, wo er abgestiegen ist?«

»Nein, und wir haben ihn auch nicht danach gefragt, nachdem wir ihn nicht festnehmen mussten und er sich ohne größeren Widerstand verzogen hat.« Sie holte tief Luft. »Aber er weiß, dass du das Buch hast. Deshalb war er überhaupt bei Baine. Ich schätze, er hat versucht zu eruieren, ob der Richter sonst noch irgendwelche Beweise für seine Mittäterschaft hatte.«

»Woher weiß er, dass ich das Buch habe?«

»Von Mrs. Baine.«

»Hat er erwähnt, warum er hinter dem Buch her ist?«, fragte Mike.

Cara biss sich auf die Unterlippe. »Er sagte, wenn du weißt, was gut für deine Familie ist, dann lässt du es verschwinden. Ich habe ihm gesagt, dass du das Richtige tun wirst, auch wenn es jemand anderem schaden könnte. Darauf meinte er dann …« Sie verstummte.

»Ja?« Mikes Augen sprühten vor Wut.

»Er hat gesagt: ›Ach ja, selbst dem heiligen Simon?‹ Er hat es auf deinen Vater abgesehen, Mike.«

Mike schnaubte. »Ja, den Eindruck hatte ich auch«, knurrte er mit zusammengepressten Zähnen.

Cara konnte ihm seine Empörung nur allzu gut nachfühlen. »Und? Was hast du jetzt vor?«

»Darüber zerbreche ich mir schon die ganze Zeit den Kopf. Die rechtliche Lage tut hier nichts zur Sache, das wissen wir beide. Rex ist gekommen in der Überzeugung, er könnte dort anknüpfen, wo er vor dreißig Jahren aufgehört hat. Und als er gemerkt hat, dass er mit diesem Ansinnen auf wenig Gegenliebe stößt, wollte er zumindest noch mal ordentlich Staub aufwirbeln.«

Sie nickte. »Du sagst es. Simons Ruf steht auf dem Spiel.«

»Ich weiß. Wenn das herauskommt, dann werden ihn womöglich so einige Bewohner von Serendipity scheel ansehen.« Seine Hand zitterte, als er sich mit den Fingern durch die Haare fuhr. »Wir stecken ganz schön in der Zwickmühle!«

Cara beschloss, den Kern des Problems ohne Umschweife anzusprechen. »Was wirst du der Bürgermeisterin sagen?«

»Eine Version der Wahrheit, mit der ich am wenigsten Schaden anrichte. So, und jetzt habe ich die Nase voll von diesem leidigen Thema.«

Er kam hinter seinem Schreibtisch hervor und trat zu ihr. »Schließ die Tür ab«, befahl er, und der sehnsüchtige Tonfall in seiner tiefen Stimme weckte das Verlangen in ihr.

»Aber … Wir sind im Dienst.«

Seine Pupillen weiteten sich. »Ich bin im Dienst. Du bist privat hier. Und ich will nicht gestört werden«, sagte er

Also schloss Cara artig die Tür zu seinem fensterlosen Kabuff ab. Als sie sich wieder umdrehte, stand er direkt hinter ihr, legte ihr die Hände auf die Schultern und beugte sich zu ihr hinunter, bis ihre Gesichter auf gleicher Höhe waren. Cara lehnte sich stöhnend an ihn und nahm alles, was er ihr zu geben hatte, wohl wissend, dass er schon bald fort sein würde.

Er ließ die Zungenspitze über ihre Lippen gleiten, bis sie sie öffnete und ihm Einlass gewährte. Diesmal war er nicht zärtlich – er nahm von ihr Besitz, verschlang sie förmlich mit diesem Kuss, der ihr den Atem raubte und dafür sorgte, dass sie weiche Knie bekam. Sie rieb den Unterleib an ihm, und er wickelte sich ihren Pferdeschwanz um die Hand und zog ihren Kopf ein wenig nach hinten, um mit der Zunge noch tiefer in sie eindringen zu können.

Cara ließ ihn gewähren, wollte am liebsten mit ihm verschmelzen und ihn nie wieder gehen lassen. Sie verfluchte sich dafür, dass sie ihn so begehrte, konnte aber nichts dagegen unternehmen.

Schließlich brach er den Kuss ab. »Das hatte ich jetzt echt nötig«, stöhnte er und zog sie zärtlich an sich.

Cara konnte gut nachvollziehen, dass er hin- und hergerissen war und nicht wusste, wie viel er über Rex und Simon an die Öffentlichkeit dringen lassen sollte. »Alles okay?«

Er lachte, und zu ihrer Überraschung klang es nicht sonderlich bedrückt. »Ja, alles bestens. Gestern habe ich zum ersten Mal in meinem Leben erkannt, dass meine Familie voll hinter mir steht, und dafür bin ich dankbar.«

Sie lächelte, weil sie das bereits gewusst hatte. »Du bist der Einzige, der je daran gezweifelt hat.«

Er schob sie auf Armeslänge von sich weg und sah ihr in die Augen. »Hat dir schon mal jemand gesagt, dass du echt was auf dem Kasten hast?«

Sie lächelte. »Nein, aber danke für das Kompliment.«

»Gern geschehen.« Er ging um den Schreibtisch herum und griff nach ein paar Blättern, die dort lagen. »Ich muss noch kurz etwas erledigen, und dann fahre ich zu meinen Eltern. Ich muss dringend mit ihnen reden.«

»Hat es etwas mit dem zu tun, was ich vorhin gesagt habe?«

»Ja, hat es, aber ich kann dir nicht genau sagen, was.

Ich hoffe mal, es wird mir im Laufe des Gesprächs mit ihnen klar. Ich weiß nur, dass ich ihnen noch etwas schuldig bin, und diese Schuld will ich heute ein für allemal begleichen. Und dann möchte ich natürlich mit ihnen besprechen, was wir wegen Rex unternehmen.«

»Ich verstehe dich nur zu gut«, murmelte sie.

»Und ich bin dir dankbar. Dir ist hoffentlich klar, dass ich ohne dich in diesem ganzen Wirrwarr früher oder später garantiert die Nerven verloren hätte.«

Dankbarkeit war nicht das, was sich Cara von ihm wünschte, aber sie würde sich wohl oder übel damit begnügen müssen. »Tja, dann fahre ich mal nach Hause und leg mich noch mal aufs Ohr.«

»Tu das.«

Er bedachte sie mit einem lüsternen Blick, bei dem sie ihn am liebsten mit zu sich nach Hause gezerrt hätte. »Grüß deine Eltern von mir.« *Und frag Simon, wann er wieder hier anzufangen gedenkt*, hätte sie gern hinzugefügt, aber sie ließ es wohlweislich bleiben.

»Mach ich.« Er zwinkerte ihr zu, dann widmete er sich wieder seiner Arbeit.

»Ach, eh ich's vergesse ... Daniella hat sich gemeldet.«

Mike hob noch einmal den Kopf. »Und, wie geht es ihr?«

»Sie klang ... zufrieden.« Cara nickte. Das war genau das richtige Wort. »Sie hat sich einen Plan zurechtgelegt, und Bev unterstützt sie, wo sie nur kann. Es geht ihr gut.« Sie lächelte.

»Das freut mich zu hören. Ich weiß doch, wie gern

du sie hast. Erin hat erzählt, ihr Ex hat für den Prozess einen richtigen Vollpfosten als Pflichtverteidiger zugeteilt bekommen. Vielleicht wirkt sich das ja zu seinen Ungunsten aus.«

»Oder vielleicht lässt er sich auf eine außergerichtliche Einigung ein und verschwindet auf Nimmerwiedersehen.« Das wäre Cara am liebsten gewesen.

Mike nickte. »Wollen wir's hoffen. Ich habe am späten Nachmittag ein paar Termine und abends ein Geschäftsessen. Ich rufe dich danach an, ja?«

Er würde also nicht vorbeikommen.

Tja, es war ohnehin besser so. »Okay. Ich bin morgen Abend zum Essen verabredet. Sehen wir uns dann am Mittwoch bei Joe's?«, fragte sie leichthin.

Mike zögerte, als hätte er noch etwas Wichtiges auf dem Herzen, doch er sagte bloß: »Genau. Bis dann.«

Cara lächelte und ging hinaus. Sie war enttäuscht, zog es allerdings vor, sich über den Grund dafür nicht den Kopf zu zerbrechen.

Vor seinen diversen Besprechungen am späteren Nachmittag hatte Mike noch genau eine Stunde, um zu seinen Eltern zu fahren. Und es war allmählich an der Zeit, dass er sich zurechtlegte, was er der Bürgermeisterin sagen würde. Je eher er das Gespräch mit ihr hinter sich brachte, desto eher konnte er auch diese ganze unschöne Affäre rund um Rex und die markierten Geldscheine ad acta legen.

Rex hatte sich nach der Beinaheverhaftung neulich nicht mehr blicken lassen, aber Mike machte sich keine Illusionen – er ging davon aus, dass sein egozentrischer Vater noch immer in Serendipity war. Rex Bransom schien zu glauben, er habe noch eine Rechnung offen – ob mit Mike, Simon oder Ella war nicht ganz klar. Und es war auch schwer abzuschätzen, auf welche Ideen er womöglich noch verfiel, wenn er nicht bekam, was er haben wollte.

Nun, vielleicht konnte ihm Simon in dieser Frage weiterhelfen, schließlich kannte er Rex am besten. Sein Vater saß am Schreibtisch im Wohnzimmer, als Mike bei seinen Eltern zu Hause eintraf.

»Hey, Dad.«

Simon blickte hoch. »Hallo! Was führt dich denn mitten am Tag hierher? Habt ihr auf dem Revier etwa nicht genug zu tun?«

Mike schüttelte den Kopf. »Jede Menge, wenn man bedenkt, dass Serendipity bloß eine Kleinstadt ist. Besprechungen, Besprechungen und noch mal Besprechungen.«

Simon lachte. »Womit wir gleich beim Thema wären.«

Mike hob eine Augenbraue. »Ach ja? Das klingt ja fast, als hättest du auch etwas mit mir zu besprechen.«

»Richtig. Setz dich.« Simon deutete auf das Sofa.

Mike gehorchte ganz automatisch. »Dad, ich …«

»Ich zuerst.«

Mike presste die Lippen zusammen. Es wäre ihm lieber gewesen, wenn er sein Anliegen zuerst hätte vorbringen können, aber der alte Simon war zurück und entschlossen, sich durchzusetzen. »Was gibt's?«

»Ich … Ich hatte stets den Eindruck, dass du immer ein bisschen auf Distanz gehst zu mir und auch zu unserer Familie. Dass du das Gefühl hast, nicht dazuzugehören. Vielleicht hätte ich mich mehr ins Zeug legen müssen.«

»Unsinn, Dad!« Mike sprang auf. »Du hättest beim besten Willen nicht noch mehr für mich tun können. Wahrscheinlich wäre weniger auch mehr als genug gewesen.« Er zögerte, doch dann beschloss er, seinem Vater gegenüber offener und ehrlicher zu sein als je zuvor. »Aber ich bin froh, dass du es nicht getan hast. Selbst, wenn ich mal Ärger gemacht habe.«

Simon grinste. »Ich hätte dich gar nicht anders haben wollen. Du hast mich gefordert, Mike, und dagegen gibt es nichts einzuwenden. Es tut mir lediglich leid, dass du immer geglaubt hast, du wärst keinen Deut besser als Rex.«

Mike ließ den Kopf hängen und dachte über Simons Worte nach. »Wann immer ich einen Fehler gemacht habe, war er für mich die Wurzel allen Übels, dabei sind wir für unsere Fehltritte ganz allein verantwortlich, stimmt's?«

Simon betrachtete ihn stumm. Abwartend. Mike kannte das schon – Simon hatte stets versucht, seine Kinder zum Denken anzuregen, statt ihnen die Antworten auf dem Silbertablett zu präsentieren. Tja, es hatte beinahe dreißig Jahre gedauert, aber Mike hatte endlich begriffen, dass die Probleme seines leiblichen Vaters nicht das Geringste mit ihm zu tun hatten. Was nicht bedeutete, dass er selbst keine Probleme gehabt hätte.

»Wer auch immer du bist, Michael, und was auch immer du tust, du triffst deine eigenen Entscheidungen. Dein leiblicher Vater spielt dabei überhaupt keine Rolle.«

»Allmählich ziehe ich die Bezeichnung *Erzeuger* vor«, brummte Mike, und Simon lachte.

»Darf ich dir eine Frage stellen?«

Der Mann, der ihn großgezogen und ihm nie etwas verwehrt hatte, nickte. »Damals, als du dein Familienerbe geopfert und Mom geheiratet hast ... Hast du das nur aus Pflichtgefühl getan oder ...?«

»Kein oder. Für mich war das mit deiner Mutter Liebe auf den ersten Blick. Was auch immer ich getan habe, das habe ich für sie getan.«

»Und du hast deine Karriere und deine Freiheit dafür aufs Spiel gesetzt«, ergänzte Ella, die eben hereingekommen war.

Mike konnte nur hoffen, dass er nicht feuerrot angelaufen war. »Das solltest du eigentlich gar nicht hören«, murmelte er.

Ella nahm neben Simon Platz. »Ich bin froh, dass ich es gehört habe, denn ich finde, dieses Gespräch ist längst überfällig. Du sollst wissen, dass ich Simon zu diesem Zeitpunkt bereits geliebt habe, auch wenn mir erst später klar geworden ist, wie groß und wie beständig diese Liebe ist.«

»Und Rex?«

»Reine Fleischeslust, Michael.«

»Keine Details, bitte.« Er wandte den Kopf ab, unfähig, ihr in die Augen zu sehen.

Doch Ella war noch nicht fertig und sprach ungerührt weiter. »Das mit Simon hat zwar anders angefangen, weniger stürmisch, aber dafür war es immer sehr viel realer.«

Mike glaubte ihr aufs Wort – er hatte ihre Liebe über die Jahre ja selbst miterlebt, und sie war auch jetzt noch erkennbar, als sie hier vor ihm saßen, sich an den Händen hielten und über die Vergangenheit sprachen.

»Und ja, ich war dankbar, dass mir Simon eine Zukunft bieten konnte. Welche alleinstehende Schwangere wäre das nicht? Dass Rex nicht gewillt war, seine Verantwortung zu übernehmen, hat mir zwar für dich leidgetan, aber für mich selbst kein bisschen, nachdem ich mit Simon zusammengekommen bin.«

Mike nickte, und Ella schenkte ihm ein sanftes Lächeln. »Falls du irgendwelche Fragen an uns hast, dann frag, das ist dein gutes Recht. Es würde mich auch nicht überraschen, wenn du infolge deiner besonderen Vorgeschichte etwas verquere Ansichten zum Thema Beziehungen entwickelt hättest …«

Mike fühlte sich unbehaglich unter dem wissenden Blick ihrer braunen Augen. Er hatte keine Ahnung, worauf sie anspielte, aber er würde garantiert nicht nachhaken – schließlich ging es hier um sein Liebesleben.

Doch seine Mutter fuhr unaufgefordert fort. »Du sagst, du willst keine ernsthaften Beziehungen. Mehr noch, du glaubst, du bist nicht dafür geschaffen, weil das bedeuten würde, dass du dauerhaft an einem Ort leben müsstest. Richtig?«

Da er nicht gleich antwortete, rollte sie eine Zeitung

zusammen und verpasste ihm damit einen Klaps auf den Oberschenkel.

»Hey!«

»Antworte mir gefälligst!«, befahl sie ihm mit einem amüsierten Funkeln in den Augen.

»Wozu? Du bist doch ohnehin überzeugt, dass du die Antwort bereits kennst.«

Simon grunzte. »Sag bloß, du hast noch immer nicht gelernt, dich ihrem Willen zu fügen, Sohnemann.«

»Also gut, du hast recht, Mom. Ich habe es bislang weder mit einer Frau noch an einem Ort lange ausgehalten. Ich glaube, ich kann es einfach nicht.«

»Das ist doch totaler Blödsinn.«

Mike blinzelte verdattert. Solche Ausdrücke war er von seiner Mutter nicht gewohnt.

»In Manhattan lebst du doch jetzt schon eine ganze Weile, nicht?«

Er nickte.

»Na, also. Und als dein Vater dich hier gebraucht hat, da bist du gleich angerückt. Das zeugt von Verantwortungsbewusstsein. Und was die Frauen angeht ... Ist dir je in den Sinn gekommen, dass dir vielleicht einfach noch nicht die Richtige über den Weg gelaufen ist?«

Simon tätschelte Ella die Hand. »Stimmt. Ich hätte mich weiß Gott auch nicht mit jeder dahergelaufenen Schwangeren eingelassen«, sagte er. »Während deine Mutter mit Rex zusammen war, habe ich mir ordentlich die Hörner abgestoßen. Ich hätte nie gedacht, dass ich mich mal auf eine Frau festlegen würde.«

Mike war vorhin schon völlig überfordert gewesen

von all dem Gerede über Gefühle, und jetzt auch noch eine Unterhaltung über das Liebesleben seines Vaters – das war definitiv zu viel des Guten, auch wenn es schon sehr lange zurücklag. Höchste Zeit, das Thema zu wechseln. »Okay, das reicht. Ich weiß es zu schätzen, dass ihr so offen und ehrlich mit mir über alles redet, wirklich, aber ich brauche etwas Zeit, um das alles zu verarbeiten, okay?«

»Kann ich dir nicht verübeln. Gut, lassen wir das«, sagte Simon mit einer entsprechenden Handbewegung. »Hast du dir schon eine Strategie für unseren ›Problemfall‹ zurechtgelegt?«

Wie üblich redete sein alter Herr nicht lange um den heißen Brei herum. Seit er wusste, dass sich der Tumor zurückgebildet hatte, war er wie ausgewechselt, und Mike war äußerst froh darüber.

»Ich überlege schon die ganze Zeit, was ich der Bürgermeisterin sagen soll.« Mike fuhr sich mit den Fingern durch die Haare und sah seinem Vater in die Augen. »Rein rechtlich kann man dir nichts anhaben. Die Verjährungsfrist ist längst verstrichen, und es wird bestimmt niemand auf die Idee kommen, nach all der Zeit noch Anklage zu erheben. Dir drohen also keinerlei rechtliche Konsequenzen, wenn alles rauskommt.«

Doch es war nicht auszuschließen, dass sein Ruf darunter leiden würde, und genau dieser Umstand bereitete Mike Kopfzerbrechen. Denn ihm blieben keine Alternativen. Er musste mit der Wahrheit herausrücken, damit seine Familie diese verdammte Affäre ein für allemal abhaken konnte.

Simon hob die Hand. »Bevor du fortfährst, möchte ich dir noch etwas sagen.«

Mike schluckte. »Nur zu.«

»Ich würde dich niemals darum bitten, Tatsachen zu verschleiern oder die Wahrheit zu verschweigen, um mich zu schützen. Als ich damals die Entscheidung getroffen habe, das fehlende Geld in der Asservatenkammer zu ersetzen, war mir klar, dass es früher oder später ans Licht kommen konnte. Ich habe damit gelebt, dass ich etwas getan habe, auf das ich nicht stolz war. Aber ich hatte keine Angst um meinen Job, mir graute eher davor, dass ihr Kinder es womöglich herausfinden könntet.«

Mike schüttelte den Kopf. »Mach dir deswegen bloß keine Gedanken«, beruhigte er ihn. »Soll ich mal ganz ehrlich sein?«

Simon nickte. »Immer.«

»Es tut gut zu wissen, dass du doch nicht perfekt bist.«

Seine Eltern prusteten belustigt los.

»Ach, Michael, wenn ich dir je das Gefühl vermittelt habe, dass …«

»Das hast du nicht. Das war alles nur in meinem Kopf. Ich habe immer im Schatten meines leiblichen Vaters gelebt und mich mit euch beiden, Erin und Sam verglichen.« Es tat verdammt gut, das einmal offen auszusprechen und damit zumindest einen Teil des emotionalen Gepäcks abzuwerfen, das er schon fast sein ganzes Leben mit sich herumschleppte.

»Ach, Michael …«, seufzte Ella.

»Schon gut. Alles bestens. Auch zwischen uns«, sagte er zu seiner Mutter.

Simon räusperte sich. »Eines noch: Zerbrich dir nicht den Kopf wegen Bürgermeisterin Flynn. Sag ihr, was du zu sagen hast. Ich komme schon zurecht.«

Das war Mike inzwischen klar. Nicht dass er es deswegen gerne tat, aber er hatte keine andere Wahl. »Es könnte sein, dass sie dich bittet, als Polizeichef zurückzutreten.«

Ihm graute bei der Vorstellung, dass Simon, der allseits beliebte Polizeichef von Serendipity, endgültig das Amt niederlegen musste – oder, schlimmer noch, womöglich unehrenhaft entlassen wurde. »Vielleicht lässt sie dich ja in den wohlverdienten Ruhestand gehen, ohne näher auf die Gründe einzugehen.« Mike würde Felicia Flynn jedenfalls so lange zusetzen, bis sie Simon zumindest einen würdigen Abschied gewährte.

»Wo du gerade davon sprichst …«, sagte Ella. »Dein Vater und ich hatten neulich ein ausführliches Gespräch, denn seine Krankheit hat uns gezeigt, wie kurz und kostbar das Leben ist.« In ihren Augen glitzerten Tränen.

»Wohl wahr.« Mike nickte. Inzwischen war ihm schmerzlich bewusst, dass sein Vater nicht ewig leben würde.

»Wir wollen mehr Zeit füreinander haben und das Beste aus den Jahren machen, die uns noch bleiben«, ergänzte Simon.

»Und ich wollte schon immer viel mehr verreisen«, sagte Ella.

Mike starrte sie verständnislos an. »Moment mal. Worauf wollt ihr hinaus?«

Es war Simon, der die Bombe platzen ließ. »Darauf, dass ich ohnehin in Erwägung ziehe, in Rente zu gehen.«

Mike war einen Augenblick sprachlos. Dann murmelte er halblaut: »Puh, damit hatte ich jetzt nicht gerechnet.«

»Aber du freust dich doch für uns, oder?«, fragte seine Mutter mit einem Lächeln, das er unwillkürlich erwiderte.

»Wie auch immer ihr euch entscheidet, ich stehe voll hinter euch«, versprach er und nickte.

»Gut. Dann hast du bestimmt auch nichts dagegen, dass ich vorgeschlagen habe, deinen Arbeitsvertrag als Polizeichef von Serendipity zu verlängern. Du hast bereits einige Veränderungen durchgesetzt, von denen alle sehr angetan sind …«

Mike rang nach Atem. »Und woher willst du das wissen?«, fragte er, um dem *anderen* Thema auszuweichen – der Frage, ob er auf Dauer hierbleiben wollte.

»Na, ich bekomme Besuche und Anrufe. Ich bin verdammt stolz auf die Arbeit, die du leistest, Michael. Du holst das SPD ins 21. Jahrhundert, und obwohl ich mich hier drin dagegen gesträubt habe« – er deutete auf sein Herz –, »beglückwünsche ich dich hier oben dafür.« Jetzt tippte er sich an den Kopf. »Ich hänge am alten System, aber ich bin klug genug, um zu wissen, dass sich alles weiterentwickeln muss.«

»Und es gibt genügend Kandidaten, die diesen Posten übernehmen und dafür sorgen können, dass die Modernisierung des SPD fortschreitet.« Mike hatte plötzlich das Gefühl, keine Luft mehr zu bekommen. Er erhob sich.

»Aber unsere Leute respektieren dich bereits«, wandte Simon ein. »Überleg es dir doch einfach mal.«

Genau das tat Mike bereits.

Wollte er den Job des Polizeichefs auf Dauer übernehmen?

Sich in Serendipity niederlassen?

Ja, er hatte es genossen, hier zu sein, aber bei all dem hatte er stets im Hinterkopf gehabt, dass er nach Simons Genesung sein normales Leben wieder aufnehmen konnte. Zugegeben, in letzter Zeit kam ihm das Leben in Serendipity schon fast normal vor ... Aber wie lange würde es dauern, bis er unruhig wurde, weil er sich eingeengt fühlte? Weil er gelangweilt oder genervt war? Vermutlich nicht allzu lange, jedenfalls der Beklemmung nach zu urteilen, die er schon bei der Vorstellung empfand, sich hier häuslich einzurichten.

»Und denk doch mal daran, wie sehr sich Cara freuen würde, wenn du bleibst«, fügte seine Mutter hinzu.

Cara. Bei dem Gedanken an sie war ihm, als hätte ihm jemand ein eisernes Band um die Brust gelegt. Wie lange würde es dauern, bis er ihr das Herz brach? »Ich muss jetzt los. Ich habe Termine«, presste er hervor.

Ella erhob sich mit besorgter Miene. »Michael, bitte lass dir alles noch mal in Ruhe durch den Kopf gehen, ohne etwas zu überstürzen, ja? Deine momentane Reaktion ist eine reine Instinkthandlung, die jeder vernünftigen Grundlage entbehrt.«

Herrje. Seine Mutter hatte recht. Er war noch nicht so weit. Er musste nachdenken.

Ach, verdammt, wem versuchte er hier eigentlich etwas vorzumachen? Am besten, er würde erstmal tief *durchatmen.*

Kapitel 16

Seit der Eröffnung seines Vaters war Mike total neben der Spur. Normalerweise wäre er in einer derartigen Situation längst auf und davon gewesen, doch er war verantwortungsbewusst genug, um zu wissen, dass er erst noch so einiges unter Dach und Fach bringen musste. Außerdem gab es hier eine Frau, die er sehr mochte – womöglich sogar liebte –, und er konnte nicht einfach alles hinter sich lassen, ohne ihr Bescheid zu geben.

Es war Mittwochabend, und die Tanzfläche in Joe's Bar war noch leer, als sich Mike und Sam über ihre Chicken Wings hermachten. Sam hatte bereits einen Rundruf gestartet und gefragt, wer sich später noch zu ihnen gesellen wollte, und die üblichen Verdächtigen, sprich, Alexa, Erin, Dare und Liza, hatten zugesagt. Mike wusste bereits, dass Cara auch kommen würde, schließlich hatte sie es neulich selbst erwähnt. Seit Montag waren sie sich nicht mehr über den Weg gelaufen.

Und er hatte sie auch nicht wie versprochen angerufen.

Stattdessen hatte er die vergangenen zwei Tage damit zugebracht, sich das Hirn zu zermartern und dabei den einen oder anderen Whiskey zu kippen. Nicht dass ihn das alles irgendwie weitergebracht hätte. Deshalb hatte er heute Sam um eine Unterredung gebeten.

Sie unterhielten sich eine Weile über ihre Familie, dann musterte Sam seinen Bruder eingehend. »Okay, was ist los mit dir? Ich habe den Eindruck, deine Nerven liegen blank.«

Mike rollte die Schultern, doch als Stressabbaumaßnahme reichte das nicht aus.

»Vorige Woche warst du noch total locker drauf, jetzt wirkst du auf einmal ruhelos. Was ist passiert?«

Mike beugte sich über den Tisch. »Dad zieht in Erwägung, einen Schlussstrich zu ziehen, und er will mich als seinen Nachfolger installieren.«

Sam riss die Augen auf. »Machst du Witze?«

Mike bedeutete Joe, ihm einen Whiskey zu bringen. Er war nicht im Dienst, und er musste das Gedankenkarussell in seinem Kopf zum Stillstand bringen. »Leider nicht, kleiner Bruder.«

»Und was sagt Cara dazu?«

Mike runzelte die Stirn. »Sie weiß es noch nicht.«

Joe stellte ihm seinen Drink hin und ließ sie allein, damit sie sich weiter ungestört unterhalten konnten. »Meinst du nicht, sie würde es wissen wollen?«, fragte Sam und führte seine Bierflasche an die Lippen.

»Ich warte noch auf den richtigen Zeitpunkt.« Mike hob warnend den Zeigefinger. »Wag es ja nicht, auch nur einen Ton zu ihr zu sagen. Du betonst doch immer, du willst nicht, dass sie verletzt wird. Also, lass es mich auf meine Weise tun.«

»Wo liegt denn eigentlich das Problem?«

Mike rieb die Handflächen an dem kalten Glas. »Wann immer ich mir auszumalen versuche, wie es wäre, auf Dauer hierzubleiben, krampft sich alles in mir zusammen. Ich habe es nie in Erwägung gezogen, und das weiß Cara auch. Wenn ich ihr von Simons Plänen erzähle, wird ihre Fantasie garantiert Kapriolen schlagen.«

Sam verzog enttäuscht das Gesicht. »Und ich hatte in den letzten paar Wochen doch tatsächlich den Eindruck, dass du dich hier allmählich ganz wohl fühlst.«

Der Eindruck hatte ja auch nicht getäuscht. »Schon, aber sobald Dad mir vorgeschlagen hat, ich soll für immer bleiben, da hatte ich das Gefühl, als ob mir jemand eine Schlinge um den Hals legt.«

»Findest du nicht, es ist an der Zeit, endlich mal erwachsen zu werden?«, fragte Sam.

»Erspar mir deine dummen Sprüchen«, knurrte Mike. War ja klar, dass sein Bruder ihn nicht verstehen würde. »Du kennst mich doch – ständig unterwegs, ständig unter Strom, keine Zeit zum Grübeln. Und wenn doch, dann hatte ich jedes Mal ziemlich bald das Gefühl zu ersticken.«

»Hat mir letzte Woche aber gar nicht danach ausgesehen«, brummelte Sam. »Und die Woche davor genauso wenig.«

Ella und Simon hatten sich ähnlich geäußert, aber keiner der drei konnte auch nur ansatzweise nachvollziehen, dass Mike schon der Gedanke an eine derartige Verpflichtung die Luft abschnürte.

Er schnaubte frustriert, setzte sich etwas anders hin und beschloss, mit ein paar Beispielen aus seiner Vergangenheit aufzuwarten. »Die Eintönigkeit des Alltags hat mir seit jeher zu schaffen gemacht. Schon als ich noch hier gelebt habe, und auch später dann in Atlantic City. Ich kann das einfach nicht. Mein Boss hat mir damals den Job als Undercover-Cop in New York nur besorgt, weil er wusste, dass ich ständig Abwechslung und Adrenalinschübe brauche.«

Sam grinste. »Zugegeben, die bleiben aus, wenn man den lieben langen Tag nur in Meetings hockt. Aber brauchst du das denn überhaupt noch? Sehnst du dich wirklich noch immer nach Aufregung im Berufsleben oder hast du vielleicht inzwischen einen Ausgleich im Privatleben gefunden?« Er beugte sich nach vorn. »Bei einer bestimmten Frau zum Beispiel?«

»Ich weiß es nicht.« Und genau da lag das Problem. Mike rechnete damit, dass er sich langweilen würde, wenn er nicht ständig gefordert wurde. Andererseits musste er zugeben, dass ihm die Adrenalinschübe bei der Arbeit in letzter Zeit tatsächlich nicht gefehlt hatten.

»Und nun zu den Frauen«, fuhr Sam fort. »Seit Tiffany hast du sie alle auf Abstand gehalten, richtig?«

»Ja. Keinerlei Versprechungen oder Verpflichtungen. Hat bestens funktioniert ... Bis Dad krank wurde und mich gebeten hat, für ihn einzuspringen.«

»Und du bist zurückgekommen. Nach Serendipity und zu Cara.« Sein Bruder musterte ihn mit jenem allwissenden Blick, der sonst bei der Befragung von Verdächtigen zum Einsatz kam.

Diesen Blick beherrschte Cara auch ganz hervorragend. Sie beide hatten das Zeug zum Kriminalbeamten, dachte Mike und verspürte plötzlich Bedauern, weil er nicht derjenige sein würde, der sie befördern würde.

»Cara ist ... anders«, räumte er ein. »Sie schafft es immer wieder, mich aus der Reserve zu locken.«

Sam nickte lachend.

Aus der Reserve locken war die Untertreibung des Jahrhunderts. Cara hatte ein Talent dafür, ihn in den Grundfesten zu erschüttern. Und sie tat es immer wieder. Wann immer sie sich liebten – er hatte es längst aufgegeben, sich einzureden, dass es bloß Sex war –, kam er sich vor, als würde er einen kompletten emotionalen Striptease hinlegen.

Aber das gedachte er seinem Bruder nicht auf die Nase zu binden. Schlimm genug, dass er hier saß und sich bei Sam ausheulte, als wäre er eine gottverdammte Tussi. Und alles nur, weil es Cara gelungen war, sich Stück für Stück in sein tiefstes Inneres vorzuarbeiten; und jetzt war ihm, als würde ein Loch in seiner Brust klaffen. Er fühlte sich auf einmal entblößt und verwundbar. Das war ihm noch nie passiert, und es traf ihn völlig unvorbereitet. Dazu der Druck, eine Entscheidung in Bezug auf seine Karriere zu treffen ... All das war mehr, als er verkraften konnte.

»Verstehst du denn nicht?«, fragte er seinen Bruder. »Es wird sie umbringen, wenn ich erst sage, dass ich bleibe, und dann gehe ich womöglich doch.«

Sam stieß einen leisen Pfiff hervor. »Mich laust der Affe«, murmelte er nachdenklich. »Du liebst sie.«

Mike sah ihm in die Augen, blieb ihm jedoch die Antwort schuldig. Es reichte schon, wenn er selbst es dachte, aber dass Sam es jetzt laut ausgesprochen hatte, schürte die Panik, die Simon geweckte hatte, nur noch zusätzlich.

»Weiß sie es?«, erkundigte sich Sam und unterbrach damit seine Gedankengänge.

»Ich weiß doch Herrgott noch mal selbst kaum, was ich fühle«, presste Mike hervor. Nahm das denn gar kein Ende?

Er sah auf seine zu Fäusten geballten Hände hinunter und zwang sich, die Muskeln zu entspannen. Eines konnte er sich immerhin zugutehalten: Er war Cara gegenüber immer aufrichtig gewesen war. Wenn er ging, dann in dem Wissen, dass er sie nicht an der Nase herumgeführt hatte.

In diesem Moment schob sich Erin zwischen sie und legte ihnen je einen Arm um die Schulter. »Was guckt ihr denn so finster?«, wollte sie wissen. »Soll ich vielleicht als Schiedsrichterin fungieren?«

Mike zwang sich, tief durchzuatmen. Er wollte sich nicht anmerken lassen, was in ihm vorging. Es war ihm schon schwer genug gefallen, sich Sam gegenüber zu öffnen, und er war noch nicht bereit, mit Erin über seine Probleme zu sprechen.

»Ich weiß nicht, wovon du redest. Wir haben uns bloß ein bisschen unterhalten, und jetzt sind wir mit dem Thema durch.«

»Och, dann hab ich mal wieder das Beste verpasst«, grummelte sie, genau wie früher.

Mike musste lachen. Er holte etwas Bargeld aus der Tasche, legte es auf den Tresen und erhob sich. »Ich hab noch zu tun.«

Er musste hier weg, ehe Cara auftauchte. Sie war so verdammt einfühlsam und würde garantiert gleich ahnen, dass etwas im Busch war. Und das musste er verhindern.

Sam musterte ihn besorgt. »Tu mir einen Gefallen und stell keinen unüberlegten Blödsinn an, ja?«, ermahnte er Mike.

Mike schüttelte den Kopf. »Ich muss mich bloß noch um einiges kümmern.«

Sam fluchte etwas Unverständliches, versuchte aber nicht, ihn aufzuhalten.

Mike ging zu seinem Wagen und machte sich auf den Weg in den Nachbarort. Er hatte seine Fühler ausgestreckt und erfahren, dass Rex dort im Holiday Inn am Stadtrand abgestiegen war.

Mike konnte sich beim besten Willen nicht vorstellen, was der Kerl noch hier wollte. Nun, er würde ihm unmissverständlich klarmachen, dass er sich endlich vom Acker machen sollte. Nervös erklomm er die Treppe zur zweiten Etage, doch er war entschlossen, sich nichts anmerken zu lassen. Stattdessen rief er sich noch einmal in Erinnerung, warum er jedes Recht hatte, wütend auf Rex zu sein.

Er klopfte zweimal und wartete ab.

Schließlich schwang die Tür auf, und sein Vater stand vor ihm. »Hast du kurz Zeit?«, fragte Mike statt einer Begrüßung.

»Komm rein«, sagte Rex mit einer entsprechenden Geste.

Mike kam der Aufforderung nach und sah sich um. Rex lebte aus dem Koffer, seine Kleider lagen über das gesamte Zimmer verstreut herum. Das Einzige, das einigermaßen ordentlich wirkte, war die improvisierte Bar, die Rex auf der Kommode aufgebaut hatte.

»Whiskey?«, fragte er Mike.

»Warum nicht?«

Rex schenkte ihnen beiden ein und reichte ihm eines der Gläser. »Auf uns, Vater und Sohn«, sagte er und prostete ihm zu.

Mike schnaubte verächtlich. »In welcher Welt lebst du eigentlich? Da gibt es kein Uns. Kein Vater und Sohn. Und mal ganz ehrlich, darauf legst du doch auch gar keinen Wert.« Er begann, in dem Zimmer auf und ab zu gehen, fühlte sich eingeengt auf so kleinem Raum mit Rex. »Du hättest einen Sohn haben können, aber du hast dich dagegen entschieden, und in den dreißig Jahren seither hast du ganz offensichtlich auch nicht das Bedürfnis danach verspürt.«

Rex lauschte ihm schweigend, ließ ihn aber nicht aus den Augen.

Da er nichts sagte, fuhr Mike fort. »Deswegen war mir anfangs nicht klar, was du hier willst. Dass du Ella kontaktiert hast, ging mir ja noch ein – du wolltest einfach mal testen, ob sie immer noch auf deinen Charme anspringt, stimmt's?«

Rex verschränkte die Arme. »Interessant, was du in das Verhalten deines alten Herrn so alles reininterpretierst. Sprich nur weiter«, forderte er ihn mit einem spöttischen Grinsen auf.

»Als ich dann aufgetaucht bin, hat dir das ganz gut in den Kram gepasst – äußerst praktisch, dass sich dein Sohn auf die Suche nach dir gemacht hat. Dass ich nur gekommen war, um in der Vergangenheit herumzuschnüffeln, hat deine Pläne allerdings durchkreuzt.«

Rex schüttelte den Kopf. »Wie kommst du darauf, dass ich irgendwelche Pläne verfolgt habe?«

»Ganz einfach. Du bist ein Egozentriker, wie er im Buche steht. Für dich dreht sich alles nur um dich. Ella hat auf deine Anfrage reagiert, ich bin sogar deinetwegen nach Vegas gekommen ... All das hat dich bewogen, nach Serendipity zurückzukehren. Nicht weil Simon Krebs hat, sondern weil du überzeugt warst, dass wir dich mit offenen Armen aufnehmen würden. Und als du erkannt hast, dass das mitnichten der Fall ist, hast du dich in deiner Ehre gekränkt gefühlt und beschlossen, zu einem Rundumschlag auszuholen und vor allem Simon eins auszuwischen.«

»Er hat es verdient! Er hat mich aus meiner Heimatstadt vertrie...«

»Er hat dir den Arsch gerettet, du dämlicher Mistkerl«, erinnerte Mike ihn. »Und im Zuge dessen sogar seinen eigenen riskiert. Und er hat deine Freundin geheiratet und deinen Sohn großgezogen, hat die Last und die Verantwortung auf sich genommen, vor der du dich gedrückt hast. Und wie dankst du es ihm nach all der Zeit? Indem du damit drohst, sein Ansehen in *seiner* Heimatstadt zu ruinieren!«

»Er hat dich gegen mich aufgebracht«, fauchte Rex. Sein vorhin noch so freundliches Gesicht war zu einer Fratze verzogen.

Es ist genau so, wie ich es gesagt habe, dachte Mike. *Es dreht sich alles nur um ihn.* »Das hast du dir schon selbst zuzuschreiben. Ich bin gekommen, um dir einen Deal zu unterbreiten, genau wie Simon vor dreißig Jahren. Verlass diese Stadt und komm nie wieder, oder ...«

Rex trat einen Schritt nach vorn. »Oder?«

»Oder du wirst feststellen, dass du in Serendipity unerwünscht bist. Die Leute werden nicht mit dir reden, in keinem Geschäft oder Lokal wird man dich bedienen. Du bist es gewohnt, dass alle nach deiner Pfeife tanzen, aber du hast hier weder Fans noch alte Freunde, die sich freuen, dich zu sehen. Du bist ein Mann, der Aufmerksamkeit braucht, die Anerkennung anderer Menschen, aber das wirst du hier nicht finden.«

»Du verdammter Hurensohn«, stieß Rex empört hervor.

»*Du* bist hier der Hurensohn.« Mike knallte sein Glas auf den Tisch und wandte sich zum Gehen.

Er empfand nichts als Mitleid und Verachtung für den Mann, der ihn mit bitterbösen Blicken maß, bis er das Zimmer verlassen hatte.

Tags darauf hatte Cara frei und noch nichts vor, und so fand sie sich zu ihrer eigenen Verwunderung plötzlich vor dem Häuserblock wieder, in dem ihre Eltern wohnten. Sie wartete in einem der Hauseingänge auf der gegenüberliegenden Straßenseite ab, bis sich ihr Vater in das Wettbüro ein paar Straßen weiter begeben hatte, in dem er oft stundenlang herumhockte, gemeinsam mit seinen Kumpels, die arbeitslos waren wie er. Blieb nur zu hoffen, dass sie sich nicht täuschte, dachte sie, als sie den Wohnblock durch den Seiteneingang betrat und sich über die Treppe hinauf zur Wohnung ihrer Eltern schlich.

Es war lange her, dass Cara das Bedürfnis verspürt hatte, ihre Mutter zu sehen, und es überraschte sie, dass das Gefühl ausgerechnet jetzt so übermächtig geworden war. Aber sie hatte Mike seit Montag weder gesehen noch gesprochen. Er hatte sie nicht besucht und war auch nicht auf dem Revier gewesen, jedenfalls nicht während ihrer Dienstzeit. Er fehlte ihr.

Und mit der schmerzenden Leere, die sie deswegen tief in ihrem Inneren verspürte, war der Drang gewachsen, mit ihrer Mutter zu reden, sich in ihre Arme zu schmiegen und sich einen Rat von ihr zu holen. Denn was auch immer Cara von den Entscheidungen hielt, die Natalie Hartley getroffen hatte, sie war und blieb ihre Mutter. Und die brauchte Cara jetzt mehr denn je.

Sie wurde nicht enttäuscht. Ihre Mutter empfing sie mit offenen Armen und einem überraschten Aufschrei.

»Ich habe gewartet, bis Dad weg ist. Keiner hat mich reinkommen sehen«, sagte Cara.

Ihre Mutter nickte. »Er ist bestimmt eine Weile weg.«

»Gut.«

»Komm, setz dich.« Natalie zog ihre Tochter zu dem mit blauem Samt bezogenen Sofa, das schon in Caras

Kindheit im Wohnzimmer gestanden hatte und inzwischen ziemlich abgewetzt und ausgeblichen war.

Es wirkte genauso mitgenommen wie Natalie selbst, die einmal eine schöne Frau gewesen war. Sie hatte dunkles Haar wie Cara und blaue Augen, die einmal fröhlich und aufgeweckt in die Welt geblickt hatten, bis ihr Mann ihr jegliche Lebensfreude genommen hatte.

Und Cara hatte es nicht verhindern können. »Es tut mir leid, dass ich dich so lange nicht besucht oder zumindest mal angerufen habe«, flüsterte sie.

Ihre Mutter schüttelte unter Tränen den Kopf. »Unsinn. Du hast jedes Recht, enttäuscht von mir zu sein.«

»Enttäuscht ist der falsche Ausdruck. Ich wollte bloß, dass du ihn verlässt.«

»Ach, Schätzchen …« Ihre Mutter streichelte ihr mit der Hand über den Kopf, genau wie früher, als Cara noch ein kleines Mädchen gewesen war. »Wo soll ich denn hin? Er würde mich finden, und danach wäre alles nur noch schlimmer. Ich habe mir mein Leben selbst gewählt, und ich habe mich daran gewöhnt. Und eigentlich ist es meistens gar nicht so schlecht.«

Cara brachte es nicht über sich, ihr in die Augen zu sehen. *Das Leben sollte so viel mehr sein als »meistens gar nicht so schlecht«,* dachte sie, während ihr die Tränen über die Wangen liefen.

Natalie reichte ihr ein Taschentuch, und sie tupften sich beide die Augen trocken.

»Weine nicht meinetwegen, Cara«, sagte sie schließlich. »Sieh bloß zu, dass du nicht dieselben Fehler machst wie ich.«

Cara öffnete den Mund, aber ihre Mutter schüttelte den Kopf. »Nein, warte, ich muss mir das endlich einmal von der Seele reden. Mein größter Fehler bestand darin, dass ich meinem Bauchgefühl nicht vertraut habe. Dass ich immer wieder darauf hereingefallen bin, wenn dein Vater mir hoch und heilig versprochen hat, mich nicht mehr zu schlagen oder anzubrüllen.«

Das war das erste Mal, dass Natalie über ihre Ehe sprach, und Cara lauschte mit großen Augen, während ihre Mutter all das zugab, was sie bislang stets totgeschwiegen oder unter den Teppich gekehrt hatte.

»Ich wollte ihm eben unbedingt glauben«, sagte Natalie und seufzte. »So sehr, dass ich die Augen vor der Wahrheit verschlossen habe, weil es viel schwerer gewesen wäre, zu gehen und noch einmal von vorne anzufangen, noch dazu als alleinstehende Mutter.« In ihren Augen schimmerten noch immer Tränen, und ihre Schultern zuckten, aber sie hielt Caras Blick stand.

»Mom …«

»Nein, Schätzchen, hör mir zu. Wer weiß, ob ich je wieder die Möglichkeit haben werde, dir diesen Rat zu geben: Sollte es je einen Mann in deinem Leben geben, dann achte nicht auf das, was er sagt, sondern beurteile ihn nach seinem Verhalten, in der Vergangenheit wie in der Gegenwart. Menschen können sich ändern, aber sie müssen es auch beweisen. Ein Versprechen allein ist nichts wert.« Sie beugte sich zu Cara hinüber und küsste sie auf die Wange.

»Ach, Mom … Ich habe tatsächlich jemanden kennengelernt …«, schniefte Cara, und dann erzählte sie ihrer Mutter alles über Mike, angefangen von dem One-Night-Stand bis hin zu der Bedingung, die er gestellt hatte. *Hier sind keine Herzen im Spiel.* »Ich wusste von Anfang an, worauf ich mich einlasse, und ich habe wirklich versucht, mich nicht in ihn zu verlieben …« Trotzdem war es geschehen, und schon jetzt vermisste sie ihn, obwohl er noch gar nicht nach New York zurückgekehrt war.

Ihre Mutter hörte ihr zu, nickte dann und wann und breitete schließlich die Arme aus, um ihr den erhofften Trost zu spenden. Cara fragte sich kurz, ob sie womöglich überreagiert hatte, verwarf den Gedanken jedoch rasch wieder. Schließlich hatte sie es noch recht gelassen genommen, als er sie nicht wie versprochen angerufen hatte und sich mit dem Gedanken getröstet, dass er eben ein sehr beschäftigter Mann war. Aber dann war er am Mittwoch nicht wie vereinbart im Joe's gewesen, und auch danach hatte er sich tagelang nicht bei ihr gemeldet. Cara fand es unfair, dass sie es ausbaden musste, wenn in seinem Leben etwas nicht nach Plan lief. Und sie war nicht gewillt, sich ohne eine Erklärung abservieren zu lassen. Dafür hatte sie schlicht und ergreifend zu viel Selbstwertgefühl, dachte sie – ganz im Gegensatz zu ihrer Mutter. Wie auch immer, wenn sie sich schon jetzt so schrecklich nach ihm verzehrte, wollte sie sich gar nicht ausmalen, in welch tiefes Loch sie fallen würde, wenn er erst endgültig von der Bildfläche verschwunden war.

Allzu bald war es an der Zeit aufzubrechen. Natalie wurde unruhig, spähte immer wieder auf die Uhr.

Es war an der Zeit zu gehen, wenn Cara nicht von ihrem Vater überrascht werden wollte, denn ihre Mutter sollte wegen ihr keine Schwierigkeiten bekommen. »Tja, ich geh dann mal lieber, bevor …«

»Ich liebe dich«, sagte Natalie. »Wenn du wieder einmal Lust und Zeit hast, mich zu sehen, komm vorbei. Und wenn nicht, dann verstehe ich das auch.«

Sie findet sich mit allem ab, dachte Cara bekümmert. Doch sie hatte sich auf dem Weg hierher vorgenommen, nicht weiter untätig zuzusehen, wie ihre Mutter litt, nur weil sie befürchtete, selbst so zu werden wie sie. Es war einfach haarsträubend – Daniella und die anderen Frauen in Havensbridge hatte sie ja auch nicht im Stich gelassen.

»Ich melde mich wieder«, versprach sie ihr. Sie brauchte ihre Mutter, und Natalie brauchte sie ganz genauso. »Ich liebe dich, Mom.«

»Ich dich auch.«

Beim Abschied wirkte ihre Mutter schon bedeutend fröhlicher als vorher.

Als sich Cara aus dem Haus schlich, war sie erleichtert und freute sich schon darauf, ihre Mutter bald wieder zu besuchen. Eigentlich entbehrte es nicht einer gewissen Ironie, dass sie wieder zusammengefunden hatten, während es so aussah, als würde die Beziehung mit Mike endgültig den Bach runtergehen.

Dieses Wochenende heirateten Annie und Joe, aber mit der Unterstützung ihrer Freundinnen würde sie den Tag schon irgendwie überstehen, und danach würde sie Mike zur Rede stellen. Unverbindliche Affäre hin oder her, es konnte nicht angehen, dass er sich vollkommen von ihr zurückzog, wann immer es ihm passte.

Sie dachte an die Worte ihrer Mutter: *Beurteile einen Mann nach seinem Verhalten.*

Mikes Totalrückzug vor dem Hintergrund von Simons Genesung sagte ihr alles, was sie wissen musste.

Mikes Tage in Serendipity – und mit ihr – waren gezählt.

Am Samstagmorgen hatte Mike noch eine letzte Besprechung mit Bürgermeisterin Flynn, und danach musste er gleich zu Joes und Annies Hochzeit. Ein Glück, dass diese Woche fast vorüber war. Sobald er diese beiden Hürden genommen hatte, war er frei.

Seit Tagen verspürte er ein Brennen in der Brust, von dem er annahm, dass es vom Stress herrührte – die Sache mit Rex hatte ihm ordentlich zugesetzt, und dann waren da noch sein Vater, der auf eine Entscheidung von ihm wartete, und die Tatsache, dass er Cara jetzt endgültig vergrault hatte.

Nach seiner viertägigen Funkstille hatte er sich am Donnerstagabend endlich dazu durchringen können, ihr eine SMS zu schicken. *Sorry, viel zu tun. Hole dich am Sa um 11 ab.* Schließlich hatten sie vereinbart, gemeinsam zur Hochzeit zu gehen. Ihre Antwort war reichlich knapp ausgefallen: *Nicht nötig, werde schon abgeholt.* Er hatte sich innerlich gekrümmt, obwohl er es verdient hatte.

Gestern Abend hatte er, während er im Fitnessstudio Gewichte gestemmt hatte, beschlossen, am Sonntag seine Zelte abzubrechen. Er hatte Simon angerufen und ihm erklärt, dass er noch nicht bereit war, eine Entscheidung zu treffen, was die Stelle als Polizeichef anging. Er brauchte noch Zeit. Simon hatte sich verständnisvoll gegeben, aber Mike hatte ihm deutlich angehört, dass er es nicht wirklich nachvollziehen konnte.

Genau deshalb brauchte er dringend etwas Abstand und musste nach New York. Dort konnte er tief durchatmen und sich überlegen, was er denn eigentlich vom Leben wollte. Hier, wo man ihm von allen Seiten Druck machte, konnte er nicht in Ruhe nachdenken. Zugegeben, Cara hatte sich zurückgehalten – sie hätte ihn ja auch anrufen können, nachdem er sich nicht bei ihr gemeldet hatte –, aber die Verantwortung ihr gegenüber lastete trotzdem schwer auf ihm.

Noch nie zuvor war ihm eine Frau so wichtig gewesen wie sie. Eigentlich konnte er sich ein Leben ohne sie, ohne ihr breites Lächeln und ihr vorlautes Mundwerk gar nicht mehr vorstellen, aber er hatte Angst und eine ganze Menge an emotionalem Gepäck im Schlepptau. Und sie verdiente mehr – sie verdiente einen Mann, der gewillt war, sich ganz auf sie einzulassen. Und dazu war Mike nicht in der Lage. Er konnte nur immer wieder zu seiner Verteidigung vorbringen, dass er von vornherein gesagt hatte, was Sache war, und ihr keine Versprechungen gemacht hatte, die er nicht halten konnte.

Und warum kam er sich dann trotzdem so unglaublich schlecht und schäbig vor?

Weil er im Begriff war, ihr das Herz zu brechen, dabei würde er sich eher selbst eine Kugel in den Kopf jagen, als Cara Leid zuzufügen.

Aber genau das musste er nach der Hochzeit tun.

Die Trauung von Annie und Joe trieb Cara Tränen der Rührung in die Augen. Sie saß ganz am Rand, mit hervorragendem Blick auf die Braut, als diese in ihrem spektakulären, schmal geschnittenen Kleid die Kirche betrat. Annie hatte sich für ein elfenbeinfarbenes Kleid entschieden, weil sie schon einmal verheiratet gewesen war. Ihr Exmann Nash saß in der dritten Reihe – neben seiner zweiten Frau Kelly, die eine einzigartige Freundschaft mit Annie verband. Trotzdem waren die beiden Frauen zu dem Schluss gekommen, dass es unter den gegebenen Umständen etwas seltsam gewesen wäre, wenn Annie Kelly zur Brautjungfer ernannt hätte. Annie trug ihre blonden Korkenzieherlocken offen, weil Joe, wie sie Cara neulich im Cuppa Café erzählt hatte, ihre wilde Mähne so liebte. Ihre Augen funkelten genauso freudestrahlend wie die ihres Zukünftigen, der, angetan mit dunklem Anzug und Krawatte, bereits vorne am Altar stand.

Jedes Detail der Hochzeit, angefangen vom Brautvater, der Annie zum Altar begleitete, bis hin zu dem Mann ihrer Träume, der sie dort ungeduldig erwartete, erinnerte Cara schmerzlich an all das, was ihr selbst nie vergönnt sein würde. Jedenfalls nicht mit Mike – und der hatte die Latte für alle nachfolgenden Männer unerreichbar hoch gelegt, so viel stand fest.

Als Annie und Joe sich schließlich versprachen, einander zu lieben, zu achten und zu ehren in guten wie in schlechten Tagen, in Gesundheit und Krankheit, solange sie beide lebten, da konnte Cara nur noch mit größter Mühe die Tränen zurückhalten. Sie begann bloß deshalb nicht laut loszuschluchzen, weil ihr Alexa, die neben ihr saß, kräftig gegen den Knöchel trat, um sie abzulenken.

»Aua!«, zischte Cara, und Alexa lächelte honigsüß und flüsterte: »Wofür hat man denn Freundinnen?«

Mike saß zwei Reihen hinter ihnen, Erin mit Sam auf der anderen Seite.

Cara hatte die drei vorhin kurz gesehen, als sie hereingekommen war, und sie mit einem flüchtigen Lächeln bedacht, wobei sie Mikes Blick ausgewichen war. Sie würden sich bestimmt nachher noch unterhalten, aber vorerst musste sie sich voll und ganz darauf konzentrieren, die Trauungszeremonie zu überstehen. Was er ihr zu sagen hatte, war nicht mehr wichtig. Sie hatte die Nase voll von der Art von Beziehung, die er favorisierte.

Sie liebte ihn. Sie wusste es schon eine ganze Weile, auch wenn sie es sich lange nicht gestattet hatte, es sich einzugestehen. Doch irgendwann zwischen dem Besuch bei ihrer Mutter und dem heutigen Tag, an dem Annie zum zweiten Mal die Chance auf das große Glück bekam, war Cara eines klar geworden: Sosehr sie Mike auch liebte, sie hatte sich stets nur mit den Krumen zufriedengegeben, die er ihr hingeworfen hatte. Zugegeben, bis letzte Woche waren das ein paar ziemlich spektakuläre Krumen gewesen, aber nichtsdestotrotz für sie zu wenig.

Die Trauung dauerte nicht allzu lange, und danach versammelte sich die gesamte Hochzeitsgesellschaft … in Joe's Bar, wo sonst? Es wurden Trinksprüche ausgebracht, der Bräutigam wurde von seinen besten Freunden aufs Korn genommen, und danach wurde das Tanzbein geschwungen. Cara genoss die Feierlichkeiten ihrer schlechten Laune zum Trotz. Ihr entging nicht, dass ihr Mikes Augen überallhin folgten. Das rote Kleid, zu dessen Kauf Alexa sie gedrängt hatte, schien ihm zu gefallen, jedenfalls seinen feurigen Blicken nach zu urteilen. Dennoch forderte er sie nicht zum Tanzen auf, und für das anstehende Gespräch war es zu voll und zu laut.

Das Brautpaar schnitt die Torte an und fütterte sich gegenseitig damit, dann zog Joe seiner Angetrauten unter viel Gejohle das Strumpfband aus und wenig später rotteten sich die ledigen Frauen zusammen, um den Brautstrauß zu fangen. Cara hätte hinterher nicht genau sagen können, wie es hatte passieren können, dass ausgerechnet Tess, die noch nicht einmal sechzehn war, das Bouquet erwischte.

Tatsache war, Ethan, Nash und Dare sahen aus, als würden sie ihre freche Halbschwester am liebsten erwürgen, doch die gutmütige Annie konnte gar nicht mehr aufhören zu lachen, und so beruhigten sich die drei auch bald wieder.

Als Nächstes schickte sich Joe an, das Strumpfband unter die Junggesellen zu werfen, doch Cara brachte es nicht über sich zuzusehen. Sie verabschiedete sich von Alexa und bat sie, dem Brautpaar Grüße von ihr zu bestellen. Ihr Bedarf an fröhlichem Treiben war gedeckt, und ihre Füße taten höllisch weh, obwohl sie ihre hochhackigen Sandaletten schon vor einer ganzen Weile ausgezogen hatte und sie auch jetzt an den Fersenriemchen in der Hand hielt, während sie sich auf den Weg zum Ausgang machte.

An der Tür blieb sie stehen und lehnte sich an die Wand, um ihre schmerzenden Füße wieder in die Minifolterinstrumente zu zwängen, als sie plötzlich eine Hand auf der Schulter spürte.

»Können wir reden?«, fragte Mike.

Sie drehte sich um, und als sie den ernsten Blick seiner braunen Augen sah, rutschte ihr das Herz in die Hose. Ja, sie hatte sich vorgenommen, kurzen Prozess mit ihm zu machen, aber seine Miene signalisierte ihr, dass sie sich gar nicht erst die Mühe machen musste. Wie es aussah, würde er das Schlussmachen übernehmen.

Auf einen Schlag erlosch der allerletzte Funke Hoffnung, den sie sich nach den schönen Wochen mit ihm noch erhalten hatte, und übrig blieb nur die schmerzliche Realität. Aber das war nun ihr Leben, sosehr ihr auch davor graute.

Auf dem Weg nach oben tröstete sie sich mit dem Gedanken, dass es bestimmt nicht lange dauern und sie schon bald auf dem Nachhauseweg sein würde. Allein.

»Setzen wir uns«, sagte Mike, sobald sie in seinem Apartment waren, und deutete auf die Couch.

Cara ließ sich darauf nieder. Von hier aus hatte sie die Ecke mit dem Bett im Blick, auf dem ein offener Koffer stand.

Ihr Magen krampfte sich zusammen, doch sie sagte nichts. Er hatte sie hergebeten, also würde sie ihm das Reden überlassen und sich darauf konzentrieren, die Sache ohne Gefühlsausbruch hinter sich zu bringen.

Er setzte sich neben sie, wobei er darauf achtete, sie nicht zu berühren. Es herrschte dieselbe kühle Distanz zwischen ihnen wie damals, als er nach Serendipity zurückgekommen war, und der Verlust all dessen, was sich seither zwischen ihnen entwickelt hatte, schmerzte Cara zutiefst.

»Was ist passiert?«, fragte sie. Sie konnte nicht anders. Sie musste es wissen. Bei ihrer letzten Begegnung hatte er sie in seinem Büro geküsst und ihr gesagt, dass er die Probleme mit seinem leiblichen Vater ohne sie nicht so leicht weggesteckt hätte. Und dann … totale Sendepause.

»Simon geht in Rente«, sagte Mike.

Das hatte sie nun nicht erwartet.

»Und er hat mich gebeten, seinen Posten auf Dauer zu übernehmen.«

Cara blinzelte. »Das hat dich bestimmt ganz schön aus der Bahn geworfen. Wann hat er es dir gesagt?«

Mike wandte sich ab, unfähig, ihr ins Gesicht zu sehen. »Am Samstagnachmittag.«

Jetzt wurde ihr so einiges klar. »Ach, deshalb hast du nichts mehr von dir hören lassen.«

Er hatte zumindest den Anstand, zerknirscht dreinzusehen.

Cara seufzte. »Ich nehme an, du hast abgelehnt.«

»Ich habe ihm gesagt, dass ich darüber nachdenken

muss.« Er stand auf, zog das Sakko aus und hängte es über einen Stuhl, lockerte seine Krawatte und öffnete den obersten Hemdknopf. Er wirkte mitgenommen und verwirrt, aber äußerst sexy.

Beim Anblick seiner gequälten Miene musste sich Cara bewusst in Erinnerung rufen, dass er hier nicht derjenige war, der bemitleidet werden brauchte. »Warum hast du ihm nicht gesagt, dass du nicht hierbleiben willst? Das wolltest du doch von Anfang an nicht.«

»Weil ich nicht weiß, ob es stimmt.« Er wandte sich ab und trat ans Fenster.

Cara hatte ihn noch nie so verunsichert und unentschlossen erlebt. Sie erhob sich, gesellte sich zu ihm und legte ihm eine Hand auf die Schulter. »Du bist doch nur hergekommen, weil dich Simon gebraucht hat, das hast du mir selbst gesagt. Aber jetzt ist er wieder gesund und geht in Rente, also kannst du beruhigt dein gewohntes Leben wiederaufnehmen und deiner Heimatstadt und ihren Bewohnern den Rücken kehren. Ist ja nicht das erste Mal.«

Sie war stolz auf sich, weil man ihrer Stimme die Verzweiflung, die sie empfand, nicht anhörte.

»Du hast mir einen Strich durch die Rechnung gemacht«, sagte er leise.

»Was?«

Er ergriff ihre Hand und drehte sich um. »Du hast schon richtig gehört. Du hast mir einen Strich durch die Rechnung gemacht. Und wenn ich sage, dass ich nicht weiß, was ich will, dann meine ich das auch so. Ich kann mir ein Leben ohne dich nicht mehr vorstellen.«

Er legte die Hände auf ihre Hüften, und ihr war, als würden seine Finger ihr die Haut versengen. »Kannst du wohl«, widersprach Cara. »Sonst hättest du nicht schon den Koffer gepackt.« Sie machte sich von ihm los, weil sie spürte, dass sie kurz davor war, in Tränen auszubrechen.

»Ich brauche bloß etwas Zeit«, sagte er in flehentlichem Tonfall, um an ihr Verständnis zu appellieren.

»Du warst bisher immer ehrlich zu mir, also lass uns jetzt nicht anfangen, um den heißen Brei herumzureden, okay? Taten sagen mehr als Worte, und beides zusammen ergibt eine unmissverständliche Botschaft.« Ihre Schultern zuckten, doch sie fuhr fort. »Du gehst, wie du es mir immer prophezeit hast. Ich wusste, dass unsere Beziehung ein Ablaufdatum hat, und es ist allein meine Schuld, dass ich mich trotzdem in dich verliebt und mir Hoffnungen auf mehr gemacht habe.« Sie wandte sich ab, konnte nicht fassen, dass sie ihm ihre Gefühle gestanden hatte. »Mach's gut«, stieß sie hervor und hastete zur Tür.

»Cara, warte.«

Sie hielt inne, ohne sich umzudrehen.

»Ich brauche etwas Zeit und Abstand, um mir das alles durch den Kopf gehen zu lassen.«

Sie schüttelte den Kopf. »Ich hätte dir alle Zeit der Welt gegeben, du hättest mich nur darum bitten müssen. Stattdessen tust du das, was du immer tust, nämlich du verschwindest einfach.«

Mike war nicht dämlich. Er wusste, sie meinte damit nicht seine bevorstehende Rückkehr nach New York, sondern die Tatsache, dass er sich in den vergangenen Tagen nicht mehr bei ihr gemeldet hatte – einfach abgetaucht war.

»Bye, Mike.« Es kostete sie ihre gesamte Kraft zu gehen, ohne ihn noch einmal anzusehen, aber sie schaffte es.

Kapitel 17

Caras Türklingel ertönte. Einmal, zweimal, ein drittes Mal. Dann begann ihr Besucher an die Tür zu hämmern. Sie hatte sich eine Woche frei genommen, um sich eine Auszeit zu gönnen und … ja, sich in Selbstmitleid zu suhlen. Sie hatte es sich verdient, und sie fand, sie war es sich auch selbst schuldig.

Sie schnappte sich ihren Frotteebademantel, zog ihn über ihr Spaghettiträgernachthemd und stürmte in den Flur, um dem unverschämten Menschen, der es wagte, an einem Donnerstagmorgen um acht Uhr an ihre Tür zu hämmern, ordentlich die Meinung zu sagen.

Es war Sam, der sie ohnehin zweimal täglich anrief, um sich davon zu überzeugen, dass sie wohlauf war. »Kann ich mir nicht mal ein paar Tage frei nehmen, ohne dass du mich ständig nervst?«, schnauzte sie ihn an und machte auf dem Absatz kehrt, wobei sie immerhin die Tür offen ließ, damit er eintreten konnte.

»Du bist nicht krank, sondern deprimiert, und du hast zwar jedes Recht dazu, aber es reicht jetzt. Mike mag mein Bruder sein, aber er ist auch ein Mistkerl. Er hat dich nicht verdient, und er ist es weiß Gott nicht wert, dass du hier herumhockst und seinetwegen Trübsal bläst. Also, ab unter die Dusche, und dann anziehen. Wir gehen einkaufen.«

»Einkaufen?« Cara zog die Nase kraus.

»Meine Mutter hat am Wochenende Geburtstag, und ich brauche ein Geschenk für sie.« Sam war genauso wenig ein Shoppingfreak wie sie.

»Also gut, für Ella lasse ich mich breitschlagen. Ich wollte ohnehin noch eine Kleinigkeit für Daniella besorgen, als Ansporn sozusagen. Sie hat sich zu einem Onlineweiterbildungskurs angemeldet, und sie hat schon einige Bewerbungsgespräche mit Kanzleien vereinbart, die gewillt sind zu warten, bis sie einsatzbereit ist. Belinda Vanderbilt hat ein paar hervorragende Kontakte.«

Sam lächelte. »Toll. Ein Mensch weniger, um den du dir Sorgen machen musst«, sagte er. »Steht der Termin für die Verhandlung gegen ihren Ex eigentlich schon fest?«

Cara zuckte die Achseln. »Keine Ahnung. Daniella meinte, er lässt sie zwar in Ruhe, aber hin und wieder hat sie das Gefühl, dass ihr jemand folgt. Ich habe ihr eingeschärft, möglichst nur in Begleitung rauszugehen, aber das war ihr natürlich schon vorher klar.«

»Mehr kannst du nicht tun. Also los, mach dich fertig.« Er schob sie in Richtung Treppe.

Sie marschierte artig los, hielt am Fuße der Treppe aber noch einmal inne und drehte sich zu ihm um. »Danke, Sam.«

»Wofür hat man denn Freunde? Hab ich übrigens schon erwähnt, dass du grauenhaft aussiehst?«

Sie verzog das Gesicht. »Na, herzlichen Dank auch.«

»Ich sage nur, wie es ist. Also, hopp, hopp!«

»Ich geh ja schon.« Doch sie rührte sich nicht von der Stelle. »Hast du …« Sie brach ab. Sie hatte ihn fragen wollen, ob er etwas von Mike gehört hatte. Ob er mit ihm gesprochen hatte. Ob Mike auch so litt wie sie, oder ob er wieder sein früheres Leben führte, mit Frauen wie Lauren, als hätte es Cara und das Intermezzo in Serendipity nie gegeben.

»Nein, ich habe nichts von ihm gehört.« Sam konnte ihre Gedanken lesen, wie es sich für einen guten Partner gehörte. »Er geht nicht ans Telefon, wenn ich ihn anrufe. Tut mir leid.«

Sie nickte, und der Kloß in ihrem Hals, gegen den sie schon die ganze Woche ankämpfte, war wieder so groß wie eh und je.

»Er hat vor seiner Abreise noch mit Bürgermeisterin Flynn gesprochen und sie über die neuesten Erkenntnisse und Entwicklungen in dem Fall mit den markierten Geldscheinen informiert«, fügte Sam hinzu.

Erst da stellte Cara verblüfft fest, dass sie den Fall über ihre persönlichen Dramen völlig vergessen hatte. »Und, was hat sie dazu gesagt?«

»Laut meinem Vater – Mike redet ja nicht mit mir – hat sie angeblich ein paar Ausdrücke verwendet, von denen ihre Wählerinnen und Wähler wohl nicht sonderlich begeistert wären, vor allem als sie erfahren hat, wie viele angesehene Bürger der Stadt in den Fall verwickelt waren.«

»Und, hat Simon Schwierigkeiten bekommen?«

»Nein. Das muss man meinem Bruder lassen: Es ist ihm doch tatsächlich gelungen, die Entscheidung, ob die Ergebnisse an die Öffentlichkeit gelangen sollen oder nicht, der Bürgermeisterin aufzubürden.«

»Wie hat er denn das geschafft?«

»Er hat sie daran erinnert, dass die in dem schwarzen Buch aufgelisteten Männer, die damals das Winkler-Motel frequentiert und für die Geheimhaltung gesorgt haben, zugleich ihre wichtigsten Geldgeber im Wahlkampf waren«, berichtete Sam grinsend.

Cara zog ihren Bademantel enger um sich und schmunzelte ebenfalls. »Genial.«

Sam nickte. »Außerdem hat er darauf hingewiesen, dass das alles schon Jahrzehnte her ist und es im Grunde niemandem etwas bringt, die alten Geschichten noch mal aufzuwärmen. Alle, die damals involviert waren, haben heute eine weiße Weste, und der Einzige, der noch ein öffentliches Amt bekleidet, hat bereits angekündigt, dass er in Rente gehen wird.« Sam breitete die Arme aus. »Wozu also schmutzige Wäsche waschen, wenn dadurch nur der Ruf ihrer loyalen Anhänger geschädigt wird?«

Cara lehnte sich an das Treppengeländer. »Fall abgeschlossen, hm?«

»Sieht ganz danach aus, ja.«

»Und Rex? Ist er wieder nach Las Vegas zurückgekehrt?« Cara hatte seit dem Abend, an dem er die Baines belästigt hatte, nichts mehr von Mikes leiblichem Vater gesehen oder gehört.

»Er ist jedenfalls aus seinem Motel ausgezogen,

nachdem ihm Mike einen Besuch abgestattet und ihm klargemacht hat, dass er in Serendipity nichts mehr verloren hat.«

Cara atmete langsam aus. Es überraschte sie, dass Mike erneut die Konfrontation mit seinem Vater gesucht hatte. »Dann konnte er wenigstens einen Schlussstrich ziehen.« Und das hatte er auch bitter nötig gehabt, um das Thema Rex ein für alle Mal hinter sich zu lassen.

»Soll ich dir einen guten Rat geben?«, fragte Sam.

Cara zuckte die Achseln, wohl wissend, dass sie ihn ohnehin nicht davon abhalten konnte. »Nur zu.«

Er sah ihr in die Augen, mit aufrichtiger Miene und Mitgefühl im Blick. »Vergiss ihn.«

Cara schüttelte den Kopf und lachte. »Meinst du echt, das habe ich nicht schon versucht?« Damit spurtete sie nach oben, um zu duschen. Und danach stand Shoppen auf dem Programm. Yippie, ihre liebste Freizeitbetätigung.

Viel aufregender konnte das Leben wohl nicht mehr werden.

Mike saß in seiner verdammten Wohnung in New York, die ihm überhaupt nicht mehr wie ein Zuhause vorkam, und hatte das Gefühl zu ersticken. Die Sardinenbüchse über Joe's Bar war ihm bedeutend gemütlicher erschienen – weil in Serendipity jemand auf ihn gewartet hatte, sobald er vor die Tür gegangen war. Eine Woche war vergangen, und er hatte sich bislang weder bei seinen alten Arbeitskollegen noch beim FBI gemeldet, weil er noch nicht wusste, ob er in Manhattan bleiben würde oder nicht.

Aber vor einer Woche hatte er es sich auch nicht vorstellen können, sich in seiner Heimatstadt niederzulassen. Also hatte er dasselbe getan wie immer: Er war davongelaufen.

Seither konnte Mike seinem Spiegelbild nicht mehr in die Augen sehen. Die Anrufe seiner Geschwister hatte er ignoriert. Er war hergekommen, weil er Abstand und Zeit zum Nachdenken gebraucht hatte. Beides hatte er nun zur Genüge, doch inzwischen fragte er sich, woher dieses dringende Bedürfnis eigentlich kam.

In Serendipity hatte er alles gehabt, was er brauchte – eine Frau, die ihn verstand, akzeptierte und in einer Art und Weise ergänzte, wie er es nie für möglich gehalten hätte.

Cara fehlte ihm, ihr Lächeln, ihr Lachen, und vor allem fehlte es ihm, dass sie seinen vollen Namen rief, wenn er tief in ihr war. Ihm fehlte sogar sein schäbiges kleines Büro auf dem Revier, von dem aus er Caras Lachen hören konnte, wenn die Tür offen stand. Doch jedes Mal, wenn er in Erwägung zog zurückzukehren, fiel ihm der Blick ein, mit dem sie den offenen, halb gepackten Koffer auf seinem Bett betrachtet hatte.

Am Boden zerstört.

Das war der einzige Ausdruck, der ihm dazu einfiel. Er hatte – nein, nicht Cara selbst zerstört, dafür war sie viel zu stark, aber er hatte dafür gesorgt, dass ihr Vertrauen in ihn endgültig erschüttert war. Sie hatte ihm ihr Herz auf dem Silbertablett serviert, obwohl er ihr nie einen Anlass dafür geliefert, ja, ihr sogar explizit davon abgeraten hatte.

Und wie hatte er es ihr gedankt? Indem er darauf herumgetrampelt war.

Sein Handy klingelte. Es war Sam, und zum ersten Mal seit einer Woche ging Mike ran. »Hey, Kleiner.«

»Ich bin auf dem Weg zu deiner Wohnung. Mach die verdammte Tür auf und lass mich rein. Wir müssen …«

Mike konnte die Stimme seines Bruders bereits im Treppenhaus hören und ging in den Flur. »… uns unterhalten«, schloss Sam, als er ihm die Tür öffnete.

»Komm rein«, brummte Mike.

Sam trat ein und musterte ihn von Kopf bis Fuß. »Wenigstens siehst du genauso scheiße aus.«

Mike straffte die Schultern. »Geht es Cara nicht gut?«, fragte er überflüssigerweise. Die Vorstellung verursachte ihm Übelkeit.

»Na, was denkst du wohl, du Idiot?«

Mike schnaubte. »Das hab ich vermutlich verdient.«

»Du kannst von Glück sagen, dass ich dich nicht verprügle.« Sam ging zum Kühlschrank seines Bruders und nahm sich eine Limo. »Bist du so verdammt egoistisch, dass du nicht zu schätzen wusstest, was du hattest? Oder bist du echt so dämlich, dass du sie nicht willst?«

Mike ließ sich auf die Couch plumpsen, lehnte sich zurück und wandte den Blick zur Decke. »Ich hab's verbockt. Und ich werde mich jetzt nicht auf meine Vergangenheit herausreden oder näher auf die Gründe eingehen. Ich kann nur sagen, dass ich völlig überfordert war. Ich dachte, ich brauche Zeit und Abstand, um alles zu überdenken, deshalb wollte ich weg.«

Sam ließ sich auf dem nächstbesten Fauteuil nieder. »Und jetzt, wo du beides hast?«

»Jetzt ist mir klar, was ich angerichtet habe. Was ich zurückgelassen habe, war genau das, was ich wollte.« Mike schüttelte entnervt den Kopf.

»Warum sitzen wir dann noch hier rum?« Sein Bruder tippte auf die Armlehne des Fauteuils.

Mike beugte sich nach vorn und sah ihm in die Augen. »Weil mir Cara klar und deutlich zu verstehen gegeben hat, dass sie ohnehin mit meiner Rückkehr nach New York gerechnet hat – schließlich habe ich die ganze Zeit davon geredet, dass ich nicht in Serendipity bleiben werde.«

»Tja, dann musst du dich eben etwas ins Zeug legen. Das hat dich doch bisher auch nie abgeschreckt, oder?«

Es gab vieles, das Mike abschreckend fand, aber harte Arbeit gehörte nicht dazu. »Nein, aber ich habe ihr mit meinem Verhalten immer wieder signalisiert, dass ich keine ernsthafte Beziehung will. Warum sollte sie mir glauben, wenn ich jetzt plötzlich behaupte, das hätte sich geändert?« Er musterte seinen jüngeren Bruder und fragte sich beim Anblick seiner ernsten Miene, welche klugen Ratschläge dieser wohl auf Lager haben mochte.

»Kommst du zurück?«, fragte ihn Sam ganz direkt.

Mike schluckte schwer. »Ja.«

»Auf Dauer?«

Er nickte. »Ich hole mir mein Mädchen.«

»Das hab ich befürchtet.«

Mike hob eine Augenbraue. »Was zum Teufel soll das heißen?«

»Na ja, was ist, wenn dich Cara nicht wiederhaben will? Sie ist gewissermaßen ein gebranntes Kind – denk an ihre Mutter, die es nicht schafft, von ihrem Vater loszukommen, obwohl er sie behandelt wie den letzten Dreck.«

Mike wurde flau. Es war tatsächlich nicht ausgeschlossen, dass sie ihn zurückwies.

Sam beugte sich nach vorn. »Wenn du Cara nicht für dich gewinnen kannst, übernimmst du dann trotzdem den Posten als Polizeichef und bleibst in Serendipity??«

Mike kannte seine Optionen: Er konnte bleiben, auch ohne Cara an seiner Seite, oder er konnte in seine einsame Wohnung in New York zurückkehren – in eine Stadt, die ihm nichts bedeutete, zu Arbeitskollegen, die er seit seiner Rückkehr noch kein einziges Mal angerufen hatte.

Die Antwort lag auf der Hand.

Ihn Serendipity lebte seine Familie. Die Menschen, die er liebte, obwohl er es nicht immer zeigen konnte.

Seine Mutter hatte ihn daran erinnert, dass er bereits sechs Jahre in New York gelebt hatte. Es stimmte also gar nicht, dass er es nicht lang an einem Ort aushielt. Er hatte es bloß nicht glauben wollen, weil ihn der Gedanke, irgendwo länger zu bleiben, seit jeher in Panik versetzt hatte. Diese Angst war so vorhersehbar, dass sie sogar beinahe etwas Tröstliches hatte. Es wäre feige gewesen, sich auf Rex herauszureden. Nein, es lag nicht an seinem leiblichen Vater, er hatte sich sein verkorkstes Verhalten ganz allein selbst zuzuschreiben.

»Ja, ich werde bleiben«, brummte er. Es würde ihn umbringen, Cara zu verlieren, aber es würde nichts an seinem Entschluss ändern.

»Hervorragend.« Sam grinste und klatschte sich auf die Oberschenkel.

Wenn es nicht um Mikes Leben gegangen wäre, hätte er über die Begeisterung seines Bruders vermutlich gelacht.

»Also, hör zu«, sagte Sam. »Du musst Cara beweisen, dass du es ernst meinst, und zwar unmissverständlich. Was danach passiert, ist ihr überlassen, aber auf diese Weise kannst du dir hinterher zumindest sagen, dass du alles versucht hast, um sie zurückzuerobern.«

»Danke.« Mike sah seinen kleinen Bruder plötzlich in einem völlig neuen Licht.

Sam lehnte sich zurück und kippte den letzten Rest seiner Limo, während Mike sich seinen Rat durch den Kopf gehen ließ. Sam hatte recht. Er musste alles auf eine Karte setzen, um Cara zurückzugewinnen. Und er musste dabei eines stets im Hinterkopf behalten: Es war möglich, dass er hinterher trotzdem allein dastand.

Bei der Vorstellung schauderte er unwillkürlich. Das durfte nicht geschehen. Ganz egal, was auch geschah, er musste sie davon überzeugen, dass er sie liebte und den Rest seines Lebens mit ihr verbringen wollte. Alles andere war keine akzeptable Alternative.

»Hey, Mike?«

»Ja?«

»Bist du bereit für die Rückkehr in deine Heimatstadt?«

***

Samstagabend im Joe's – ohne Joe und Annie allerdings, denn die beiden befanden sich bereits in den Flitterwochen. Cara war nicht ganz freiwillig hier – Liza, Erin und Alexa hatten sie hergeschleppt, und ihre gute Laune war gespielt, aber sie wusste selbst, es war hoch an der Zeit, dass sie wieder in ihr gewohntes Leben zurückfand. Warum also nicht gleich heute Abend? Sie beschloss, sich ganz auf ihre Freundinnen zu konzentrieren und so zu tun, als würde sie sich amüsieren, und früher oder später würde sich die entsprechende Stimmung bestimmt einstellen. Im Augenblick fühlte sie sich nur wie betäubt.

»Ich habe Lust zu tanzen«, stellte Alexa fest.

Cara nickte. Etwas Bewegung würde ihr guttun, dabei konnte sie das Denken eine Weile einstellen.

»Was ist mit dir, Liza?«, fragte Alexa.

Liza lächelte und schwang bereits die Hüften im Takt zur Musik. »Warum nicht? Ein bisschen abshaken kann nicht schaden.«

Ein Song von Katy Perry gab den Rhythmus vor, und Cara legte los. Es war ewig her, seit sie es zuletzt so richtig hatte krachen lassen. Das Stimmengewirr wurde lauter, das Gedränge dichter, und bald war die Tanzfläche voll.

Allmählich begann sie, den Abend zu genießen. Sie

schloss die Augen, spürte den Beat in ihren Adern pulsieren und dankte Gott für ihre Freundinnen.

Als sie die Augen wieder aufschlug, hatten sie Gesellschaft bekommen. Liza tanzte mit ihrem Ehemann Dare, und Erin und Alexa hatten sich zu Caras Verblüffung zwei attraktive Verehrer angelacht, die Cara nicht kannte und die sie nun mit allerlei erotischen Moves bezirzten.

Sam, der sich ebenfalls zu ihnen gesellt hatte, verfolgte die Machenschaften seiner Schwester mit gerunzelter Stirn.

Für Alexa, die ihrer Arbeit zuliebe selbst ihre Freundinnen vernachlässigte, war dieses Verhalten äußerst ungewöhnlich. Nun, Cara musste ihre Neugier wohl noch etwas zähmen, aber darauf würde sie ihre Freundin garantiert noch ansprechen.

Als sie von zwei kräftigen Händen an der Taille gepackt wurde, war sie im ersten Moment etwas konsterniert, doch dann lehnte sie sich bereitwillig an den muskulösen Tänzer hinter ihr, um sich führen zu lassen, in der Annahme, es wäre einer ihrer Arbeitskollegen.

Allerdings nur, bis der Kerl sie an sich zog und begann, sich an ihrem Po zu reiben, sodass sie seine Erektion spüren konnte.

Das ging entschieden zu weit. Cara machte sich los und wirbelte herum. »He, was soll das?«

Der Hüne mit den braunen Augen, der ihr gegenüberstand, kam ihr nur allzu bekannt vor. »Mike!?« Sie schnappte nach Luft und spürte, wie sie weiche Knie bekam.

»Hey, Baby.«

Ihr wurde warm ums Herz, als sie den zärtlichen Kosenamen hörte. Welche Ironie, nachdem sie sich so lange dagegen gewehrt hatte!

Sie verschränkte die Arme vor der Brust – eine klassische Verteidigungshaltung und sehr hilfreich, um auf Distanz zu gehen. »Was willst du hier?«

Es war ein regelrechter Schock, ihn nach der längsten, grauenhaftesten Woche ihres Lebens so unvermutet wiederzusehen. Ihr Puls raste, ihr Herz war erfüllt von Fassungslosigkeit und Angst in Anbetracht der unerwarteten Begegnung.

»Ich bin wieder da.« Seine Worte waren begleitet von einem leidenschaftlichen Blick.

Er war wieder da? Eine kurze Stippvisite, oder was? Sie kam zu dem Schluss, dass es ihr egal sein musste. »Wie schön für dich«, ätzte sie. »Und da hast du gedacht, du könntest mich einfach von hinten begrapschen und dort anknüpfen, wo wir aufgehört haben, ja?«, stieß sie mit erhobener Stimme hervor.

Alexa tippte ihr besorgt auf die Schulter. »Alles okay?«, erkundigte sie sich.

Cara schob das Kinn nach vorn. »Ja, alles bestens.« Und es würde ihr noch besser gehen, sobald sie Mike abgewimmelt hatte.

»Können wir uns irgendwo unterhalten?«, fragte er jetzt.

Cara starrte ihn entgeistert an. »Ist das dein Ernst?«

Nachdem er sich eben auf der Tanzfläche an sie herangemacht hatte, wäre sie nicht auf die Idee gekommen, dass er mit ihr *reden* wollte. »Lass mich eines gleich vorweg klären. Ich weiß nicht, warum du hier bist oder für wie lange, und es ist mir auch egal, aber ich werde nicht dein Betthäschen spielen, wenn du dich mal wieder zu einem Besuch in Serendipity herablässt.«

»Darum geht es mir auch gar nicht. Gib mir nur eine Chance, dir zu erklär…«

»Nein.« Sie schubste ihn an der Schulter von sich und trat einen Schritt nach hinten.

Der Kummer in seinem Blick traf sie mitten ins Herz, und es kostete sie ihre ganze Kraft, ihn nicht auf der Stelle in die Arme zu schließen.

Da trat Alexa zwischen sie. »Komm mit«, raunte sie Cara zu, dann sagte sie so laut, dass Mike es auch hören konnte: »Ich geh mal für kleine Mädchen«, und zeigte mit dem Kopf in Richtung Toiletten.

Mike beugte den Kopf. »Bleib!«, flüsterte er Cara ins Ohr.

Sie schüttelte den Kopf, drehte sich um und folgte Alexa, ehe er noch etwas sagen konnte, doch sie spürte seinen Blick auf sich ruhen, bis sie um die Ecke gebogen war.

»Herrgott noch mal.« Cara zitterte am ganzen Leib. Sie schlang die Arme um ihren Oberkörper und wartete ab, bis sich der kleine Vorraum der Toilette geleert hatte.

Kaum waren sie allein, legte ihr Alexa eine Hand auf die Schulter. »Alles okay?«

Cara schluckte schwer und schüttelte den Kopf. Nein. Nichts war okay. Ganz im Gegenteil. »Ich kann nicht darüber reden, sonst fange ich an zu heulen, also reden wir lieber über dich. Was war das denn vorhin?«

Alexa zuckte die Achseln und wandte den Blick ab. Sie war feuerrot angelaufen. »Weiß ich auch nicht.«

»Du weißt es nicht?«, wiederholte Cara ungläubig. »Ist das wirklich meine Freundin Alexa, die sich da draußen gerade mit einem wildfremden Kerl auf der Tanzfläche vergnügt hat?«

Alexa betrachtete sich im Spiegel und wischte etwas Kajal weg, der unter ihrem Auge verlaufen war. »Ich habe doch bloß ein bisschen geflirtet.« Sie biss sich auf die Unterlippe und wich Caras Blick aus, weil sie beide wussten, dass es nach weit mehr ausgesehen hatte.

»*Magst* du den Kerl?«, fragte Cara. »Ich meine, findest du ihn sympathisch?«

Alexa schüttelte den Kopf. »Ich kenne ihn doch gar nicht. Aber er ist sexy.« Sie zuckte die Achseln.

»Das seh ich ja ein, aber führst du ihn nicht an der Nase rum? Es gibt nämlich Männer, die das nicht so gern haben.«

»Hey, ich bin einsam, okay?« Alexa umklammerte den Rand des Waschbeckens mit einer Hand, so fest, dass ihre Fingerknöchel weiß hervortraten. »Er ist süß, und er ist aufmerksam. Wann habe ich mir denn das letzte Mal etwas gegönnt?«

Cara legte ihr eine Hand auf den Arm. Sie konnte sich nicht entsinnen, ihre Freundin schon einmal so geknickt erlebt zu haben, und sie tat ihr leid. »Du weißt doch, dass ich dich verstehe. Aber wir kennen ihn nicht, und da mache ich mir natürlich Sorgen.«

Alexas sonst so fröhliche Augen wirkten stumpf. »Schon klar, aber ich habe nun einmal keine Zeit für eine Beziehung. Ich arbeite den lieben langen Tag, und wenn ich nach Hause komme, ist mein Bett leer. Ich weiß nicht, ob ich einfach bloß erschöpft bin, oder ob ich mich nach ein bisschen Gesellschaft sehne. Vielleicht auch beides. So kann es jedenfalls nicht weitergehen.«

Cara seufzte mitfühlend und sah Alexa in die Augen. »Es wird Zeit, dass du dein Leben änderst.«

Alexa ließ die Schultern hängen. »Du hast recht, es muss etwas passieren.« Sie schniefte, dann schnappte sie sich ein Papierhandtuch und tupfte sich damit die Augenwinkel trocken. »Ich brauche bloß etwas Zeit, um mir einen Schlachtplan zurechtzulegen.«

»Dann nimm sie dir.« Cara nickte ermunternd und gab ihrer Freundin einen Kuss auf die Wange. »Na, geht's wieder?«

»Ja, alles okay, bis auf die Tatsache, dass ich mir erbärmlich vorkomme.«

»Das musst du nicht. Wenn hier jemand erbärmlich ist, dann doch wohl ich.« Cara betrachtete sich im Spiegel und verzog das Gesicht zur Grimasse.

Alexa schüttelte den Kopf. »Ach was, du hast dich da draußen wacker geschlagen. Du hast ihm klargemacht, dass du dich nicht verarschen lässt. Ich bin stolz auf dich.«

»Danke.« Cara war nicht ganz so stolz auf sich selbst. Ja, sie hatte Mike die kalte Schulter gezeigt, aber sie wollte ihn trotzdem noch und fühlte sich deswegen dumm und willensschwach. Auch wenn sie nicht vorhatte, sich rumkriegen zu lassen.

»Können wir, oder brauchst du noch ein paar Minuten?«, fragte Alexa.

»Minuten? Wohl eher Stunden. Aber ich lasse mich garantiert nicht von ihm in die Flucht schlagen.« Cara maß ihr Spiegelbild mit einem entschlossenen Blick. »Erst brauche ich allerdings noch etwas Lipgloss.«

Alexa grinste. »Sehr gut. Gerüstet mit den Waffen einer Frau.«

»Du sagst es. Dummerweise habe ich die Handtasche im Auto gelassen. Ich geh mal kurz raus und komme dann in ein paar Minuten nach, ja?«

»Soll ich dich begleiten?«

»Ach, lass mal. Wozu sollen wir uns beide den A... abfrieren?« Sie hatte gleich hinter der Bar geparkt und wie üblich ihren Kram im Auto gelassen, weil es drinnen immer so eng war.

Ein Rudel junger Frauen stürmte kichernd und johlend die Toilette, und Cara und Alexa suchten schleunigst das Weite. »Bis gleich«, sagte Cara und wandte sich in Richtung Hinterausgang.

Die bittere Kälte draußen verursachte ihr sogleich eine Gänsehaut und kroch ihr im Nu in die Knochen. Trotzdem war Cara ganz froh über die kurze Gnadenfrist. Sie fühlte sich noch nicht bereit, Mike gegenüberzutreten. Zitternd eilte sie an der Mauer entlang zu ihrem ein paar Meter entfernten Wagen, als sie plötzlich zwei Hände von hinten um den Hals packten.

»Hey, was soll das?«

Cara versuchte, sich umzudrehen, doch der Angreifer war zu groß und zu kräftig, und sie war so überrascht, dass sie nicht die geringste Chance hatte, sich zu wehren. Sie konnte lediglich einen gellenden Schrei hervorstoßen.

Sofort drückte der Kerl fester zu und schnürte ihr die Luft ab.

»Halt die Fresse, du Schlampe«, knurrte eine Männerstimme, die ihr nur allzu bekannt vorkam. Bob Francone, Daniellas Ex. Verdammter Mist. Ehe sie reagieren konnte, hatte Bob sie auch schon an sich gezogen und ihr seinen muskulösen Arm um den Hals gelegt. Je heftiger sie sich wand, desto fester umklammerte er sie.

Sie hustete und versuchte, ihm die Fingernägel ins Fleisch zu krallen, doch seine dicke Winterjacke hinderte sie daran, und ihre Waffe steckte im Knöchelhalfter, außer Reichweite.

»Du hast Daniella dazu gebracht, mich zu verlassen«, stieß er wutentbrannt hervor. Cara konnte sein Gesicht nicht sehen, doch sie hätte wetten können, dass es krebsrot angelaufen war.

Er drückte noch fester zu, und Cara zerrte verzweifelt an seinem Arm, weil sie aufgrund des Luftmangels bereits weiße Flecken sah. »Ich … kriege … keine Luft …« Sie wusste nicht, ob sie es ausgesprochen oder nur gedacht hatte.

Offenbar war Ersteres der Fall, denn Bob lockerte seinen eisernen Griff ein klein wenig, doch ihre Kehle schmerzte wie verrückt.

»Haben Sie jetzt total den Verstand verloren, eine Polizistin anzugreifen?«, keuchte sie.

»Du hast sie dazu gebracht, mich zu verlassen. Zwei Mal. Du hast mein Leben verpfuscht, und jetzt wirst du es wieder in Ordnung bringen«, schnarrte Bob.

Cara rang nach Atem und überlegte fieberhaft, wie sie am ehesten an ihre Waffe kommen könnte.

»Hast du gehört?«, bellte Francone.

Sie brachte kein Wort heraus, und da sie ihm die Antwort schuldig blieb, stieß er sie an die Ziegelmauer, ohne ihren Hals loszulassen.

»Was ... wollen Sie?« Wieder war Cara nicht sicher, ob er sie hören konnte. Sie bekam nun überhaupt keine Luft mehr, hörte nur noch das Blut in ihren Ohren rauschen. Fiel dem verdammten Mistkerl denn kein anderes Mittel ein, Frauen gefügig zu machen?

Jetzt postierte er sich vor ihr, so nah, dass ihr sein nach Zigarettenrauch stinkender Atem in die Nase stieg. »Du wirst Daniella sagen, dass sie zu mir nach Hause kommen soll«, sagte er langsam und überdeutlich, als wäre sie geistig minderbemittelt. »Verstanden?« Er lockerte seinen Griff ein klein wenig, damit sie antworten konnte.

»Ach, und wann soll ich das tun? Während sie sich die blauen Flecken an meinem Hals ansieht?«, presste Cara unter Schmerzen hervor. Ihre Stimme klang heiser.

Bob verpasste ihr eine kräftige Ohrfeige, und sie blinzelte und spürte, dass es nicht mehr lange dauern würde, bis sie ohnmächtig wurde.

Ihr schwindelte, doch sie nahm all ihre Kraft zusammen und rammte ihm in einem letzten verzweifelten Befreiungsversuch das Knie in die Eier.

»Verfluchtes Miststück!« Er ließ sie los und krümmte sich vor Schmerz, die Hände an die Kronjuwelen gepresst.

Cara taumelte, fiel vornüber und schlug mit der Stirn auf dem Bürgersteig auf.

»Was zum Teufel …?« Das war Mikes Stimme, die wie von weit her an ihr Ohr drang.

Sie spürte, wie sie von sanften Händen umgedreht wurde. »Cara?« Er wirkte halb wahnsinnig vor Angst.

Sie hätte ihm gern gesagt, dass alles in Ordnung war, aber sie bekam kaum Luft, und ihr war immer noch schwarz vor Augen.

»Cara?«

Das war Alexa. Sie betastete vorsichtig Caras Gesicht, zog ihre Augenlider nach oben, um ihre Pupillenreaktion zu testen.

Eine Sirene heulte.

»Mein Hals«, stöhnte Cara und griff sich an die Kehle, und dann verlor sie das Bewusstsein.

Kapitel 18

Als Cara erwachte, registrierte sie als Erstes Mikes Stimme, und außerdem ein Brennen in der Kehle und ein Pochen in den Schläfen. Ihr war schwindlig, und sie fühlte sich groggy und desorientiert.

»Laut Alexa ist sie wohlauf«, sagte Mike gerade. »Sie hat eine leichte Gehirnerschütterung, und ihre Luftröhre ist gequetscht und wird ihr noch eine Weile höllisch wehtun.« Pause. »Nein. Sie haben ihr ein Beruhigungsmittel verabreicht, weil sie versucht hat, von der Trage runterzuklettern. Sie wollte zu Daniella. Sie war regelrecht hysterisch, obwohl wir ihr gesagt haben, dass Francone festgenommen wurde. Alexa hat ihr dann etwas gegeben, damit sie einschläft und ihre Luftröhre nicht noch zusätzlich belastet.«

Ach, richtig. Jetzt erinnerte sich Cara wieder.

Bei der Einlieferung ins Krankenhaus hatte sie nur daran denken können, wie Bob sie mit seinen Pranken zu erwürgen versucht hatte. Sie hatte verhindern wollen, dass er mit Daniella dasselbe machte. Sie schluckte unter Schmerzen und schloss benommen die Augen. Zumindest saß der Mistkerl jetzt hinter Gittern. Blieb nur zu hoffen, dass er diesmal dort auch bleiben würde.

»Könntest du Daniella anrufen und sie über den Vorfall informieren?«, bat Mike. »Das wäre bestimmt in Caras Sinne.«

Den sollte ich mir wirklich warmhalten, dachte sie, doch dann fiel ihr wieder ein, dass Mike ein unverbesserlicher Junggeselle war.

»Danke, Sam«, sagte Mike.

Aha, er telefonierte also mit seinem Bruder.

Plötzlich verspürte Cara ein Kratzen im Hals und musste husten. Besser gesagt, sie versuchte es und stöhnte, als ein stechender Schmerz ihren Kopf und ihre Kehle durchzuckte.

»Ich muss auflegen.« Mike wirbelte herum und war mit zwei Schritten an ihrem Bett. »Du bist wach.«

»Ich …«

»Nicht sprechen. Alexa meinte, du wirst Schmerzen haben, wenn du es auch nur versuchst. Sie wollen dich über Nacht hierbehalten, um deine Atmung zu beobachten, und morgen früh darfst du dann nach Hause, okay?«

Cara nickte.

Er strich ihr das Haar aus dem Gesicht. Sein Blick war warm und voller Gefühle. »Baby …«

Sie wandte den Kopf zur Seite, und eine Träne rann ihr über die Wange. Er konnte sich sein Mitleid sparen. Sie wollte es nicht, und sie wollte auch nicht hören, was er ihr zu sagen hatte. Beim geringsten Anzeichen von Fürsorglichkeit würde sie in Tränen ausbrechen. Sie war noch nicht über ihn hinweg und würde es vermutlich nie sein. Ihre Kehle schmerzte auch so schon, und der Drang zu weinen machte es nicht besser, im Gegenteil. Er musste gehen.

Stattdessen ergriff er ihre Hand. »Du hast mir einen ganz schönen Schreck eingejagt«, sagte er, so leise, dass sie es kaum hören konnte. »Zum Glück ist dir nichts Schlimmeres passiert. Ich weiß nicht, was ich getan hätte, wenn ich dich verloren hätte.«

Nette Worte, die er unmöglich ernst meinen konnte. Er stand lediglich unter Schock, dachte sie, während sie mit fest zugekniffenen Augen dalag und versuchte, durch die Nase zu atmen und ihr Herz in einen Mantel aus Eis zu hüllen.

Bald wurden ihre Gliedmaßen schwerer und hinter ihren Augenlidern begann sich alles zu drehen. Die Nebenwirkungen des Schmerz- oder Beruhigungsmittels, mutmaßte sie. Jedenfalls fühlte sie sich benebelt.

»Schlaf jetzt, Baby«, hörte sie Mike mit Reibeisenstimme flüstern. »Ich werde da sein, wenn du aufwachst.«

***

Mike fuhr hoch, als ihm jemand die Hand auf die Schulter legte und ihn vorsichtig schüttelte. Er hatte vornübergebeugt dagesessen, den Oberkörper auf Caras Bett gelehnt, und er wusste nicht, wie lange er in dieser unbequemen Position geschlafen hatte, aber als er sich nun vom Stuhl erhob, protestierten sämtliche Muskeln.

»Ich hab dir Kaffee mitgebracht«, flüsterte Sam, um Cara nicht zu wecken.

»Danke.« Mike nahm den Becher entgegen.

Sam deutete mit dem Kopf in Richtung Tür.

Mike spähte zu Cara, die mit geschlossenen Augen dalag. Sie war blass, und vor dem Hintergrund der weißen Laken waren die Abschürfungen an ihrer Stirn und die lila Flecken an ihrem Hals noch deutlicher zu sehen. Zum Glück hatte Sam es übernommen, Bob Francone zu überwältigen und an die Kollegen von der Polizei zu übergeben, denn Mike hätte den Kerl garantiert kaltgemacht und dem Staat die Prozesskosten erspart.

Er folgte seinem Bruder auf den Flur hinaus.

»Warst du die ganze Nacht hier?«

Mike nickte. Man hatte Cara in ein Privatzimmer verlegt, und die Krankenschwester hatte ihm netterweise erlaubt, über Nacht bei Cara zu bleiben, obwohl er kein Familienangehöriger war. Er hatte sich aber auch gleich vor ihr aufgebaut, ihr seinen Dienstausweis unter die Nase gehalten und ihr signalisiert, dass er nicht daran dachte, nach Hause zu gehen.

»Ich bin gekommen, um mich zu erkundigen, wie es ihr geht und um mich bei dir zu entschuldigen. Wenn ich dich nicht zurückgehalten hätte, wärst du ihr schon viel eher zu Hilfe geeilt«, sagte Sam mit sichtlich schlechtem Gewissen.

Alexa hatte ihnen erzählt, dass Cara zum Auto gegangen war, um ihre Tasche zu holen, und als sie nach fünf Minuten noch nicht wieder aufgetaucht war, hatte Mike ihr nachgehen wollen, doch Sam hatte ihm geraten, ihr noch etwas Zeit zu geben, damit sich ihr erhitztes Gemüt abkühlen konnte. Also hatte sich Mike gezwungen abzuwarten, statt auf seinen Instinkt zu vertrauen. Tja, auf sein Bauchgefühl war eben Verlass.

»Mach dir keine Vorwürfe«, winkte er ab, denn er wusste, wie sehr seinem Bruder Caras Wohl am Herzen lag. »Wir konnten ja nicht ahnen, dass sie in Gefahr schwebt.«

Francone hatte sich nach der Nacht im Gefängnis damals ruhig verhalten, und keiner von ihnen hatte erwartet, dass er Cara nachstellen würde.

»Aber …«

»Schluss damit«, unterbrach Mike seinen Bruder. Ja, insgeheim verfluchte er sich dafür, dass sie wertvolle Zeit verschwendet hatten, aber Sams Gewissensbisse änderten jetzt auch nichts mehr. »Sie wird wieder gesund, und das ist die Hauptsache.«

Sam nickte. »Okay. Dann mache ich mich mal auf die Suche nach Alexa und frage sie, wann Cara nach Hause darf.« Er klopfte seinem Bruder auf den Rücken und steuerte auf die Tür am Ende des Korridors zu.

Mike lehnte sich an die Wand und schloss die Augen. Die Ereignisse der vergangenen Nacht waren ihm noch lebhaft in Erinnerung. Immer wieder sah er vor sich, wie die Frau, die er liebte, um ihr Leben kämpfte. Jede einzelne Sekunde war ihm vorgekommen wie eine Ewigkeit.

Wenn ihr je irgendetwas zustieß, war er verloren.

Er hatte sich die Worte seines Bruders zu Herzen genommen und beschlossen, alles auf eine Karte zu setzen. Er staunte selbst darüber, was er in der kurzen

Zeit, seit er wieder da war, alles erledigt hatte. Eigentlich hatte er Cara schon gestern Abend in seine Pläne einweihen wollen, doch dann war sie getürmt. Aber jetzt konnte sie ihm nicht mehr davonlaufen, und er würde nichts unversucht lassen, um sie davon zu überzeugen, dass *sie* sein Zuhause war.

Als Cara endlich die Entlassungspapiere in der Hand hielt, konnte sie es kaum erwarten, dem Krankenhaus den Rücken zu kehren.

»Nur breiartige Speisen, viel Ruhe und möglichst wenig reden«, schärfte ihr die ältere Krankenschwester, die ihr die Unterlagen übergegeben hatte, ein.

Mike legte Cara fürsorglich einen Arm um die Taille. »Sie können ganz beruhigt sein. Ich werde höchstpersönlich dafür sorgen, dass sie sich an die Anweisungen der Ärzte hält.«

Cara musterte ihn missbilligend. Sie hatte ihm mehrfach zu sagen versucht, dass sie gut und gern auf ihn verzichten konnte, aber er hatte sich kein bisschen davon beeindrucken lassen, und lange Diskussionen waren im Augenblick einfach nicht drin.

Dummerweise brauchte sie wegen der Gehirnerschütterung jemanden, der sich um sie kümmerte, und Alexa war vorhin nach Hause gegangen, also blieb ihr nichts anderes übrig, als sich zu fügen. Zumindest, bis sie sich per SMS eine anderweitige Betreuung organisiert hatte, was sie möglichst bald zu tun gedachte.

»Ah, da kommt ja der Rollstuhl«, sagte die Krankenschwester mit einem Blick zur Tür, durch die soeben ein Rollstuhl hereingeschoben wurde, und Cara stöhnte.

»Vorschrift ist Vorschrift. Hinsetzen«, befahl ihr die Schwester und klopfte auf die Sitzfläche des Rollstuhls.

Ein paar Minuten später wurde sie von Mike in seinen Jeep verfrachtet, obwohl sie nicht erwartet hatte, je wieder in diesem Wagen zu sitzen. Der erregende Duft seines Rasierwassers umgab sie und verursachte ihr ein vertrautes Ziehen in der Brust. Ob sie dieses Gefühl wohl je wieder loswerden würde?

Sie saß mit verschränkten Armen da, stierte aus dem Fenster und ärgerte sich über ihn und ihre Situation.

Irgendwann fiel ihr auf, dass sie nicht auf dem Weg zu ihrer Wohnung waren, und sie stupste ihn mit dem Finger an. »Hey, wo fahren wir hin?«

»Denk an dein Sprechverbot, Kermit«, erinnerte er sie lachend.

Sie funkelte ihn grimmig an.

»Du wirst es schon noch früh genug erfahren, also lehn dich zurück und genieß die Fahrt«, sagte Mike.

Er schien sich pudelwohl zu fühlen, ganz im Gegensatz zu Cara. Dass sie so unentspannt war, lag jedoch nicht an den Schmerzen, denn man hatte ihr reichlich Schmerzmittel verabreicht. Nein, es lag an Mikes Rückkehr und an der Tatsache, dass er sich so aufmerksam um sie kümmerte. Sie wollte es nicht, hatte es nicht nötig, und vor allem durfte sie sich nicht daran gewöhnen, von ihm umsorgt zu werden.

Sie hatte Alexa eine SMS geschickt und sie gebeten, ihr Gesellschaft zu leisten, damit sie Mike zum Teufel schicken konnte, aber bislang war keine Antwort gekommen. Sam schwieg sich ebenfalls aus. Aber sie fuhren ohnehin nicht zu ihr nach Hause. Da ihr also vorerst die Hände gebunden waren, gab sie auf und schloss die Augen.

Ihr war nicht bewusst, dass sie eingedöst war, aber als sie hörte, wie Mike ihren Namen rief, musste sie sich förmlich zwingen, die schweren Lider zu öffnen.

Er hatte in einer ruhigen Seitenstraße geparkt und stellte gerade den Motor ab.

»Wo … wo sind wir?« Sie hielt sich die Hand an die Kehle.

»Pst. Hör mir einfach zu, ja?« Er setzte sich etwas anders hin, sodass er ihr ins Gesicht sehen konnte. Seine Miene war so ernst wie nie zuvor.

Oh-oh. Cara bekam plötzlich Nervenflattern und wünschte sich weit, weit weg. Sie fühlte sich deutlich im Nachteil – sie konnte nicht sprechen, war mit Mike hier im Wagen eingesperrt, während er … Weiß der Geier, was er eigentlich vorhatte. Wahrscheinlich wollte er ihr bloß erklären, dass er aus irgendwelchen lächerlichen Gründen, die nicht das Geringste mit ihr zu tun hatten, nach Serendipity zurückgekommen war. Trotzig verschränkte sie die Arme vor der Brust.

»Ich habe einen riesigen Fehler gemacht«, sagte er mit rauer Stimme.

Sie musterte ihn mit schmalen Augen.

»Ich hätte nicht von hier weggehen dürfen. Ich hätte mich am Riemen reißen und mich den Herausforderungen hier stellen müssen. Aber es kam irgendwie alles zusammen – Rex, Simons Krankheit, der Fall, das Jobangebot …« Er wirkte aufrichtig beschämt über seine Feigheit.

Cara lauschte seinem Geständnis mit wachsender Verwunderung.

»Du hattest völlig recht. Ich hätte dir sagen sollen, dass ich Zeit brauche, und vor allem hätte ich mich verdammt noch mal nicht einfach vor dir zurückziehen dürfen …« Er zögerte. »Ich bin wieder in mein altes Verhaltensmuster zurückgefallen – ich bin weggelaufen, statt zu bleiben und mich mit dem, was geschehen ist, auseinanderzusetzen.« Er räusperte sich, und in seiner Miene spiegelte sich mindestens genauso viel Schmerz wider, wie Cara in ihrem Herzen empfand. »Ich wollte dir keinen Kummer machen.«

Sie schluckte mühsam. »Aber genau das hast du getan«, krächzte sie, obwohl es sie unendlich viel Überwindung kostete.

Er legte die Hand auf die Rückenlehne des Beifahrersitzes, berührte sie jedoch nicht, und Cara war ihm dankbar dafür. Hätte er ihr auch nur über die Hand gestreichelt, sie wäre auf der Stelle in Tränen ausgebrochen.

Sie war stolz darauf, dass sie sich so tapfer schlug. Blieb nur zu hoffen, dass sich dieses Martyrium nicht mehr allzu lange hinziehen würde. »Und was nun? Sind wir … Freunde?«, fragte sie und verzog das Gesicht beim Klang ihrer Stimme.

Sie klang tatsächlich wie Kermit. Sehr passend für ein so ernstes Gespräch, aber wenigstens würde er es bestimmt nicht so bald vergessen.

Mike sah ihr so lange in die Augen, dass sie nicht wusste, was sie denken oder fühlen sollte.

Schließlich nickte er. »Ja, das sind wir.«

Die Enttäuschung traf Cara wie ein Schlag in die Magengrube, obwohl sie bereits gewusst hatte, dass es vorbei war. Sie hatte ihm nicht geglaubt, als er behauptet hatte, er benötige bloß Zeit. Er hatte sie verlassen, genau wie er es angekündigt hatte. Sie unterdrückte das Schluchzen, das bei der Erinnerung daran in ihrer Kehle aufstieg.

»Hey.« Mike legte ihr einen Arm um die Schultern und zog sie zärtlich an sich. »Aber das ist noch lange nicht alles.« Er holte zitternd Luft. »Ich liebe dich, Baby.«

Ihr Herz setzte einen Takt aus. »Was?«

»Ich liebe dich«, wiederholte er, mit jener heiseren Stimme, von der sie träumte, seit er aus Serendipity fort war, und sein Blick bestätigte ihr, dass er die Wahrheit sprach.

Er hatte noch nie so verwundbar gewirkt wie in diesem Moment, und das allein genügte ihr, um seinen Worten Glauben zu schenken, auch wenn ihr Verstand Zweifel an seiner Liebeserklärung anmeldete.

»Ich liebe dich«, beteuerte er noch einmal, ohne zu zögern, ohne jegliche Unsicherheit.

»Aber … du hast doch gesagt …« Jetzt konnte Cara die Tränen nicht mehr zurückhalten.

»Vergiss alles, was ich vorher gesagt habe. Ich habe noch nie eine Frau geliebt. Ich musste noch nie für einen anderen Menschen mein Leben umkrempeln, und ich wollte es auch nicht. Und dann kamst du. Also, bitte, hör mir einfach zu, ja?«

Cara nickte. Sie hätte sich ohnehin nicht vom Fleck rühren können. Wie vom Donner gerührt saß sie da, von Hoffnung und Panik gleichermaßen erfüllt.

Er wischte ihre Tränen mit dem Daumen ab. »Ich bin hier, Baby. Und ich bleibe in Serendipity. Die Bürgermeisterin Flynn hat mir die Stelle als Polizeichef ganz offiziell angeboten, und ich habe angenommen.«

»Aber …« Cara wollte ihrem Glück noch nicht so recht über den Weg trauen. »Früher oder später wirst du dich langweilen, und dann wirst du dein Leben und mich hassen und …«

»Niemals.« Er schmiegte die Hand an ihre Wange. »Sobald ich wieder in meiner Wohnung in New York stand, wusste ich, dass ich Mist gebaut hatte. Es hat eine Woche gedauert, bis ich den Mut hatte, etwas zu unternehmen, weil ich überzeugt war, dass du mich nie mehr sehen willst. Und deiner Reaktion nach zu urteilen lag ich mit dieser Vermutung richtig.« Er krümmte sich innerlich, als er daran dachte, wie sie ihn in Joe's Bar angefahren hatte.

Cara sollte wohl Gewissensbisse haben, aber sie war viel zu geschockt – von seinen Worten wie von der Tatsache, dass er offenbar ziemlich viel nachgedacht hatte. Und dass er die Stelle angenommen hatte.

Er würde bleiben.

»Gestern, als du auf den Parkplatz gegangen bist, wollte ich dir eigentlich gleich folgen, aber ich habe beschlossen, noch etwas zu warten. Und dann komme ich raus und sehe, wie dich dieser Scheißkerl würgt und wie du mit dem Kopf auf dem Asphalt aufschlägst …« Er schauderte. »Ich hatte solche Angst um dich!«

»Entschuldige«, flüsterte sie.

»Nein, ich muss mich entschuldigen – dafür, dass ich abgehauen bin und dir so viel Kummer bereitet habe.«

Tja, letztendlich war es das wert gewesen. Caras Herz fühlte sich an, als könnte es jeden Moment explodieren vor Glück. »Du hast mich ja immer davor gewarnt, mein Herz aufs Spiel zu setzen, aber ich habe mich trotzdem in dich verliebt.« Sie fuhr ihm mit dem Finger über die Wange.

Sosehr das Sprechen auch schmerzte, sie verspürte den Drang, ihm endlich ihre Gefühle zu offenbaren, jetzt, da sie wusste, dass sie erwidert wurden.

»Gott sei Dank.« Er rutschte näher, und Cara schmiegte sich an ihn und fand in seiner festen Umarmung alles, was sie sich je ersehnt hatte.

Mike schob sie noch einmal kurz von sich, um ihr einen Kuss zu geben, bei dem ihr Hören und Sehen verging. Einen, der in ihrem Inneren ein Feuer entfachte. Als ihre Zungen sich fanden, stöhnte sie auf, drängte sich noch näher an ihn in dem Bedürfnis, sich an ihm zu wärmen, auf dass sie nie wieder frieren musste.

»Und du bist dir ganz sicher?«, fragte sie schließlich.

»So sicher, dass ich schon den Mietvertrag für meine Wohnung in New York gekündigt und eine Anzahlung auf ein Haus hier in Serendipity geleistet habe – wobei ich den Kauf noch von deiner Zustimmung abhängig gemacht habe. Die Immobilienmaklerin hat mir Bilder geschickt, und ich war sofort hellauf begeistert, aber ich wollte es mir mit dir gemeinsam ansehen.«

»Ich … ich verstehe nicht …«

Sein strahlendes Lächeln veränderte sein ganzes Gesicht und sorgte dafür, dass sich Cara noch einmal ganz aufs Neue in ihn verliebte, und diesmal musste sie ihre Gefühle nicht im Zaum halten, denn sie wusste, dass er das Gleiche empfand wie sie.

»Du bist mein Leben«, sagte er, und diese Worte waren wie Balsam für ihre Seele. »Ich möchte dich heiraten und eine Familie gründen, und ich möchte, dass meine Kinder hier in Serendipity aufwachsen, in der Nähe ihrer Großeltern. Und eines musst du mir glauben: Ich werde dich *nie* wieder verlassen.«

Jetzt war es endgültig um Caras Fassung geschehen, aber ihre Tränen waren Tränen des Glücks, denn in diesem Augenblick waren all ihre Wünsche und Träume in Erfüllung gegangen, obwohl sie längst die Hoffnung aufgegeben hatte. Ungläubig verfolgte sie, wie Mike in die Jackentasche griff und einen Ring zum Vorschein brachte.

Wenn schon, denn schon, dachte er und hielt ihr mit zitternden Händen den mit einem Diamanten besetzten Ring hin, den er selbst ausgesucht hatte. Er hatte Mike auf den ersten Blick gefallen. Wieder staunte er darüber, was er in dieser kurzen Zeit alles geschafft hatte.

»Willst du mich heiraten, Cara?«, fragte er die Frau, die er mehr liebte als sein Leben.

Sie starrte erst ihn und dann den Ring an, mit diesen großen, ausdrucksstarken blauen Augen. Und dann nickte sie und hauchte: »Ja. Ja!«

Sie warf ihm die Arme um den Hals und presste das Gesicht in seine Halsbeuge, und Mike atmete zum ersten Mal seit einer ganzen Woche, vielleicht sogar zum ersten Mal in seinem Leben, erleichtert auf.

Dann machte er sich von ihr los, um ihr den Verlobungsring an den Finger zu stecken.

»Unglaublich«, murmelte sie. »Er passt perfekt.«

Mike musste unwillkürlich grinsen. »So wie du perfekt zu mir passt.« Er blickte ihr in die Augen. »Wollen wir uns jetzt das Haus ansehen?«

Sie nickte. Ihre Wangen waren von einer bezaubernden Röte überzogen, ein Ausdruck der Freude, die auch er empfand.

Und während sie Hand in Hand auf das riesige Haus im Colonialstil zugingen, das hier, in seiner kleinen Heimatstadt Serendipity stand, schickte Mike ein kurzes Dankesgebet gen Himmel. Cara hatte ihm eine zweite Chance gegeben. Sie war sein, und er war endlich zu Hause.

Dank

Ich kann mich überaus glücklich schätzen, die folgenden Menschen in meinem Leben zu haben:

Janelle Denison, die sämtliche Fassungen meiner Bücher liest und mir über meine Schreibblockaden hinweghilft, und ohne die es vermutlich gar kein Serendipity gäbe! Meine zwei engen Freundinnen Leslie Kelly und Julie Leto, die mich beim Austüfteln der Handlung unterstützen und mir mit ihrem Scharfsinn immer wieder neue Impulse geben. Ja, ich brauche verdammt noch mal eine Handlung, und ihr zwei habt zum Glück ein gutes Händchen für allerlei spannende Wendungen und Verwicklungen. Dann wäre da noch Shannon Short, meine Konstante, die dieses Geschäft wie ihre Westentasche kennt und bei der ich jederzeit persönlich oder via E-Mail Dampf ablassen und über Höhen und Tiefen berichten darf. Ihr ahnt ja gar nicht, wie viel ihr mir, und zwar jede Einzelne von euch, bedeutet! Ein Leben ohne euch ist für mich nicht vorstellbar. Bleibt nur zu hoffen, dass ich euch genauso viel geben kann wie ihr mir!

Das Schreiben ist zuweilen ein sehr einsames Geschäft, außer man ist wie ich ein Internet-Junkie. In diesem Zusammenhang ergeht ein besonderer Dank an meine #Sprint Partner auf Twitter – Marquita Valentine, @ marquitaval; Lissa Matthews, @lissamatthews; Olivia Kelly, @oliviakelly;_ and Andris Bear, @ andrisbear – ihr wart stets um neun Uhr morgens für mich da, um mir beim Schreiben dieses Buches behilflich zu sein. Ihr habt mir unschätzbare Dienste erwiesen, wenn es darum ging, mich zu motivieren, mich bei der Stange zu halten und meine Kreativität anzufachen. Wir sind uns zwar (noch) nie begegnet, aber ich habe das Gefühl, euch zu kennen. Ich danke euch und hoffe, ihr seid beim nächsten Buch wieder mit von der Partie!

Ein besonderer Dank ergeht an Alexis Craig – @ Dispatchvampire –, die ich auch über Twitter kennengelernt habe und die mir alle Fragen zum Thema Polizei beantwortet hat. Danke auch an Kelli Bruns für alle Infos rund um das Thema Krankenpflege.

Vor Ort danke ich Frank für seine unerschöpfliche Geduld und dafür, dass er sich um meine Eltern gekümmert und meine Fragen via E-Mail beantwortet hat, ohne sich über mich lustig zu machen (zumindest habe ich nichts dergleichen bemerkt). Danke!

Sollten mir in den Szenen, in denen es um die Themen Polizei, Verletzungen und Krankenpflege geht, irgendwelche Fehler unterlaufen sein, so gehen diese ausschließlich auf mein Konto!

Lesen Sie weiter in

Carly Phillips

Liebe auf den ersten Kuss

Der zweite Band der Marsden-Serie wird im Mai 2014 im Heyne Verlag erscheinen

Erin Marsden war schon immer ein anständiges, braves Mädchen gewesen. Schließlich war sie stellvertretende Bezirksstaatsanwältin und die einzige Tochter des ehemaligen Polizeichefs von Serendipity. Sie hatte zwei überfürsorgliche Brüder, die beide bei der Polizei arbeiteten, einer davon war sogar der neue Polizeichef der Stadt. Erin erfüllte stets die Erwartungen der anderen. Sie machte nie einen Fehler – allerdings eher aus Angst davor, ihre Familie zu enttäuschen, und nicht so sehr, weil sie fürchtete, aus der Rolle zu fallen, der sie ihr ganzes Leben lang treu gewesen war.

Jedenfalls bis gestern Nacht.

Sie blinzelte und ließ den Blick durch das Zimmer wandern: ein fremdes Bett, ein Raum, der ihr nicht bekannt vorkam. Sie war splitterfasernackt, und neben ihr lag ein ebenfalls nackter, warmer, männlicher Körper.

Cole Sanders.

Sie betrachtete sein etwas zu langes, zerzaustes Haar und den durchtrainierten Oberkörper und schauderte, als ihr bewusst wurde, dass sie die Nachwirkungen ihrer nächtlichen Aktivitäten noch überall deutlich spüren konnte. Kein Zweifel, sie hatte den festgefahrenen

Pfad verlassen und dabei nicht bloß eine Hundertachtziggradwende vollzogen, sondern sich auf etwas eingelassen, das so gar nicht zum Image des anständigen Mädchens passte: auf einen One-Night-Stand.

Ein One-Night-Stand.

Schon bei dem Gedanken daran schwindelte ihr, und eine leichte Übelkeit stieg in ihr hoch, als sie im Geiste noch einmal die verschiedenen Stationen auf dem Weg durchging, der sie hierhergeführt hatte. Gestern hatte alles begonnen, auf der Hochzeit ihres Bruders Mike, wo sie sich inmitten von Familienangehörigen und Freunden ihres Singledaseins nur zu bewusst gewesen war. Glückliche, verliebte Paare, so weit das Auge reichte. Weil sie keine Lust gehabt hatte, allein nach Hause zu gehen, hatte sie unterwegs noch einen Abstecher in Joe's Bar gemacht. Fehler Nummer eins. Dort hatte sie zugelassen, dass Cole Sanders abklatschte, wärend sie mit einem alten Freund getanzt hatte. Fehler Nummer zwei. Sie kannte Cole von früher und erinnerte sich noch lebhaft daran, wie sie ihn mit sechzehn geküsst hatte, in der Nacht, bevor er die Stadt für lange Zeit verlassen hatte. Er hatte sie an seinen harten Körper gedrückt, und der schwermütige Blick seiner dunkelblauen Augen hatte ihr schier das Herz zerrissen. Dann – Fehler Nummer drei – hatte sie sich eingestanden, dass es heftig zwischen ihnen knisterte, ein Umstand, dem sie, seit er wieder in der Stadt war, beide tunlichst keine Beachtung geschenkt hatten. Und zu guter Letzt war sie aufs Ganze gegangen und ihm bereitwillig nach oben in sein Apartment über der Bar gefolgt, wo sie sich die ganze Nacht miteinander vergnügt hatten.

Und, o mein Gott, der Sex mit Cole war phänomenal gewesen. Wer hätte gedacht, dass es dabei derart heiß hergehen konnte? Es war einfach fantastisch gewesen. Am liebsten hätte sich Erin wie eine zufrieden schnurrende Katze gestreckt, doch sie ließ es bleiben, um den leise schnarchenden Mann neben sich nicht zu wecken.

Obwohl ihre Eltern gut befreundet waren, wusste sie nicht allzu viel über Cole. Niemand wusste viel über ihn, nicht einmal ihr Bruder Mike, der früher einer seiner besten Freunde gewesen war. Coles Vater Jed Sanders war bis vor einem Jahr der stellvertretende Polizeichef von Serendipity gewesen, allerdings hatte er nie von seinem Sohn gesprochen. Laut Erins Bruder war Cole einige Tage vor dem Abschluss aus der Polizeiakademie ausgetreten. Was er danach gemacht hatte, wusste niemand so genau, aber die Gerüchteküche in ihrer kleinen Stadt brodelte heftig. Mal wurde gemunkelt, Cole stehe in Manhatten mit dem organisierten Verbrechen in Verbindung, mal hieß es, er sei der Anführer eines Drogen- und Prostitutionsrings. Erin konnte allerdings nicht glauben, dass er derart auf die schiefe Bahn geraten war, schließlich war sie gewissermaßen mit ihm aufgewachsen, auch wenn sie mit dem wilden, bösen Buben, für den es keine Regeln gegeben hatte, nie allzu viel Kontakt gehabt hatte.

Es mochte naiv von ihr sein, aber sie hatte immer an das Gute in Cole geglaubt, obwohl er sich regelmäßig mit seinem strengen Vater gestritten hatte. Von vielen Bewohnern in Serendipity wurde Cole seit seiner Rückkehr geschnitten, doch Erin brachte es nicht über sich, ihn so herzlos zu behandeln. Er war zwar nicht aktiv auf sie zugekommen, aber sie grüßte ihn trotzdem immer freundlich oder schenkte ihm zumindest ein Lächeln, wenn sie sich über den Weg liefen. Bei diesen Gelegenheiten ließ er stets den Blick über sie gleiten und sah ihr dann so tief in die Augen, dass sie danach völlig neben der Spur war. Aber er hatte sie noch kein einziges Mal angesprochen.

Bis gestern Nacht.

Obwohl Erin ein anständiges Mädchen war, verspürte sie nicht die geringste Reue. Eine Nacht wie diese war längst überfällig gewesen. Jetzt musste sie es nur noch schaffen, sich möglichst unbemerkt vom Acker zu machen. Sie hatte nicht die leiseste Ahnung, wie man sich an einem peinlichen »Morgen danach« benahm, und es war auch noch nie vorgekommen, dass sie sich aus der Wohnung eines Mannes hatte schleichen müssen. Ihre bisherigen Affären waren eher beschaulich bis eintönig gewesen und allesamt auf dieselbe Art und Weise zu Ende gegangen, nämlich mit einem höflichen »Es liegt nicht an dir, sondern an mir« von ihrer Seite.

Sie betrachtete ein letztes Mal Coles breite Schultern, die sich mit jedem Atemzug hoben und senkten. Beim Anblick seiner tätowierten Arme, deren Muskeln wie von harter körperlicher Arbeit gestählt wirkten, schauderte sie erneut.

Tief durchatmen, Erin.

Sie zwang sich, klar zu denken. Ihre Klamotten waren im gesamten Zimmer verstreut, und ganz nebenbei bemerkt war ein Brautjungfernkleid wohl eher hinderlich, wenn man sich unauffällig aus dem Haus schleichen wollte. Mit einem letzten Blick auf den Mann, der ihr in der vergangenen Nacht den Himmel auf Erden bereitet hatte, glitt Erin unter der warmen Decke hervor und machte sich auf die Suche nach ihrem Kleid. Ah, da lag es ja. Sie bückte sich und streckte die Hand danach aus, da ertönte hinter ihr Coles Stimme.

»Hätte nicht gedacht, dass du zu der Sorte Frau gehörst, die sich sang- und klanglos aus dem Staub macht«, stellte er ungeniert fest. Sein Tonfall war lässig verschlafen.

Erin wäre am liebsten im Boden versunken. Warum musste er ausgerechnet jetzt aufwachen, wo sie ihm den nackten Allerwertesten hinstreckte? Sie hob hastig das Kleid vom Boden auf und wirbelte herum, wobei sie sich bemühte, ihren Körper züchtig zu verdecken, denn inzwischen war sie wieder ganz das anständige Mädchen, das sie noch vor vierundzwanzig Stunden gewesen war.

»Ich kenne bereits jeden Zentimeter an dir in- und auswendig«, erinnerte Cole sie, ohne den verschlafenen Blick von ihr abzuwenden.

Erin wurde rot und beschloss, diesen Kommentar einfach zu übergehen und sich stattdessen auf seine erste Bemerkung zu konzentrieren. In Augenblicken wie diesen kam es ihr ganz gelegen, dass sie als Staatsanwältin in der Lage sein musste, geschickt abzulenken. »Für welchen Typ Frau hast du mich denn gehalten?«

Er richtete sich auf und rutschte nach oben bis zum Kopfteil des Bettes. Mit seinen zerstrubbelten schwarzen Haaren wirkte er so unwiderstehlich attraktiv, dass sie sich am liebsten gleich wieder zu ihm gesellt hätte. Was jedoch aus mehreren Gründen völlig ausgeschlossen war: Erstens hatte jeder One-Night-Stand ein Ablaufdatum, und das hatten sie bereits erreicht. Zweitens hatte Cole sie zu ihrer großen Enttäuschung mit keinem Wort dazu aufgefordert. Und drittens war ihr Auftritt als ungezogenes Mädchen ein einmaliger Ausrutscher gewesen. Heute Morgen, ohne Alkohol im Blut, war die brave Erin wieder da, und mit ihr die Schamhaftigkeit.

Cole lehnte sich nach hinten, die Finger hinter dem Kopf verschränkt, und betrachtete sie eingehend. Die Decke war ihm bis unter den Nabel gerutscht, und Erin musste sich sehr zusammenreißen, um ihn nicht anzustarren.

»Jedenfalls nicht für die Sorte ›verklemmter Feigling‹, so forsch, wie du gestern Abend aufgetreten bist.« Er hob eine Augenbraue.

Lächelte der Mann eigentlich nie? »Und ich hätte nicht gedacht, dass du zu dem Typ Mann gehörst, der eine Frau am nächsten Morgen noch gern länger um sich hat.«

Sie fragte sich, warum er sie nicht einfach hatte gehen lassen, selbst wenn er bereits wach gewesen war. Damit wäre ihnen diese peinliche Unterhaltung erspart geblieben. Andererseits wäre sie vermutlich früher oder später ohnehin fällig gewesen. So gesehen konnten sie es genauso gut gleich hinter sich bringen.

»Ich war also ›forsch‹, ja?«, zitierte sie ihn und straffte die Schultern ein wenig.

Im Job war Erin knallhart – das musste sie sein, damit sie ihrem Chef Kontra geben und sich gegen die Strafverteidiger und deren Mandanten durchsetzen konnte. Aber dass sie im Umgang mit Männern forsch war, das hörte sie jetzt zum ersten Mal, und sie fasste es beinahe als Kompliment auf.

»Okay, ich bin mit dir nach Hause gegangen, das war in der Tat forsch«, räumte sie in einem Anflug von Stolz ein.

Cole musterte sie, ohne eine Miene zu verziehen, aber sie hätte schwören können, dass seine Augen amüsiert aufblitzten, wenn auch nur für den Bruchteil einer Sekunde.

»Mit ›forsch‹ meinte ich eigentlich dein Verhalten im Bett.«

Es klang durchaus anerkennend, sodass Erin ganz warm ums Herz wurde. Sie errötete, murmelte »Danke« und hätte sich im selben Moment am liebsten geohrfeigt. Hatte sie das wirklich gerade gesagt?

Cole schenkte ihr ein sexy Lächeln, das sie nie mehr vergessen würde. »Aber um auf den Anfang unserer Unterhaltung zurückzukommen: Nein, ich hatte nicht erwartet, dass du dich einfach hinausschleichst.«

»Bereust du es?«, fragte er, wobei die Frage sie mehr erstaunte als sein angriffslustiger Tonfall.

Sie schüttelte ohne zu zögern den Kopf. »Überhaupt

nicht.« Es stimmte sie traurig, dass er das für möglich hielt.

Aber es überraschte sie nicht. Die Bürger der Stadt hatten ihn nicht gerade mit offenen Armen empfangen, und wenn sie von den Ereignissen der vergangenen Nacht erfuhren, würden sie sich bestimmt fragen, ob Erin den Verstand verloren hatte. Sollten ihre Brüder je dahinterkommen … Bloß nicht daran denken. Da sie bis jetzt keine Reue verspürte, würde es ihr wohl auch später nicht leidtun. Außerdem wollte sie Cole auf keinen Fall den Eindruck vermitteln, dass es ihr peinlich war, mit ihm geschlafen zu haben.

»Du verblüffst mich«, gab er zu, während er sie aufmerksam betrachtete. »Und ich dachte schon, es gibt nichts mehr auf dieser Welt, das mich noch verblüffen kann.«

Es klang, als hätte er in seinem Leben schon zu viel gesehen und erlebt. Erin hätte gern nachgehakt oder ihn getröstet, doch ehe sie den Gedanken weiterverfolgen oder ihn gar in die Tat umsetzen konnte, sprach er weiter.

»Aber dein Bauchgefühl trügt dich nicht, was mich angeht: Es ist mir tatsächlich lieber, wenn es am nächsten Morgen keine langen Diskussionen gibt.«

Enttäuschung machte sich in ihrem Herzen breit, doch *darüber* durfte sie wirklich nicht lange nachdenken. »Gut zu wissen, dass wir diesbezüglich dieselben Ansichten vertreten«, antwortete sie leichthin und zwang sich zu einem Grinsen, obwohl ihr eigentlich nicht der Sinn danach stand.

Nun, da der Abschied nahte, war Erin nicht bloß verlegen, sie bedauerte es auch mehr, als sie erwartet hatte. Tja, das hatte sie jetzt davon, dass sie sich auf einen One-Night-Stand mit einem Kerl eingelassen hatte, für den sie schon vor Jahren eine Schwäche gehabt hatte, selbst wenn sie damals noch blutjung gewesen war.

»War ja nur ein One-Night-Stand. Du musst also nicht befürchten, dass es noch einmal vorkommt«, fügte sie so schnippisch wie nur irgend möglich hinzu.

»Schade«, murmelte er, und Erin hob erstaunt den Kopf.

Sie wollte ihn gerade bitten, sich umzudrehen, während sie sich anzog, da warf er die Decke beiseite und stieg aus dem Bett. Im Adamskostüm.

In ihrem Kopf herrschte plötzlich Leere. Sie versuchte zu schlucken und musste husten. Bis der Anfall vorbei war, hatte sie erneut eine hochrote Birne.

»Und genau deshalb darf das hier auch nicht mehr als ein One-Night-Stand werden«, fuhr er fort, so leise, als wäre es nicht für ihre Ohren bestimmt.

»Was soll das heißen?«, fragte Erin. Sie hasste Rätsel und geheimnissvolle Andeutungen.

»Weil du real bist, meine Liebe, in einer Welt, in der nichts und niemand so ist, wie es scheint.« Er schlüpfte in seine Jeans, ohne sie zuzuknöpfen, was Erin ziemlich sexy fand. »Und das macht dich gefährlich.«

»Das klingt ja alles sehr mysteriös«, bemerkte sie.

Cole antwortete nicht, sondern ging zur Kommode, öffnete eine Schublade und reichte Erin eine Jogginghose und ein ausgewaschenes T-Shirt. »Hier, das ist bequemer und weniger auffällig.«

Sie schluckte schwer. »Danke.«

»Das Bad ist da drüben.« Er deutete auf die offene Tür in der Ecke. »Nimm dir ein Handtuch aus der Schublade und lass dir ruhig Zeit«, sagte er und schlurfte gelassen aus dem Zimmer. Den Mann brachte so schnell nichts aus der Ruhe.

Erin schüttelte den Kopf und verbannte alle Gedanken an ihn aus ihrem Gehirn. *Konzentration!*, ermahnte sie sich. Duschen, anziehen und gehen. Alles andere – Gefühle wie Überlegungen – musste warten, bis sie allein war. Erst dann würde sie wie immer die Ereignisse Revue passieren lassen und den Vorfall in der hintersten Ecke ihres Gedächtnisses speichern. Und nur noch in langen, einsamen Nächten daran denken, in denen sie mit ihrem Vibrator allein war. Denn tief in ihrem Inneren war ihr klar, dass Cole – seiner reservierten, griesgrämigen Art heute Morgen zum Trotz – die Latte unerreichbar hoch gelegt hatte für alle Männer, die nach ihm kamen.

Dabei hatte Erin selbst schon ziemlich hohe Ansprüche an das starke Geschlecht.

Sechs Wochen später …

Wenn diese Verhandlung nicht bald zu Ende war, würde Erin demnächst vor dem Richter, der Jury und allen anderen Anwesenden im Gerichtssaal ohnmächtig werden oder sich alternativ auf ihre brandneuen Schuhe erbrechen. Mal sehen, was zuerst der Fall sein würde. Richter White, dessen weißer Haarschopf seinem Namen alle Ehre machte, wollte gar nicht mehr aufhören mit seinen ermüdend ausführlichen Anweisungen für die Jury. Die kommenden zwanzig Minuten zogen sich für die völlig erschöpfte Erin, der obendrein fürchterlich übel war, wie eine Ewigkeit hin. Als sie endlich den heiß ersehnten Schlag des Hammers vernahm, der für den heutigen Tag das Ende der Verhandlung signalisierte, ließ sie die Stirn auf die Tischplatte sinken.

»Keine Sorge, ich habe alles notiert, was der Richter gesagt hat. Es war nichts dabei, was wir nicht vorausgesehen hätten oder wogegen ich Einwände erhoben hätte«, versicherte ihr Trina Lewis, die zweite stellvertretende Staatsanwältin bei dieser Verhandlung.

»Danke«, murmelte Erin.

»Komm, wir gehen. Sollen wir noch einen Abstecher auf die Toilette machen?«

Erin zwang sich, den Kopf zu heben. »Ja. Bitte.«

Trina hatte Erins Sachen bereits eingesammelt und in ihre Tasche gepackt. Gemeinsam verließen sie den Gerichtssaal, der zu Erins großer Erleichterung schon fast leer war, sie musste sich also mit niemandem mehr unterhalten.

»Ähm, kann ich kurz mit dir reden, Erin?«, fragte Trina, als sie die Damentoilette betraten.

»Natürlich«.

Trina arbeitete seit zwei Jahren im Büro des Staatsanwalts und war mittlerweile eine gute Freundin von Erin. Sie waren die einzigen Frauen dort, und zwischen ihnen gab es weder Machtkämpfe noch Eitelkeiten, im Gegenteil – sie waren einander eine Zuflucht vor dem Machogehabe ihrer Kollegen.

Trina spähte kurz unter alle Türen, um sicherzugehen, dass sie allein waren. Sie waren vorsichtig geworden, seit Lyle Gordon, dieser faule Mistkerl, der zufälligerweise im aktuellen Fall der Strafverteidiger war, seiner Anwaltsassistentin befohlen hatte, sich auf der Damentoilette zu postieren und ihm hinterher alles zu berichten, was für seinen Fall von Nutzen war.

»Die Luft ist rein«, stellte Trina fest.

»Worum geht's denn?« Erin drehte den Wasserhahn auf und wusch sich das Gesicht mit kaltem Wasser.

»Um deine Darmgrippe, die sich allmählich zur längsten Darmgrippe in der Geschichte der Menschheit auswächst, findest du nicht?« Trina zupfte ein Papierhandtuch aus dem Spender und reichte es Erin.

»Es ist doch schon besser geworden«, schwindelte diese.

»Nein, ist es nicht. Zwei Wochen geht das jetzt bereits so. Deshalb war ich in der Mittagspause in der Apotheke, während du in der Cafeteria deinen Tee getrunken hast, und habe dir das hier besorgt.« Sie hielt eine braune Papiertüte in die Höhe.

Erin hob eine Augenbraue und nahm die Tüte mit spitzen Fingern entgegen.

»Was ist da drin?« Sie spähte hinein, ohne die Antwort abzuwarten. »Ein Schwangerschaftstest?«, stieß sie entsetzt hervor und hielt sich sogleich die Hand vor den Mund. »Soll das ein Witz sein? Wir ackern seit über einem Monat rund um die Uhr, sieben Tage die Woche. Ich kann mich gar nicht erinnern, wann ich zuletzt meinen batteriebetriebenen Freund benutzt habe, von Körperkontakt mit einem Mann aus Fleisch und Blut ganz zu schweigen.«

»Du lügst«, stellte Trina fest. Erin runzelte die Stirn. Sie wussten beide ganz genau, wann sie zum letzten Mal mit einem Mann geschlafen hatte, nämlich vor sechseinhalb Wochen. Und sie erinnerte sich haarklein an jeden Zentimeter seines muskulösen Körpers, an jedes Detail der gemeinsamen Nacht.

Ja, sie hatten es ziemlich oft getan, aber sie hatten *jedes Mal* verhütet. Außerdem, wie groß war die Wahrscheinlichkeit, dass sich ihr Leben von Grund auf veränderte, nur weil sie ein einziges Mal über ihren Schatten gesprungen war? Das Schicksal würde ihr das nicht antun, nachdem sie all die Jahre ein anständiges Mädchen gewesen war. Oder?

Erin bereute es bereits, dass sie ihre zwei engsten Freundinnen – Trina und Macy Donovan – eingeweiht hatte, denn eine von ihnen stand nun neben ihr und hielt ihr diese dämliche Schachtel unter die Nase, die jede Frau auf der Welt sogleich als Schwangerschaftstest identifizieren konnte.

»Nun nimm schon«, befahl Trina.

»Ich kann unmöglich schwanger sein.« Allein bei der Vorstellung drehte sich Erin der Magen um, und jede Zelle ihres Körpers protestierte unüberhörbar.

»Gut, dann beweis mir das Gegenteil, und ich schleppe dich zum Arzt, damit er herausfindet, wieso dir seit zwei Wochen permanent übel ist.« Trina fixierte sie mit einem Blick, bei dem jeder potenzielle Angeklagte begonnen hätte zu bibbern und »Ich will zu meiner Mami« zu flennen.

»Okay.« Erin nahm die Schachtel und verzog sich in eine Kabine. Ihre Hände zitterten dermaßen, dass sie kaum in der Lage war, die Anleitung zu lesen, geschweige denn ihr zu folgen. Dennoch wartete sie mit Trina ein paar Minuten später auf das Ergebnis.

Während sich der Minutenzeiger der Uhr unendlich langsam weiterbewegte, herrschte gespannte Stille, und Erins Gedanken wanderten unwillkürlich zu Cole. Seit der gemeinsamen Nacht ging er ihr aus dem Weg, hatte ihr nur einmal kurz im Cuppa Café zugenickt, ehe er hinausgegangen war. Erin wäre ein freundlicher Schwatz lieber gewesen, denn dabei hätte sie vielleicht endlich ihre innere Anspannung abschütteln können. Aber Cole hatte ihr klar und deutlich zu verstehen gegeben, dass eine gemeinsame Nacht sie noch lange nicht zu Freunden machte.

Sie konnte nicht leugnen, dass seine Gleichgültigkeit sie verletzte. Am liebsten wäre es ihr gewesen, wenn er Serendipity verlassen hätte, damit sie nicht ständig an ihren einzigen Fehltritt erinnert wurde.

Sie *durfte* nicht schwanger sein, schon gar nicht von *ihm*. Ein schlimmeres Horrorszenario konnte sie sich wirklich nicht vorstellen. Allein bei dem Gedanken daran drehte sich ihr der Magen um.

»Ding!« Trinas übertrieben fröhliche Stimme riss sie aus ihren unerfreulichen Gedanken.

Erin schauderte und schlang die Arme um sich. »Sieh du nach.«

Trina streckte ihr die Hand hin, und Erin ergriff sie, dankbar für die Unterstützung ihrer Freundin. Sie hielt den Atem an, und ihr Herz pochte so heftig, dass sie sicher war, jeder müsse es hören können. Es war schwer zu sagen, ob der Kloß in ihrer Kehle von ihrer Panik herrührte oder von der Übelkeit.

»Und?« fragte sie, als sie die Stille und die Anspannung nicht mehr aushielt.

»Er ist positiv«, flüsterte Trina. Ihr vorgetäuschter Optimismus war verflogen.

Jetzt konnte Erin den Brechreiz nicht mehr unterdrücken. Sie gab einen Laut von sich, der ihr selbst fremd war, und hastete in die nächstbeste Kabine.

Als Cole erwachte, schien die Sonne in seine kleine Wohnung. Wie üblich begann er den Tag mit einer Bestandsaufnahme seiner Gefühle. Gegen drei Uhr morgens war er nach einem Albtraum aufgewacht und hatte bis in die frühen Morgenstunden nicht mehr einschlafen können. Alles wie gehabt: Es ging ihm beschissen.

Er war wieder zu Hause in Serendipity, und hier würde er bleiben, bis er wusste, was zum Teufel er mit seinem Leben anfangen sollte. Bis jetzt hatte er keinen blassen Schimmer. Er wusste nur eines: Von der Arbeit als Undercover-Cop hatte er endgültig die Schnauze voll. In diesem Punkt war er sich ganz sicher. Er hatte lange nur für seine Arbeit gelebt, wohl wissend, dass er es mit dem Abschaum dieser Welt zu tun hatte.

Dass der Abschaum, den er bekämpfte, mit der Zeit auf ihn abfärben würde, war ihm erst bei seiner letzten Mission klar geworden, die kein gutes Ende genommen hatte. Und er würde keine langfristigen Entscheidungen treffen, bevor er seinem Spiegelbild wieder in die Augen blicken konnte.

Zurzeit war Cole für seinen alten Kumpel Nick Mancini auf diversen Baustellen tätig, und auch das nur, wenn Not am Mann war, was ihm sehr gelegen kam. Heute hatte er frei, was bedeutete, dass er seinem Vater einen Besuch abstatten würde.

Tolle Aussichten.

Es herrschte zwar Waffenstillstand zwischen Cole und Jed, aber beide waren jederzeit, bei der kleinsten Provokation, zum Kampf bereit. Immer wieder rief sich Cole in Erinnerung, dass sein Vater nicht mehr der Jüngste war und nicht mehr all das tun konnte, was er gern tat oder was ihm früher keine Schwierigkeiten bereitet hatte, wie zum Beispiel ein loses Brett an der Verandatreppe auszutauschen. Jetzt, wo Cole da war, übernahm er diese Reparaturarbeiten, aber sein Vater war zu stolz, um Dankbarkeit dafür zu zeigen. Dazu kam, dass sie seit jeher sehr gegensätzliche Ansichten zu praktisch jedem Aspekt des Lebens hatten, und daran würde sich auch nichts mehr ändern.

Ihre unterschiedliche berufliche Laufbahn war nur ein Beispiel dafür. Jed hatte nach der Highschool in der Nähe von Philadelphia halbtags auf dem Bau gearbeitet und sich nach dem Tod seiner Schwester, für den er sich persönlich verantwortlich fühlte, der Verbrechensbekämpfung verschrieben. Für ihn waren die Polizei und das strikte Regelwerk, für dessen Befolgung er sich einsetzte, eine Möglichkeit, mit der Willkür und Sinnlosigkeit bestimmter Ereignisse fertigzuwerden, die einem im Leben widerfuhren. Deshalb konnte er nichts mit der finsteren Welt anfangen, in der Cole sich seinen Lebensunterhalt verdient hatte – eine Welt, in der man mit Regeln reichlich locker umging, sofern es überhaupt welche gab. Jed hätte es lieber gesehen, wenn sein Sohn »ehrliche Polizeiarbeit« verrichtet hätte, sprich, mit einem Abzeichen auf der Brust. Zwar bewahrte er Coles Geheimnis, aber er hatte sich nie so recht mit der Berufswahl seines Sohnes anfreunden können und legte auch keinerlei Stolz an den Tag, obwohl Cole gute Arbeit geleistet hatte – eine Zeit lang zumindest.

Und jetzt?

Jed hatte den kurzlebigen Halbtagsjob am Bau damals hinter sich gelassen, um Buße zu tun und sich voll und ganz der Verbrechensbekämpfung zu widmen. Und er konnte und wollte sich nicht damit abfinden, dass Cole nicht viel von den Werten seines Vaters hielt und sich deshalb auch nicht dem SPD anschließen wollte. Dabei hing Cole zur Zeit ähnlich in den Seilen wie sein Vater damals – auch er quälte sich, weil eine unschuldige Frau zu Tode gekommen war. Er hatte beschlossen, halbtags für Nick zu arbeiten und Gewissenserforschung zu betreiben, bis er sein Leben wieder auf die Reihe bekam. Sofern ihm das überhaupt gelang. Manchmal hatte er das Gefühl, dass er kurz davor war durchzudrehen.

All das führte naturgemäß dazu, dass die beiden Männer nie einer Meinung waren. Normalerweise fungierte Rachel, mit der Jed seit über zehn Jahren verheiratet war, als Puffer zwischen den beiden, doch ihre Tochter hatte vor Kurzem ein Baby bekommen, weshalb Rachel für einige Zeit zu ihr gezogen war. Also musste Cole allein mit seinem Vater fertigwerden.

Er duschte, zog sich an und begab sich ins Cuppa Café, das sich gleich um die Ecke von Joe's Bar befand und Joes Schwester Trisha gehörte. Dort holte sich Cole jeden Morgen den Kaffee, ohne den er nicht leben konnte, und tat, als würde er nicht bemerken, dass die Leute einen großen Bogen um ihn machten. Zugegeben, nicht alle – Trisha begrüßte ihn immer mit jenem aufrichtigen Lächeln, das für alte Bekannte reserviert war. Genau wie Erin, doch damit war inzwischen Schluss, dafür hatte er gesorgt, als sie sich nach dem One-Night-Stand das erste Mal über den Weg gelaufen waren. Er hatte jegliche Freundlichkeit von ihrer Seite unerbittlich im Keim erstickt.

Erin.

Das anständige Mädchen mit der weichen, hellen Haut. Sie hatte ihn völlig überrumpelt mit ihrem Sex-Appeal, ganz zu schweigen von ihrem hellen Lachen, das seine dunkle, erkaltete Seele wärmte.

Sie war das einzig Gute, das ihm seit seiner Rückkehr widerfahren war. Genau aus diesem Grund musste er sich von ihr fernhalten, sosehr sie ihn auch reizte.

Wahrscheinlich hielt sie ihn ohnehin für einen Mistkerl, und wenn er daran dachte, wie gekränkt sie gewirkt hatte, als er sie neulich hatte abblitzen lassen, kam er sich tatsächlich wie ein Mistkerl vor. Dabei wollte er ihr bloß den Ärger ersparen, den sie sich unweigerlich einbrocken würde, wenn man sie mit Cole Sanders in Verbindung brachte.

Von seinem Vater wusste er, dass er für viele Bewohner von Serendipity der große Unbekannte war, ein Störenfried, der niemals erwachsen geworden war. Das waren noch die harmlosesten Ausdrücke, mit denen man ihn bedacht hatte. Die älteren Leute guckten stets ganz misstrauisch, wenn Cole in der Nähe war, als wollten sie die Worte seines Vaters bestätigen. Und Nick hatte erwähnt, dass es Hausbesitzer gab, die nicht wollten, dass Cole bei ihnen Reparaturarbeiten erledigte. Es war schon schlimm genug, wenn man ihm überhaupt einen Diebstahl zutraute, aber dass er Freunde und alte Nachbarn beklaute? Herrgott noch mal.

Nun gut, ihr Misstrauen kam vermutlich nicht von ungefähr, schließlich hatte er die Polizistenausbildung einige Tage vor dem Abschluss abgebrochen. Erins Bruder Mike Marsden, der derzeitige Polizeichef von Serendipity, war damals auch in seiner Klasse gewesen.

Mikes Ansicht nach hatte sich Cole die vergangenen sechs Jahre seine Brötchen mit Aufträgen im Dunstkreis des organisierten Verbrechens verdient, die Arbeit am Bau mit eingeschlossen. Voriges Jahr war Cole dann bei einer Razzia verhaftet worden, im Zuge derer man einen der wichtigsten Drahtzieher hier in der Gegend gefasst hatte. Cole hatte auftragsgemäß ausgesagt, über seine Identität hatte man Stillschweigen bewahrt. Niemand wusste wirklich über seine Vergangenheit Bescheid, und er legte auch keinen großen Wert darauf. Aber eine Frau wie Erin hatte etwas Besseres verdient als ihn – genauer gesagt, etwas Besseres als den Mann, für den ihn alle hielten.

Im Grunde war Cole gar nicht mehr weit davon entfernt, dieser Mann zu werden. Die redlichen Bürger von Serendipity lagen mit ihrer Einschätzung also eigentlich nicht allzu weit daneben.

Cole nahm seinen Kaffee und stieg in seinen alten Mustang, um zu seinem Vater zu fahren. Wenig später hielt er vor dem Haus, in dem er aufgewachsen war, und betrachtete es mit kritischem Blick. Das lose Brett an der Verandatreppe war noch das geringste Problem. Die Farbe blätterte allenthalben ab, die Fenster gehörten dringend geputzt, und wenn das Dach nicht vor dem nächsten Winter repariert wurde, hatte sein Vater ein ernstes Problem.

Nun, Cole würde sich vorläufig auf die kleineren Reparaturen konzentrieren und sich bemühen, mit seinem Vater klarzukommen. Und sobald Rachel wieder da war, würde er versuchen, die beiden davon zu überzeugen, dass es klüger wäre, sich eine Eigentumswohnung zuzulegen. Eine, die etwas kleiner und leichter sauber zu halten war, vorzugsweise in einem Wohnblock mit Hausmeister. Sein Vater wäre ihm beinahe an die Gurgel gegangen, als Cole ihm diesen Vorschlag vor einer Weile zum ersten Mal unterbreitet hatte.

Er bog um die Ecke und sah zu seiner Verwunderung

einen sportlichen royalblauen Jeep vor der Garage stehen. Er wusste, wem das Auto gehörte:

Erin.

Er hatte weiß Gott alles getan, um ihr aus dem Weg zu gehen, doch wie es aussah, würde er sich ihr nun wohl oder übel stellen müssen.